JN058484

歌舞伎町アンダーグラウンド

Kabukicho Underground

本橋信宏

Motohashi Nobuhiro

駒草出版

歌舞伎町アンダーグラウンド

Kabukicho Underground

本橋信宏

Motohashi Nobuhiro

駒草出版

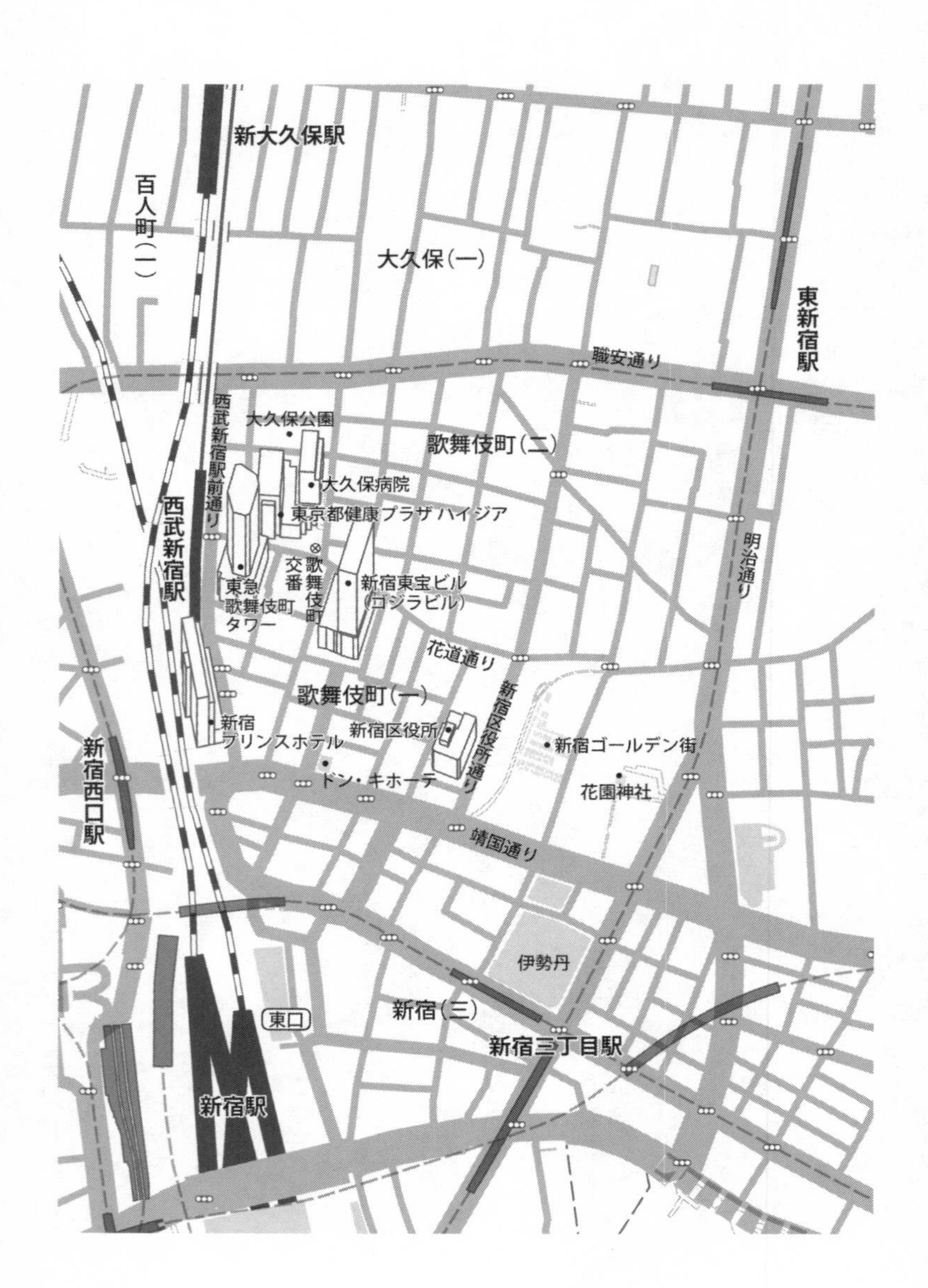

新大久保駅
百人町(一)
大久保(一)
東新宿駅
職安通り
西武新宿駅前通り
大久保公園
歌舞伎町(二)
大久保病院
東京都健康プラザ ハイジア
西武新宿駅
歌舞伎町交番
東急歌舞伎町タワー
新宿東宝ビル(ゴジラビル)
明治通り
花道通り
歌舞伎町(一)
新宿区役所通り
新宿区役所
新宿プリンスホテル
新宿ゴールデン街
新宿西口駅
ドン・キホーテ
花園神社
靖国通り
伊勢丹
東口
新宿(三)
新宿三丁目駅
新宿駅

プロローグ

二〇〇一年九月一日未明、四十四人もの死者を出した明星（みょうじょう）56ビル火災は、歌舞伎町最大の悲劇だった。

このビルにまつわる人物たちが交錯したことが、本書を書き下ろすきっかけにもなった。

ビル火災の原因は、いまなおつかめぬままだ。

忘却は第二の死である。

悲劇を知る人物たちを追いかけてみよう。

それは東洋一の殷賑（いんしん）地帯、新宿歌舞伎町を追う旅でもあった。

新宿歌舞伎町はいくつもの呼び名で知られる。

不夜城、迷宮の街、ヤクザの街、キャバクラの街、ホストクラブの街、日本一危険な街、欲望の街、外国人の街。

歌舞伎町の歴史は戦後にはじまる。

終戦後、焼け野原の街を復興させようと、地元有志が歌舞伎劇場の建設を目ざしたものの、主役の歌舞伎劇場がなかなかやってこない。

建築規制が公布されたため頓挫（とんざ）した歌舞伎劇場の代わりに、過剰なエネルギーを放射する男女がこの街を闊歩（かっぽ）する

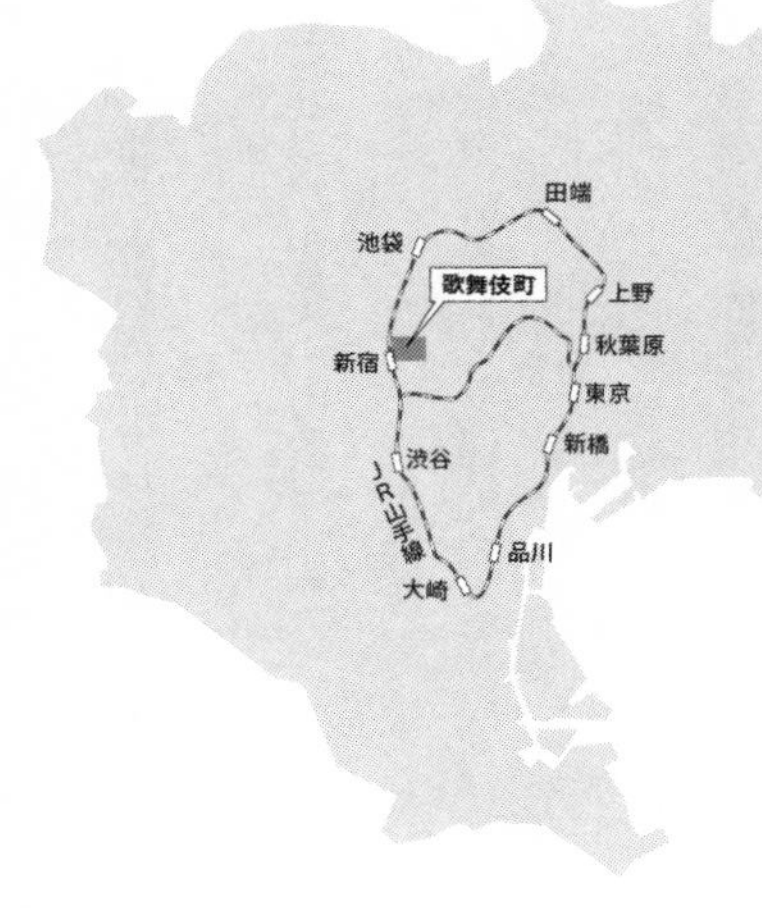

ようになった。

歌舞伎の語源である〝かぶく〟とは、派手な身なりをするかぶ（傾）くから派生したものであり、江戸時代に熟成したケレン味たっぷりの演劇が歌舞伎だった。

幻に終わった歌舞伎劇場の怨念からか、宿命的に歌舞伎町は女と男がかぶく街になった。

歌舞伎町は一人の男の情熱によって生まれた街である。

戦争により灰燼（かいじん）に帰した地帯に、映画館、演芸場、大宴会場、公衆浴場などを建てようという壮大な試みがおこなわれた。

その音頭を取ったのが鈴木喜兵衛（すずききへい）という人物だった。

歌舞伎町の歴史をひもとくとき、必ず登場する鈴木喜兵衛は、歌舞伎町の前身である淀橋区角筈（つのはず）一丁目北町の町会長だった。

鈴木喜兵衛と地元有志は、複雑な土地の権利を整理して一本化し、戦災復興事業として東京都を巻き込んでいく。

東京都の建設局長であり都市計画家でもあった石川栄耀（いしかわひであき）が鈴木喜兵衛の持ち込んだ復興プランに乗り、焼け跡の再開発に取り組んだ。

新たな地名を決めるとき、石川栄耀が〝歌舞伎町〟を提案し、公的な地名として生き残った。

歴史上はじめて敗戦国という屈辱を味わうことになった日本では、中国人、朝鮮人が戦勝国側の国民になり、当時彼らを称して三国人と呼んだ。

戦前、日本の支配下にあった台湾、満州、朝鮮半島の人々は、解放感の余勢から焼け跡で幅を利かせ、日本の警察も手出しできない状態にあった。

焼け跡を復興し、歌舞伎劇場を建設しようという鈴木喜兵衛の企ては、街を日本人の手に取りもどそうという気概だったのだろう。

歌舞伎町一番街の入口にあるとんかつ茶づけ「すずや」は、喜兵衛の長男夫妻が作った老舗で、歌舞伎町の一等地にある。

店前の道路に歌舞伎町名物のキャッチもポン引きも見当たらないのは、過去に敬意を表してといわれる。

*

歌舞伎町はさほど広くない長方形のエリアで、人間の欲望を満たす施設がすべて揃っている。

歌舞伎町エリアを図解で説明する場合、長方形を想起するとわかりやすい。

靖国通りを四角形の下辺とすると、上辺は職安通り、向かって左側は西武新宿駅前通り、右側は明治通りになる。

四角いエリアの真ん中を花道(はなみち)通りが横切っている。道の真下には蟹川(かにかわ)あるいは金川と称する川が西武新宿駅あたりから明治通りに向かい流れていた。

昭和初期に暗渠(あんきょ)にしてその上を通ったのが花道通りだった。

花道通りは歌舞伎町の中央を横切るまさに花道であり、この道から靖国通りまでのエリアが歌舞伎町一丁目、反対側の職安通りまでのエリアが歌舞伎町二丁目になった。

歌舞伎町一丁目はJR新宿駅から流れてくる人々を吸い込む、いわば表の歌舞伎町であり、ひらけたエリアである。コマ劇場の跡地に建ち、屋上からゴジラが咆哮する新宿東宝ビルが新たなランドマークになった。

都内最大級のシネコン「TOHOシネマズ新宿」をはじめ、超高層ホテル「ホテルグレイスリー新宿」が入るビルとして人気を集め、最近ではこの建物の足下に蝟集(いしゅう)し、倦怠感をちらつかせる若者たちをトー横キッズと呼んでいる。

歌舞伎町一丁目には映画館をはじめ、飲食店が建ち並び、一時期は興隆をきわめた派手やかな電飾の店舗型風俗店がまだいくつか棲息している。

歌舞伎町二丁目はディープ歌舞伎町とでもいうべきエリアである。

ホストクラブ、キャバクラ、ラブホテルが密集する通向きの歓楽地帯である。未成年者が大量に流れ込む一丁目に比べ、二丁目は未成年者が急激に減る、大人の夜の街である。


風営法誕生のもとになった女子中学生殺害の歌舞伎町ディスコ殺人事件とは何か。

一九八一年に連続して発生した歌舞伎町ラブホテル殺人事件の被害者と犯人とは。

胸に代紋を入れた十代の少年ヤクザのその後は。

歌舞伎町悪の代名詞となったぼったくりの帝王とは何者か。

路地を徘徊するキャッチとポン引きの違いとは。

キャバクラ密集地帯の街でナンバー1を張るキャバ嬢の素顔とは。
日本最大のホストクラブ密集地帯で夜を疾走する現役ホストの本音とは。
ヒットマンとして潜伏した過去を語る現役ヤクザの凄絶な証言とは。
ケンカに明け暮れた元ホストはいかにアクション俳優になりしか。
みずから渡世に飛び込んだヤクザが語る拳銃のリアルとは。
歌舞伎町で密売された無修正裏DVDの舞台裏とは。
ラーメン屋の出前持ちのアルバイトをしていた高校生が目撃した裏の歌舞伎町とは。
その後、人気芸人となった元高校生は私をどこに導いたのか。
歌舞伎町ビル火災のその後は。
十三歳だった私は雑居ビルの谷間で何を見てしまったのか。

これから登場する男女によって舞台裏が明かされる。

目次

第一章　歌舞伎町最大の惨劇を追う

「空から人が降ってきた」

下にいた通行人が、思わず自殺志願者だと勘違いした。

二〇〇一年九月一日未明、歌舞伎町一番街の雑居ビル、明星56ビル三階にある麻雀ゲーム店「一休(いっきゅう)」の窓から男が道路に落下した。黒い煙に巻かれ、逃げ場を失った従業員が必死の思いで窓から飛び降りたのだ。

窓から黒煙と炎が噴き出し、あたりはパニックに陥った。

いったい何人の客がいたのか不明のまま、消火・救出活動がおこなわれ、時間がたつにつれ犠牲者の数が増えいく。

三階の麻雀ゲーム店「一休」、四階の飲食店「スーパールーズ」両店の従業員と客、四十四名が犠牲になり、歌舞伎町史上最悪の火災事故になった。

生き残った「一休」男性従業員T（当時三十五歳）の供述調書が、出火時の模様を克明に記録している。

〈私から見て、13番ゲーム機の左側通路上の、ゲーム機より少し高い位置に幅2、3センチの黒い煙の筋が1、2本動いて、店の奥に向かっているのを見つけました。〉

火災の最初期に気づいた男性従業員Tの供述によると、火災発生元は店の外部だというのがわかる。外からの黒煙が出入り口ドアの隙間から侵入してくるのに不安を感じたTがドアを開けた。すると――

〈エレベーター前のフロアは黒い煙で覆われ、その煙がまるで生き物のように動いているのが目に入りました。

そして、私がドアを開けた瞬間、その煙が開放した出入口の上のほうから店内に向かって入ってきました。〉

黒い煙が一気に店内に侵入し、パニックになった。

生き残った「一休」男性従業員F（当時二十一歳）の供述調書。

〈私は、店内のトイレに行き、トイレのなかからバケツを出そうとしたときに、何か焦げ臭いような臭いが漂っているのに気づきました。

私は、何かおかしいなと思いつつ、トイレからバケツを出してホールにもどると、やはり焦げ臭いような臭いがしていました。

それで、私は、ホールにいたKさん（調書では実名）に何か変な臭いがしないですか。と聞いてみました。〉

この直後、出入り口ドアの上の隙間から黒い煙が店内に入り、出入り口ドアを開けたところエレベーターホールのほうから勢いよく天井を這うように黒い煙が流れ込み、下のほうまで降りていった。

従業員が「火事だー！　水！」と叫び、バケツに水を汲み消火活動をはじめた。

十八台あった麻雀ゲーム機はほぼ満席で、ゲームに熱中していた客は従業員より気づくのが遅れた。

従業員は窓からほかのビルに飛び移り、さらにダクトめがけて飛び、その後消防士によって救出された。

従業員H（当時二十五歳）の供述調書によれば、店内に充満した黒煙で視界が塞がれながら、窓を開けようとしたが、何かが塞がり死を覚悟した。

〈なぜか私の頭のなかには
子供の自分が小学校のときの友達と遊んでいる場面
子供の自分がおばあちゃんと一緒にいる場面
大きくなった自分が高校の友達と会っている場面
などが、一場面一場面、写真のように浮かんでは消えていきました。〉

人は死を予感した瞬間、いままで生きてきたシーンが頭のなかを走馬燈のように駆けめぐるといわれるが、どうも本当らしい。

従業員Hは黒煙のなか、手探りで窓を見つけ飛び降りて、九死に一生を得た。

結局、ビルの三、四階にいた四十七人のうち生き残ったのはこの「一休」の従業員三人だけだった。

犠牲者の多くが煙で視界を塞がれ逃げ場を見失い、一酸化炭素中毒で命を落とした。

事件発生当初からささやかれていた噂が「四人目の生存者」だ。火災から逃れ、現場を去った男がいたという。

実は従業員の供述調書ではその存在がしっかり証言されていた。

〈私が前のビルに飛び移ったすぐあとのころ、何かが落ちるような音がしたので、音のしたほうを見ると、ビルとビルの隙間に人が落ちたのがわかりました。

このとき落ちた人は従業員ではなかったことは断言できます。

というのも、従業員であれば、自分と同じブルーのワイシャツに黒のスラックスを着用していましたが、そのとき落ちた人の服装は、ビルの隙間で薄暗かったこともあって、はっきり模様などまではわからなかったものの、青色の上着ではなく、赤っぽい感じの服だったとわかりました。〉（従業員F）

従業員Hは飛び降りたあと、常連客の姿をはっきりと見ている。

〈そのとき、私がふっと横を見ると、一休にいたお客さんのTさん（調書では実名）と名乗っていた男性が立っているのが見えました。そこで、私は、「あっ、Tさんも飛び降りたんだ」と思いましたが、背中を強く打っていたので声が出ませんでした。

Tさんはそのまま何もいわずにコマ劇場のあるほうの通りに向かって歩いて去って行きました〉

立ち去った男性の行方はいまも知れない。

奇妙な目撃証言はいくつもあった。

近くの時間貸し駐車場に火傷をしたかのような傷を負い、止めていた車に乗り込み、走り去った男もその一人だ。

当然、明星56ビル火災との関係を疑われた。

一説には火災とはまったく無関係の喧嘩トラブルだったのでは、ともいわれている。

警察も駐車場に流れていた血液を確保しているので、血液型、ＤＮＡは把握しているだろう。

ビル火災から二十二年近くが経過したが、この人物も特定されていない。

警察・消防の検証により、出火点は三階エレベーターホールにある都市ガスのガスメーターボックス付近であることが特定された。奇妙なのはガスメーター本体がガス管から外れた状態で、行儀良く立てかけられて発見されたことだった。

炎によって配管をつなぐアルミ合金部分が溶けて落下したという説がある一方、放火犯が故意にはずしたのではという説も流れた。

出火原因としては「一休」の厨房での失火も疑われた。

＊

「ここにきたのは何年ぶりだろう」

本書担当編集者・勝浦基明が明星56ビルの跡地に立った。

拙著『上野アンダーグラウンド』に登場したベテラン編集者で、今回のビル火災でも不思議な縁を持つ。

昔、勝浦が在籍していた編集部に一人の青年がいて、彼の実母が「一休」で賄いをつくる仕事をしていたのである。

「ニュースで火事のことを知って、ああ、あの店だ！と心配したんですが、事件の日、彼のお母さんは出勤ではなかったので助かった、ということでしばらく編集部内で話題になってました」

勝浦は以前、違法ポーカーゲームにハマり、恐ろしい額の借金をした過去がある。

明星56ビルの斜め前のビルの地下一階にあった、ポーカーゲーム店が彼のギャンブル熱に火をつけた。

「『一休』で犠牲になった方には、有名企業勤務の人もいましたが、僕が通っていたポーカーゲーム店も幅広い客層でした。サラリーマン、ソープ嬢、半グレ、珍しいところではよくテレビに出てくる東大卒の経営コンサルタントも常連でした」

すぐに結果が出る違法ポーカーゲームは、人を熱くさせる燃料があるらしく、狂気のギャンブル熱によって人生を誤った無数の男女がいる。

ある優秀な女性編集者もポーカーゲームにハマり、神奈川県の新築一戸建て購入資金を二、三週間で失った。

勝浦が証言する。

「半グレの客が負けると大暴れして、看板を蹴飛ばしたりするんですよ。そういうのも店員が対処していました。ケツ持ち（用心棒）のヤクザが出てくることはなかったです。明星56ビルの火災は、厨房の火からという説もあるけど、火の不始末じゃないでしょうか。客がタバコ投げ捨てることくらいよくありますから」

勝浦がポーカーゲームに魂を吸い取られたのはある人物と出会ってからだった。

「きっかけは、一九九七年の頭、当時付き合っていた彼女の男友だちが出版に興味があるとのことで会ったんですよ。そいつと、いろいろ話をしているうちに、ポーカーゲームの話を聞き、連れていってもらってから見事にハマったというわけで。十円ゲームというのにハマりました。十円ゲームというのは、1クレジットが十円ということ。このクレジット数は、ゲームごとに自分であげられます。最高は50クレジット（1ゲームを50クレジット（＝五百円）。1クレジットでプレイする人など一人もいなくてみんなフルベット（＝五百円）でやっていました。通っていたのは、ラッキーフルハウスというゲーム機が置いてある店です。ゲーム毎に画面にランダムに表示されるトランプのアルファベットや数字三つが入ったフルハウスを出すと５０００クレジットとなって、五万円になります。僕が通っていた店は三～四軒ほどです。新規に店を探すことはせずに、決まった店に通っていました」

役が出ないときは、数秒で五百円が消えた。

たいてい客は五千円ずつ入れるが、なかには一万円入れる客もいた。

入れるといっても、紙幣をゲーム機に挿入するのではなく、店員に現金を渡すとゲーム機を鍵で操作してクレジット数をあげてくれるのだ。

入店時は、最低二万円からでないとゲームができない。入店してゲーム機につくと同時に店員がやってきて、伝票へのサインを求められる。新規のサービスを受けたことを示すためだ。

一日に一回、新規サービスといって一万円で二万円分のクレジットにしてくれる。

客は一攫千金を狙い、ゲームをはじめる。

多くの客は4カード以上の役が出たときに店員を呼ぶ。

店員がくると客に千円の祝儀を渡し、伝票にサインを求める。

勝ったら現金をもらう。これが客にたまらない陶酔感をもたらす。

現金をもらうときのセリフは「アウト（して）」

ポーカーゲーム店では、店員が独特のかけ声を発して客の射幸心（しゃこうしん）を煽（あお）る。

4カード、ストレートフラッシュなど大きな役が出たときは、あちこちから店員のかけ声が飛び出す。

「ざっす！」

「ざっす！」

「ざっす！」

「ざっす！」

「ざっす！」

「おめでとうございます」を極端に短くしたかけ声があちこちから響く。

客の高揚感をさらに盛りあげる過剰な効果音だった。

その一方で客が帰るときに店員がかける言葉は意外なものだった。

「どうもすいません」

客が勝っても負けても「どうもすいません」なのだ。

ほとんどの客は負けて帰るので、内心熱くなっている。怒りを鎮めるための自虐的な挨拶なのだ。

本当に申し訳ないという表情をつくるのがうまい店員がいた。

勝浦が印象に残っているのは一九九七年夏のときだった。

ポーカーゲーム店に毎日のように通い詰め、ギャンブル依存症まっしぐらの暑い夏。

通っていたポーカーゲーム店が入り口の鉄扉を閉めるようになって、監視カメラで客の顔を確認してから店に入れるようになったのだ。

警察の取り締まりを恐れてなのか、それともケツ持ちをしているヤクザとトラブルになったほかのヤクザ組織からの攻撃に備えてなのか。

ちょうどその夏、五代目山口組宅見勝（たくみまさる）若頭が神戸のホテルで射殺されるという衝撃的な事件が発生した。

山口組ナンバー2殺害という重大事件は闇社会を揺るがし、歌舞伎町のポーカーゲーム店までもが用心する事態になったのだった。

「負けるときは一万円が一分かからずに消えます。最初のうちは、自分の金でなんとかなっていたのに、やがてクレジットカードのキャッシングに手を出し……その枠いっぱいまで借りて。数枚持っていたクレジットカードはすべてそうなりました。心では、〝勝ちつづけることなどない〟とわかっているのに、ずぶずぶと沼にハマっていく感覚でしょうか。それでも、ポーカーゲーム店通いは止められず、夜まで仕事をして、歌舞伎町にタクシーで向かう日々でした。夜から明け方までポーカーをつづけます。ポーカー三昧です。ポーカー熱が高まるのと反比例して、仕事の熱は下がっていきました。やっつけで仕事を終わらせて、歌舞伎町に向かうことばかり考えていましたね。当時は雑誌を担当していて、ほかにも人がいたので成り立っていたのだと思いますが……。遊んでばかりいて締め切り日になっても担当ページを埋められていない！　どうしよう！という夢をいまだに見ます。勝っていても負けていても、お金を賭けているという意識は時間の経過とともに稀薄になっていきます。お金がただの紙切れに思えてくるんですよ。特に負けが込んできたとき、やめればいいとわかっているのに、なぜだか〝どうにでもなれ！〟という気持ちが湧いてきて、スッカラカンになるまで打ちつづけました。怒りとか悔しさとはまた違った感情だったと思います。頭の芯がジーンとなってきて。顔も火照り始めて、いやな表情をしていたと思います。ここまで負けていると取り返すのは無理！とわかっているのに……もうやめろ！という自分もいるのにブレーキがかからない。破滅願望に酔っていたのだろうと、いまでは思います」

依存症は、アルコール、ニコチン、覚醒剤、ヘロイン、仕事といろいろあるが、なかでもギャンブル依存症はここ最近わかってきたやっかいな病で、本人に積極的に治療しようという意識が希薄な依存症である。

勝浦の告白を聞いているうちに、あらためてギャンブル依存症の闇の深さが伝わってくる。

「目の前で飛び交う現金が、そういった気持ちに拍車をかけていたのかもしれません。やったことはありませんが、覚醒剤をやったときの感覚はああいうものなのかなあと思います。ギャンブルに依存性があるということがよくわかりました。勝ち負けにかかわらず、店を出たあとは肉体的な疲れよりも精神的疲労のほうが大きかった。仕事を終えて夜から歌舞伎町に繰り出すのだけど、ポーカーやってるうちは不思議と眠気を感じていなかったです。こんな生活を続ける博打打ちは、長生きできないだろうなあとも思いました。たかだかポーカーゲームだけど、〝ヒリヒリする〟という感覚を味わえた気もします」

このヒリヒリ感を味わいたくて、気がつくと依存する対象にハマっていく。

勝浦がポーカーに熱をあげているすぐ隣でも、歌舞伎町のソープランドで働くソープ嬢二人がポーカーに熱くなっていた。

ソープの店名が記されたライターがゲーム機の上に置いてある。

「このお姉さんたち、けっこう負けてるなあ……明日も体張って仕事して、ポーカーやりにくるのか。体と心をすり減らして稼いだお金を違法ポーカーゲーム店でスっているって、なんだかなあと自分のことはさておき思ってました。ある年配の自営業者風のおじさんが、若い客に『俺は家一軒分をポーカーに使ってるよ』なんていっているのを聞いたときもあります」

負けつづけて沸点に達した連中が店内で暴れることもあった。

「物すごい負け方をしてる半グレがいました。通常は五千円ずつゲーム機に入れるのですが、その客は店への嫌がらせで千円ずつ入れるんです。しかも、その都度千円札を二つに破って床に投げて。それでも店員は、冷静にほかの客と同じように対応していました。対応していたのは責任者的な役割の店員でしたね。自分を含めてですけど、ポーカー（ゲーム屋）にくる人、違法賭博をする連中ってことですが、みんな壊れていくのではないでしょうか」

勝浦が徹夜で頭が朦朧（もうろう）としかけたとき、大当たりになった。

「ざっす！」

「ざっす！」

「ざっす！」

「ざっす！」

「ざっす！」

店員たちの独特のかけ声が店内に響く。

アドレナリンが噴き出す。

そしてまたポーカーゲーム機に向かう。

「大勝ちすることもあって、一、二時間程度で二十万以上勝つときもあるんですよ。そんなときは、すぐ近くのヘルスやソープに行ったり、焼き肉を食べたり。一緒に通ってたやつに奢ったり奢られたり。金がなくなったときは、借りたり貸したり。そして会社にもどり会社で寝て、起きたら仕事して夜には歌舞伎町という生活でした。よく無事でいられたと思います。歌舞伎町には僕みたいなポーカー熱にうなされて人生誤ったやつがたくさん彷徨（さまよ）ってますよ。『なんで負けるとわかってるのにやるの？』といわれても、〝なんで？〟がわかっていたら、みんなやらない。時間感覚、金銭感覚もあっという間に麻痺するんですよ。夜の十二時に入ったのに、朝の七時じゃん。やべえ、十万負けた……。負けてても、もうどうでもよくなってきちゃうんですよね。だれもがそう。取り返せると思っちゃう」

勝浦と同じ店に通っていた三人の男たちと接触した。

全員が違法ポーカーゲームに狂い、多額の借金を背負い、自虐的にみずからを「オールブラックス」と称していた。

小料理屋の大将は店の営業不振とポーカーの負けが込み、借金の泥沼にはまり込んだ。

あちこちの消費者金融から借りたが、それでも足りず、日掛（ひか）け金融という日単位で貸金の返済期間を設けている貸金業者にまで手を出した。

通常の貸金業は月単位で返済するのだが、日掛け金融は日単位なので、出資法の上限金利がはるかに緩和され、審査もゆるく、カネを借りやすくなる。その当時は上限金利年二九・二パーセントのところ、五四・七五パーセントまで許されてしまう。百万円借りた場合、一月で約四万五千円の利息になり、破滅の道を歩むことになる。さすがに現在は規制されたが。

過払い請求の権利を知ると、かなりの額の過払い金を取りもどしたが、ギャンブル熱が再発し、またもやすべてをポーカーゲームに費やし、行方不明になってしまった。

ゲーム店に充満する異様な熱気。ゲームに熱中した客のタバコの不始末か、従業員の火の不始末か。

勝浦は明星56ビル火災をいまでもそう推測する。

＊

夜の歌舞伎町に豹(ひょう)がいた。

かぶく男が徘徊する歌舞伎町でも、この男の豹柄は格段目立った。

「影野(かげの)は怖いぞ、危ないぞってデモンストレーションする。暴れるんですよ。切った張ったのすごい大喧嘩、何度もしましたからね」

影野臣直(とみなお)。

歌舞伎町最大のぼったくり集団「Kグループ」を率いる総帥だった。

「俺の月収一番多いときで二千万円ありましたから。最盛期で五店舗やっていて、一つの店だけで五億二千八百万円売り上げがありました」

新宿歌舞伎町とほかの歓楽街を比較するときの指標は、ぼったくり店の多寡である。

歌舞伎町のぼったくり店舗数と悪質さは国内随一、影野臣直はそのなかでも最大規模のぼったくりKグループの創業者であった。

Kとは影野のイニシャルからきている。

ぼったくりのシステムは、キャッチというフリーランスの客引きがぼったくりの飲み屋に客を引っ張り込み、超高額の飲み代を請求する悪質なものである。

「キャッチは店専属で契約してるんです。キャッチが歌舞伎町を歩く客に『五千円ぽっきり！』っていって店に連れてきて、なかに入ったら八万、十万請求する。二割はキャッチにバックするんです。十万なら、キャッチに最初の五千円プラス二万で合計二万五千円。売り上げ制だから。影野さんの店なら客から倍取ってくれるよって、キャッチがどんどん連れてくる」

五店舗のぼったくり店に毎夜、キャッチが何も知らぬ客を誘い込み、客から収奪する。

歌舞伎町は怖い。

そんな恐怖イメージを決定的にしたのが歌舞伎町名物ぼったくりである。

いままで気持ちよく飲んでいたのに、いざ会計になると突然、恐怖の料金が目の前に提示される。

それまで愛想笑いを浮かべていた店員が本性をあらわし、顔が無表情になる。

たいていの客は震えるが、なかには強硬な抗議をする客もいる。

店側と押し問答になる。

ぼったくりの帝王・影野臣直のぼったくり術とは。

「ぼったくるとき理論武装で迫るんですよ。（ぼったくり店オーナーの顔になって、取り立てを再現しだす）。いまこの店を維持するには家賃数十万円が発生し、一日わずか五、六本しか客がこない。でもこの店を経営するには毎日最低二万の家賃がいる。女の子の人件費が十万もする。お客からいくら取らなくちゃいけない？　五人しか入らないんだから五人で割ったらこの料金設定が出てくるんですよ。お客さん、払わなくちゃいけないでしょ、違います？　その代わり高いと思ったら二度とこなくていい。でも今日はあなたは飲んでるんだから払ってください。（ここから急にドスの利いた声になる）払えませんか？」

理詰めでこられると客は反論しづらくなる。

「北風と太陽。あんまり客を脅したら、くそっというやつもいて、警察にたれ込んだりする。だから俺と知り合っておくと得だよ、こんないい人いないよって、名前をいうんです。影野って。ほかの店でぼったくられたら俺の名前出してごらん。地獄に仏だよって」

歌舞伎町にはKグループ以外にもぼったくり店は存在する。

「青看グループっていうのがありました。女の子の写真が青い看板になってるぼったくり店。二十店舗くらいあった。うちみたいにぼったくり一筋の店じゃなくて、正常な値段とぼったくりの中間、プチぼったの店も手広くやってきたグループで、常連の客もいるんですよ。その店のやつがうちのやつを殴った。店の看板の前で立っていたからっていいがかりつけて。従業員は女ができると、いいところ見せようとするから、客や他店の店員を殴るんですよ。俺の部下を二発殴った。それで俺がボコボコにした。大乱闘。昔、客を車で轢き殺した店がありました。その隣がうちの店ですよ」

歌舞伎町であくどい商売をするのだから、覚悟はいった。

影野も明星56ビル火災をよく知る人物だった。

「あのビルの『一休』にうちの店員がよく通っていたんですよ。俺が新潟刑務所入っていたとき、火事は新聞で知りました。ああ、あのビルか。うちの部下が麻雀ゲーム大好きで毎日「一休」に通ってましたから。俺が娑婆(しゃば)にいたころ、あのビルの前を女と歩いていたら、キャッチやっていたやつが殴られているんですよ。殴ってるのが関東連合で体格のいい、あのあと殺されたけど、そいつが殴ってる。キャッチが勝手に声かけてきたって、殴ってた。俺、止めに入りましたよ」

半グレとは、徒党を組み、喧嘩や犯罪に手を染める若者のアウトロー集団をさす。

「あのビル火災は放火です。(犯人は)たぶん『一休』で負けたやつですよ。博打は業が深いんです。特に麻雀はいろんな選択肢があってあがるゲームでしょう。長い時間、自分の腕の見せどころになる。だから負けたらすごく悔しい。本橋さん、麻雀は？」

「大学時代、毎日のようにやってました。たしかに強い打ち手は負けず嫌いでした。負けると友だち同士でも口を一切利かなくなる」

「そうでしょう。負けるとそこら中に当たり散らすから、雀荘の壁に穴があいていたなんてよくある話ですよ。店の看板に火をつけるくらいカッカするのは麻雀しかないんですよ」

影野臣直は取材場所の喫茶室ルノアールのソファを指さして物騒なことを漏らした。

「ここ（ソファの背もたれと腰を落とす部分のくぼみ）、ここにタバコの吸い殻を押し込んじゃうんですよ。わかります？　ぼったくりバーとか、気に入らない店のとき、客が吸いかけのタバコを。それが夜中になってブスブスブスブス……火事になる。昔はよくありました。防犯カメラができてから、なかなかできなくなったけど。ぼったくり店やってたとき、ドアの郵便受けからガソリン流して火つけられたことも、ありましたよ。表に出してあった段ボールに火をつけられたり」

＊

明星56ビル一階にあった「ナイタイギャラリー」は、風俗情報誌ナイタイスポーツが出した風俗店情報の無料紹介所だった。

明星56ビル火災の報道が出るたびに、ナイタイギャラリーの看板も映し出され、巨大な横断幕が取りつけられていた明星56ビルが、ナイタイスポーツ所有のような印象を視聴者に与えてしまった。

ナイタイスポーツは新宿歌舞伎町と切っても切れない関係にある。

一九八一年、歌舞伎町の紹介をする情報誌『歌舞伎町タイムス』として創刊、以後風俗情報誌として『ナイトタイムス』、『ナイタイレジャー』、『ナイタイスポーツ』『ナイスポ』と誌名を変えていく。

一九九五年にスポーツ紙スタイル、芸能、プロレス記事を掲載し、総合紙的な媒体となり、駅売店やコンビニで販売されるようになった。単行本、写真集を発売するナイタイ出版も創業、一九八四年から毎年開催された「ミスシンデレラコンテスト」は、ソープ、キャバクラ、ヘルスなどで働く女性たちが美と個性を競い合う風俗界最大の祭典となり、毎年審査委員長に作家・団鬼六を迎え、風林会館のグランドキャバレー「クラブハイツ」で大々的に催された。このコンテストで入賞、グランプリを勝ち取るとマスコミの取材が殺到し、知名度もあがり、客が押し寄せる効果も生まれた。

アイドル歌手のような存在に風俗嬢が変身する、いわゆる〝フードル〟が生まれたのもミスシンデレラコンテストの存在が欠かせなかった。

ナイタイスポーツやミスシンデレラコンテストを主宰した人物が、ナイタイスポーツ元編集長山田鉄馬(てつま)である。

名前のように堂々とした体型、眼鏡とヒゲがよく似合い、名前から印象づけられる面長の顔立ち。

私も風俗業界を取材する際に、山田鉄馬から何度か情報を得たことがあった。

風俗業界をもっともよく知る人物である。

一九五四年生まれ。

中央大学法学部卒。

日本経済新聞に入社するが、のちにフリーランス記者に転身、その後風俗情報誌ナイタイ主宰者からヘッドハンティングされる。風俗業界の仕事に抵抗はなかったが、せっかくフリーランスになったのにまた組織に入ることに迷った。

決め手は「日経の給料の二倍出すから」だった。

遊びたい盛りでカネが魅力だった。

二十八歳の若さで編集長になり、足かけ二十数年、風俗業界の最前線を取材、なかでも風俗店が密集する歌舞伎町はもっともよく知る街になった。様々なメディアに登場し、そのたびに学者然とした姿を目撃したものだ。

　山田鉄馬が回想する。

「事件のあったのは二〇〇一年九月一日未明のことでした。このころは歌舞伎町を先頭にニッポン風俗文化、百花繚乱（ひゃっかりょうらん）、同時にナイタイの絶頂期でもありました。僕自身の仕事に沿って拙い記憶を呼び起こすことは辛いことでもあります。なぜならこの事件は風化させてはならない、盛り場にとって重要で教訓となる事件であったにもかかわらず、僕個人的には記憶から逃れたい悪夢でもあったから。

　あの日、NHKの深夜の速報からはじまった報道合戦で、明星56ビルの一階でオープンして間もなかった『ナイタイギャラリー』の真っ赤なデカ看板が画面に映り続けました。あの火災でナイタイのイメージ失墜は著しいものがあったのはたしかです」

　連日の報道で明星56ビルはナイタイが所有するビル、という誤ったイメージが流布された。

　当時の報道で、七〇年代もっとも人気のあった俳優・石立鉄男（いしだてつお）がこのビルにかかわっていたという未確認情報が流れた。

　その真相とは——

「ビルオーナー瀬川重雄さんの管理会社である久留米興産には、役員として石立鉄男さんも名ばかりではあったとしても連なっていました。（ナイタイ）社主と石立鉄男氏、団鬼六氏はともに将棋の棋友であり、その縁でナイタイギャラリーがあのビルでの展開となった経緯があるんです。麻雀好きの石立鉄男さんは自宅があった熱海から上京するたびに我がナイタイ本社に立ち寄り社主と将棋を指してから、『一休』で麻雀に興じていました。ビルの管理体制がこの事件の原因として槍玉にあがったとき、石立さんの名前が表立つのはまずかった。彼にはなんの責任もないし、あの火事はあらためて悔しい出来事でした。僕個人的にはだれかの意図した放火ではなく、偶発的な事故だったと思っています」

石立鉄男はこの事件から六年後の二〇〇七年、六十四歳で急逝する。さらに二年後の二〇〇九年八月、ナイタイ出版も破産した。

その後、山田鉄馬は鉄馬舎を創設、メディアでも活動している。

*

「本橋さんが関心を持ちそうな人、紹介しますよ。だいぶたつけど、歌舞伎町のビル火災があったでしょう。四十四人が亡くなった。あのビルのオーナーと知り合いで、遺族との示談をしてきた男性がいるんですよ」

私の事務所の事務処理で世話になっているある女性が気になることをいった。

何気ない一言は、私が新宿歌舞伎町をテーマに書き下ろしをやろうとした、大きなきっかけになった。

歌舞伎町史上最悪の火災はあれからどうなったのか。

明星56ビルの実質的経営者瀬川重雄は叩き上げの人物で、ソープランドとビルを多数所有する久留米興産を率いてきた。

歌舞伎町には氏素性関係なく、度胸と才覚、運で勝負して覇者になった人物が多数棲息している。火災から一年半たって瀬川重雄と部下、賃借人を含む六名は業務上過失致死傷害容疑で逮捕された。避難通路に物が置かれていたことなどが、消防法に違反しているとされた。

これに対し激しく抗議する男がいた。歌舞伎町で長年、不動産会社を切り盛りする七十代の人物である。仮にX氏と呼ぼう。

先の女性が私に紹介してくれた人物だ。

歌舞伎町の一等地に建つX氏一部所有のビルに向かった。

「おかしいのはね、建物のオーナーも被害者なのに、逮捕されるのかっていうことですよ」

X氏が憤る。

七十代のX氏は、歌舞伎町を中心にした不動産業者であり、以前はあらゆる職業のなかでも有数の堅い職業に従事してきた。

歌舞伎町には彼のような立身出世タイプが独自の哲学とともに生きている。

「放火か失火かどっちだかわかりませんなんていうのは、おかしな話。歌舞伎町の（ビル火災）事件を公表しないから、放火犯が逃げちゃったんですよ。すぐに公表して、不審火だというようにしておけば、目撃者は必ずいるんですよ。当時は夜でも人通りはすごいから、目撃者がゼロってことはあり得ない。それを隠したから、いまだに放火犯の目撃者が出てこない」

煙と炎に包まれた明星56ビルから消防車のハシゴで運び出される、四階の「スーパールーズ」の若い女性従業員の姿が報道された。一酸化炭素中毒ですでにこと切れた、白いルーズソックスが痛ましかった。

女性被害者十二名すべてが「スーパールーズ」従業員だった。

同店は上半身タッチができるセクシーキャバクラ（セクキャバ）で、繁盛店だった。

ルーズソックスを連想させる店名どおり、なかで働く女子従業員はみんな若かった。

彼女たちのほぼ全員が地方出身者というのも、家賃の高い東京で生活費を稼ぐためだったのだろう。

年齢を見ると、十九歳から二十代前半という若さである。

被害にあった男性客は二十代前半から四十代後半と幅広く、証券会社社員をはじめ多くがサラリーマンだった。接待で使うケースもあったのだろう。

麻雀ゲーム店「一休」で亡くなった客もサラリーマンが多く、印象的なのは、大学生の人気就職ランキング上位の電機メーカー、メガバンク、名門大学大学院といった一流どころが多く、博打でやさぐれたイメージは感じられない。ギャンブル熱は万人に根づくものなのだ。

犠牲者四十四名の遺族とビル側の和解交渉は難航した。

和解の判を押さない理由は様々だった。

火災の真相がわかるまで納得しない。ビル所有者が保険金目当てで放火したのではないか。事件を思い出すだけでPTSD症状が出る。夫を亡くして再婚したのに事件を蒸し返さないでほしい。金銭よりももっと大切なことがあるから、和解に応じられない。

最後まで判を押さない遺族が九家族残った。

X氏は不動産関連の仕事で、明星56ビルオーナーと付き合いがあった。オーナーの依頼で、九遺族が和解金を受け取って判を押してくれるようにと、東北、四国、九州の遺族と交渉する任務についた。ビル側の被告にとって、判決を迎える前に遺族側と和解しておくことは必須だった。

X氏は交渉役として報酬は得られるとしても、遺族のもとに足繁く通って説得するのは並大抵の心労ではない。

遺族との和解金はオーナーが所有しているビル数棟を売却したものを充てた。

「僕は一生懸命にご遺族の話を聞いただけですよ。あのビルに放火しても、ビル側にとって一銭にもなりませんよと。事件から五、六年たってますけども、この間ずっとあのビルの家賃収入ゼロですよ。このビル一棟に保険金は三千万円くらいしか入ってないんですよ。それと、遺族補償金には所得税等の税金はかからないことも伝えてね。

とにかくね弁護士が示談できないんだ。それで最後に瀬川会長が『Xさん、やってくれないかな?』って。でもいきなりやってくれっていったってね。弁護士ができないもの、なんで私ができる? はじめ躊躇(ちゅうちょ)してたんです。僕は出入りの業者でしかなかったんだけど、マスコミの動きがでたらめだったのを知ってましたから。腹立ってたから。じゃあ、できるだけやりましょう!ということで示談交渉をスタートしたんです」

和解交渉の依頼を受けたのが夏で、翌年三月三十一日が結審だった。

示談交渉に許された時間は約半年間しかなかった。

*

最初にあたった示談交渉は、東北の太平洋側に面した某県在住の遺族だった。

「僕がうかがったのは平成十九年（二〇〇七年）、東日本大震災の四年前。こちらの遺族には都合四回、交渉で通ったかな。すでに火災事件の裁判ははじまってて。東京からは半日かかる。新幹線で東北の大きな駅まで行って、そこから単線のローカル線で行くんだけど、終電が早くて乗り継げなかったからバスで二時間以上かけて野を越え山を越えなんだよ。地元の人に聞くと、大雨が降ると道路はがけ崩れ、バスは通らない。ひどいときになると、線路も埋まっちゃう。そういう辺鄙（へんぴ）なところ。向こうに着いて、ホテルに泊まる。ご遺族の家にはタクシーで行ったんだけど、街から三十分かかるんだよ。川が流れてるんだけど、大震災のときにその川が逆流して街がやられた」

前もって電話すると、門前払いされるおそれがあるので直接訪問した。

火災被害者はビル内で営業していた「一休」の従業員で二十代後半の独身男性だった。

家出同然だった彼は、何年も実家から離れて音信不通だった。

消息がわかったのは警察から突然、新宿歌舞伎町のビル火災で犠牲になったと伝えられたときだった。

「最初に訪問したときは、ご両親のうちお父さんがいないからって、会うのを断られた。〝ではまた明日きます〟っていって、ホテルにもどって翌日午前中、再訪した。そのときは両方揃っていたけど、『もうかかわりたくない』っていういい方してたね。『子どものことは思い出したくない。あなたと話すのもいやだ』というういい方だったね。こちらは、〝そんなこといわないでください〟っていったわけ。世間では、うちの（瀬川）オーナーは悪いやつだというけれど、放火で被害を受けたんですと。

いま裁判中で、民事でご遺族と和解をしたいんだと。税金もかからないので、ぜひ応じていただけませんかといったんだけど。何しろ向こうは、話を聞こうとしない。もういいと、忘れたいと」

ホテルに引き返した。

近所にある小さな寿司屋で好物のイカやタコをつまんだ。

何気なく寿司職人に歌舞伎町のビル火災について尋ねてみると、記憶しているが、犠牲者の遺族がこの近く住んでいることは知らなかった。

翌日、三度目の訪問になった。

X氏は遺族に誠意を持って語りかける。

「世話になっている（瀬川）会長から依頼を受けたのですが、これはビルオーナーが逮捕される事件じゃない。放火されたいわば被害者なんです。ですが被害者、ご遺族にしてみれば、いい分もあるでしょう、そういう意味でここまできたのです」

前日前々日の反応に比べると、少し態度がやわらかくなった気がした。

東京に引き返し、また訪問する。

訪問すると親戚が数人集まり、話を聞いてくれることになった。

それからは早かった。

示談に至った。

弁護士が何度も交渉したものの頑（かたく）なだった遺族が、はじめて軟化したのだ。

断られても断られても、訪ねていくX氏の労をいとわぬ態度が大きかったのだろう。もちろん示談金の威力もあったはずだ。

示談になってしばらくして、X氏は衝撃を受ける。

二〇一一年三月十一日。

東日本大震災が発生、テレビ画面に見覚えのある東北の街が映った。

あの街だ。

なかなか連絡が取れなかったが、数日後、つながった。示談を受け入れた遺族の家まで津波は到来せず、無事だった。

だがあの寿司屋は津波で押し流されてしまった。

消息はわからない。

*

次に交渉に向かったのは関東地方在住、銀行員の遺族だった。

「一休」の客としてあの火災に巻き込まれた。

先に解決した東北の遺族同様、なかなか交渉には応じてくれなかった。

被害者は既婚で、就学前の子どもがいた。

「銀行員だったから保険にたくさん入ってて。銀行からも共済組合とかそういうところからも支払われているし自分でも保険入ってるし、ご遺族は、もうお金はいらないっていう考えなんだよ。それよりも死んだことにショックを受けている。事件のことはもう忘れたいって。お金に対する価値観が、その人その人によって違うんだね。放火の犯人が捕まったら和解するっていうんだよ」

最初は玄関で立ち話のみだった。

二度目も玄関までだった。

三度目でやっとなかで話ができた。

その次から示談交渉がはじまり、話がまとまった。

三人目は大手企業で働く既婚のサラリーマンで、「一休」の客として被害にあった。

最初は門前払い。

何度か通ってドアが少し開くようになった。

「残されたご夫人は歌舞伎町っていう名前を聞くとそれだけでパニックになっちゃう。PTSDだよ。もう立ちあがれないの。何しろ歌舞伎町のことは話したくない。新宿歌舞伎町っていうと震えちゃう。それぐらいいやなんだよ。ご両親によれば、いまもそれを患ってるっていってたよ」

残された夫人はショックから立ち直れず、代わりに両親と交渉することになった。

大企業の手厚い福利厚生によって、三人の子どもたちが成人するまで会社が経済面で援助するようになっていた。

「だからうちの払うお金なんていらないんだよ。何しろ話したくないと。お金はいりませんていうんだよ、弱ったなあと思ってね」

それでも何度も通ううちに、誠意を認められたのか、示談にこぎつけた。

四人目は「スーパールーズ」に在籍していた当時二十一歳の専門学校生で九州のある県出身だった。店で働き出してまだ一カ月もたたないうちに火災の犠牲になった。

死因は一酸化炭素中毒だった。

遺族は週刊誌報道で、ビルのオーナー側が店子を追い出すためにわざと火をつけて追い出そうとしたのではと、X氏を問い詰めた。

歌舞伎町で風俗店や違法カジノを出店しようとするときは、なかなか物件を借りられない。

歌舞伎町では、建物のオーナーが貸した物件を店子が又貸しし、借りた店子が再度又貸し、という三重四重五重に又貸しする闇契約がまかり通っている。建物のオーナーですら貸した物件をだれが使っているのかわからない。

又貸しするたびに、家賃が上乗せされていく。

仮に七十万円の家賃だったとしたら、又貸しが繰り返され、物件を実際に使用している店子は百五十万円とか二百万円の家賃になる。本来、契約の時点で又貸しは禁じられている。

それでも歌舞伎町は儲かるからと、又貸しをする店子はあとを絶たない。

違法店子を追い出すために、貸し手側があえて火を放ったという報道もあった。

X氏は、そんなことをすれば膨大な損害になると数字をあげて説明した。

被害者の父は、地元で堅い職業に就き、指導者の立場だった。

娘の最期を地元紙が報道し、歌舞伎町の風俗店で働いていたことがわかってしまい風評被害にあい、勤めていた企業をやめざるを得なかった。

親は東京で暮らす娘に毎月、十分な仕送りをしていたが、物価の高い東京で一人暮らしするのには足りなかったのか、娘は学校に通いながら内緒で風俗店で働き出した。

遠方にあった遺族の自宅に何度も通った。X氏の飾らぬ態度が遺族の心を軟化させたのか、示談書に判が押された。

被害者遺族は全国に点在していた。

ある被害者遺族は四国のある県で暮らしていた。

被害者は「スーパールーズ」の客として被害にあった。

鉄道の乗り継ぎでX氏は山また山を越えて向かう。

ディーゼル車という列車に久しぶりに乗った。

最初は、何しにきたんだ、と接触を拒否された。それでもX氏は通い詰める。

逃げずに真正面からきたX氏の行動が被害者遺族の心を開かせ、三度目で和解に達した。

*

「一休」の客として被害にあった著名大学大学院生がいた。

「お父さんお母さんがすごく立派で、亡くなった息子の遺族補償金をもらう気持ちはまったくないと。それ以外はいわない。僕は、立派ですねっていったよね。そうやってお父さんと話していたら、『実は息子には婚約者がいたんだ』と。名門大学の同じグリークラブ。その婚約者と近いうちに結婚することになってた。ご両親は長い間考えて、『和解金はその子に渡してくれ』っていってたね」

遺族補償金は遺族以外が受領することはできない。そこで、書類上では両親に渡し、そこから婚約者だった女性に渡すことになった。

X氏が婚約者に和解金を渡そうとしたら、「わたしはもらうつもりはまったくないです」と当初はそのような返事だった。

X氏も粘りに粘り、交渉をつづけた。

「最終的に彼女は和解金を受け取ってくれたんですよ。ここからすごいんだよね。しばらくしてから、彼女から僕のところに電話がかかってきた。『いただいたお金はグリークラブに全額寄付しました』って、あとで確認の証拠を見せてくれてね。〝いや、あなたすごい！　あなたの将来も計画も狂っちゃったよね。そのためのお金でもあるんだけど〟っていったら、『わたしのことはいいんです』って。〝あなた本当に立派だね〟って褒めてあげたよ。日本はまだ見捨てたもんじゃないよ。ご遺族の元フィアンセを思う気持ち、彼女の気持ち。僕も残りの人生、これに近い生き方をしたいなと思ったね」

X氏の働きで、九遺族すべてが判を押した。

＊

二〇〇八年七月二日、東京地裁は、ビルオーナー瀬川被告ら五人に「防火管理上の義務を怠った」として執行猶予つき有罪を、元テナント関係者一人に無罪をそれぞれいい渡した。

〈判決理由で波床昌則（はとこまさのり）裁判長は「階段などに物品を放置せず、防火扉が正常に閉じるよう維持管理していれば、被害者が死亡することはなかった」と指摘。瀬川被告については同社の実質経営者として「もっぱら企業の利益を追求し、建物の安全性にはふだんから意に介さなかった」と批判した。被告が多額の和解金や見舞金を支払ったことや、放火の可能性が高く「出火自体を予測できる可能性が低かった」ことなどから執行猶予をつけた。出火をめぐり警視庁は放火容疑で捜査中。〉

執行猶予がついたのは、裁判所も実質的に放火説を支持したのだろう。

さらにX氏による遺族全員の示談が大きかった。

裁判所は、被告側がいかに誠意を示したかを重視して量刑を決める傾向が強い。

被告弁護団もX氏の貢献度を最大限讃えた。

遠方に何度も足を運び、門前払いの状態から徐々に遺族側の心を開かせて示談にこぎつける。

X氏の裏表のないざっくばらんな態度もよかったのだろう。

弁護士は法律のプロであっても、人情を斟酌（しんしゃく）するプロではない。むしろ情を重んじる場面では苦手なタイプが多い。

どれだけ遠方でも何度でも足を運んだX氏の理屈ではない、情の力は大きかった。

X氏はまことに味わい濃いキャラクターだった。

最後まで判を押さなかった遺族の心を開かせた人物として、ぜひとも実名で出ては、と口説いたのだが、自分は黒子に徹する、というばかりだ。

X氏の自宅は歌舞伎町一等地のビル最上階にある。

屋上に出ると、そこから歌舞伎町一帯はもちろん、はるかかなたの秩父の山脈まで眺望できる。見慣れた歌舞伎町の雑ぱくな景色とはまるで異なる街が眼下に広がる。

これも歌舞伎町だ。

*

私はX氏をはじめとした歌舞伎町をもっともよく知る面々を直撃し、明星56ビル火災について『文藝春秋』二〇二一年六月号に寄稿した。

『【歌舞伎町ビル火災】和解交渉人「20年後の告白」』

そのなかで私はこう結んだ。

〈結局、火災の原因は何だったのか。

出火直後、「スーパールーズ」女性従業員へのストーカー男が腹いせにやったのでは、という噂が流れたが、男にはアリバイがあった。

パチンコ店の前を走り去る男が防犯カメラに写っていたが、事件とは無関係だった。

二〇〇八年、ビルオーナーが執行猶予つき判決で釈放されたことは、放火説を裏付けるものであり、現時点では放火が説得力を持ってくる。

警視庁と消防庁に、火災の原因についての公式発表を問い合わせた。

事件から二十年が経過したために、警視庁は保存期間が過ぎているので公式見解の発表資料が残っていないとのこと。ただし、現在も捜査が継続しているということは、放火を視野に入れているのだろう。

東京消防庁は二〇〇二年十二月十二日、「出火原因は放火の疑いが強い」とする火災原因の判定書を出した報道がある。

現在どういう見解なのか、消防庁広報課報道係に問い合わせたところ、出火原因については「お答えできない」との答え。

「原因はわかっているけど発表できないという意味なのか」と尋ねたところ「そうです。担当部署にも確認したところ、それは出せないなあ、とのことでした」との返答だった。

二十年は思いの外、長かった。

かつての悲劇のビルは建て替えられ、低層の外食店になった。

惨劇は時の彼方に消えつつある。

忘却にせめて楔(くさび)を。〉

事件から時が経過し、当初の放火説が少し後退しているかのようだ。

X氏はある用事で警察署を訪れた際にも、歌舞伎町明星56ビル火災のことを知らない警察官がいたことを嘆く。

「ちょこちょこっと新聞には出る。でも僕は(世田谷の)一家四人殺害事件と比べるんだよ。あの事件は毎年暮れになると警視総監や所轄署署長が現場を訪れるでしょう。それに比べたらなんだってことなんだよ。僕は、ひどいだろうということを、いっているだけ。歌舞伎町の火災だって放火という犯罪でしょ。警察もやってますやってますという態度で終わり」

裁判記録をひもとくと、被告人を窮地から救ったのは、X氏の遺族に向けた地を這うような和解行脚にほかならなかった。

X氏の働きがなかったら、瀬川元被告は実刑をくらっていたのはほぼ間違いない。

さらに途中から法廷戦術を変えて、小長井良浩という弁護士を加えたことが大きかった。

X氏によると、反体制の裁判闘争を長年おこなってきた著名弁護士だという。

意外なことだと思われがちだが、反体制側に立つ弁護士が保守系政治家の刑事事件で弁護活動をするのは珍しいことではない。

田中角栄元総理のロッキード裁判で弁護活動に加わった弁護団。

権力犯罪と長年戦ってきた遠藤誠は、暴対法は違憲として、山口組側の主任弁護士を務めた。

歌舞伎町ビル火災の瀬川元被告の弁護活動を務めた弁護士も、同じ流れなのだろう。

一審で瀬川元被告に執行猶予がつき、検察が控訴しなかった。実刑必至だった被告側にしてみれば望外の大勝利だった。

X氏が強調する。

「異例でしょ。マスコミはオーナーサイドを追及して面白おかしくやっただけでしょ。小長井弁護士の文書にもあるけど、実刑五年は覚悟してたから。瀬川さん本人は、俺はもうやることないから仕事を全部分担した（刑務所に行ってもいいということ）っていってたよ。まぁそんなこといわないでと小長井弁護士は話してたけどね」

刑事事件の裁判確定後、瀬川元被告の会社近くにある青山のレストランで、小長井は不参加であったが、ささやかながら食事会をおこなった。

「瀬川さんは『この事件は小長井先生と私瀬川とX氏が解決した』っていって。それぐらい喜んでましたよ」

臭い飯を食う覚悟をしていたのが、青山で洋食。

劇的な勝利だった。

「小長井弁護士は実質勝利といってたね。日本の刑事事件の場合、九十九・九パーセント有罪。それが執行猶予ついて二審がなかった。これは公表されてないんだよ」

火災から時が過ぎ、大々的な報道はされなかったのかもしれない。

判決に執行猶予がついたということは、あの火災は実質、放火ということになる。

難しい裁判を逆転させた小長井という弁護士なら、明星56ビル火災について、より詳しい真相を知っているのではないか。

第二章　ぼったくりの帝王と入れ墨の女王

「愛の街、恋の街、噂の花咲く宵の街、ここは新宿歌舞伎町、ご来店まことにありがとうございます。さあ、69番マリカさん、ハッスルハッスルハッスルハッスルハッスルハッスルタイム、よろしくお願いします。さ、ハッスルハッスルハッスルハッスル！　66番カエデさん、そろそろよろしくお願いします。さあ、ハッスルハッスル！　乗って参りましょう！　乗って参りましょう！　ハッスルハッスルハッスルハッスル！」

歌舞伎町の喫茶室ルノアールで、影野臣直が暇つぶしに得意の場内アナウンスをやりだした。流暢（りゅうちょう）な語り口から、いかがわしさたっぷりの靄（もや）があたりに立ち込める。

「ありがとうございます、ありがとうございます。店内一杯に流れております、愛の名曲別れの名曲、メリー・ジェーン。これをラストソングとして本日の営業完全クローズ、完全終了とさせていただきます。素敵なお客様、まだまだまだまだまだまだお名残おしいですが、当店、警察当局の取り締まり厳しい折、十一時四十五分過ぎてからの営業は固く固く禁じられております。ご了承いただきますようお願いいたします」

まるで七〇年代大衆キャバレーにタイムスリップしたような錯覚に見舞われる。

元ぼったくりの帝王の宴(うたげ)がつづく。

「星の降る夜はー　そーれ、よいしょ、どっこい！　あなたとふたりでー　えーい、よいしょ、どっこい！　ハッスルハッスルハッスルハッスルハッスル！　ハッスルハッスルハッスルハッスル！　ハッスルハッスルハッスルハッスルハッスル！」

前作『高田馬場アンダーグラウンド』にも登場した影野臣直、十八番の場内アナウンスである。

影野はテーブルのオレンジジュースで喉を潤す。

酒は浴びるほど飲んできたが、十代のころからタバコは一度も吸ったことがなく、コーヒー、紅茶、コーラの類いも一切飲んだことがない。シンナーも覚醒剤もやったことはない。ぼったくりの帝王、意外とヘルシー。

「ベシャリが達者だったから、キャバレーの指示出しを任されたんです。高校生のときからバイトでやってましたよ。こっち(東京)にきてからステレオがほしくて歌舞伎町でも呼び込みをやってました」

影野臣直、一九五九年、大阪市生まれ。

祖父が一代で百貨店を築きあげた裕福な家族の長男として生をうけた。

父も母もインテリだった。父は将来、長男を歯科医にしようとしたが、急逝したため、長男は歯科医にならず、次男が医師となった。

長男は一浪ののち、一九八〇年春、東京・白金のシティボーイ、シティガールの集うある大学に入学した。

元ぼったくりの帝王・影野臣直

田中康夫『なんとなくクリスタル』が大ヒットして、ブランド品を身にまとう女子大生が話題になった。彼女たちはメディアからクリスタル族と呼ばれ、影野が在籍した大学はクリスタル族が集う大学としても有名だった。

ぼったくりの帝王は、実は時代の最先端をいくクリスタル族の一人だったのだ。

ステレオがほしかった影野青年は大学に通いながら、歌舞伎町で呼び込みのアルバイトをやりだした。

通行人に声をかけていると、ある日、目の前に好みのタイプが通りかかった。

「太地喜和子(たいちきわこ)に似たすげえいい女でした。目が大きくて、顔立ちが派手。俺、派手な女が好みなんですよ。〝飲みに行かない?〟って声かけたのがきっかけです。俺より七つ上でした。そのころ借りていた大久保二丁目の俺の部屋に連れ込んで、それから同棲です」

太地喜和子は一九四八年生まれ、東映ニューフェース、同期に千葉真一がいる。俳優座に移り、映画『男はつらいよ』や数々のテレビドラマに出演、人気を博す。

一九九二年十月十三日、静岡県伊東市での『唐人お吉』公演期間中の午前二時過ぎ、スナックのママが運転する乗用車が海に転落、酔っていた上に泳げなかったことで命を落とす。享年四十八。

影野青年と太地喜和子似の年上女性は結婚する。二人の男児に恵まれた。

私が元ぼったくりの帝王とはじめて会ったのは、ある出版社の若手編集者と深夜、ラーメン店に入ったとき、ドスの利いた声で呼びかけられたときだった。

茶髪のメッシュ、ピアス、高価な腕時計、サングラス、焼けた肌、豹柄のシャツ。

九時から五時までの世界に生きる男ではないことはたしかだが、ヤクザともどこか異なる放埓(ほうらつ)な空気をあたりに放っていた。

「最初のぼったくりはキャッチバーからですね。歌舞伎町でバイトしてて、池袋に移転して十カ月やって、営業停止になって、また歌舞伎町にもどったんです。それから個室ヌードをはじめました。すぐに店長です。一年くらいは大学に行ってましたけど。高学歴って、ぼったくりの世界では自慢にならないんですよ。むしろ貧しかったくらいのほうがいいんです」

歌舞伎町には毒トカゲのような男たちが徘徊している。

ポン引きとキャッチである。

ポン引きは客を店に連れ込んでから、「すいません。次につく女の子が生理になってしまって、別の子なら高くなるんですけど、あと一万円出してもらえますか」とカネをつり上げる。ところがいつまでたっても肝心の女の子がこない。

「入会料がいるんです。その代わりモデルクラスがきますから」とまたカネを取る。

一万二千円を女の子に渡せばあとはいくら客から取ってもポン引きの取り分になる。

ポン引きは歌舞伎町で自由に動いて、客を店に誘い込み、やりたい放題やる。客に女の子をあてがうが、女は手でやるだけで、最後まではやらせない。

まだ客からむしり取れそうだと踏んだら、「六本木からいい女の子連れてきますから、タクシー代、一万円いただけますか」と吹っかける。

客は一度財布を開けたら最後、発射できるまで払ってしまう。

よく見るとポン引きはニコニコ笑顔で話しかけるが、目つきが怖いので、客はついポン引きの言い値で払ってしまう。

八〇年代前半、フードルとして一世(いっせい)を風靡(ふうび)したイヴちゃんも、静岡から上京して最初に飛び込んだプチぼったくり風俗店が、影野がバイトしていた店だったという。

キャッチというのは店専属で契約しているいわばフリーランスの業者である。

歌舞伎町で何か物ほしそうに歩いている酔客にキャッチが「お客さん、五千円ぽっきり！」と声をかけて店に連れていく。ホステスが客の横につき、鼻の下を伸ばしてグラスを干し、いざ会計になると、十万の請求が突きつけられる。

このとき、客からぼったくったカネの二割はキャッチにバックされる。

二十数年前、歌舞伎町のぼったくり店に友人が連れ込まれそうになり、私があとを追い、結果的に二人で十八万円ぼったくられそうになったことがある。熱くなった相棒をなだめ、両者の間に入った格好になった私は、奇跡的に三万円で切り抜けた。

「その店どの辺ですか？　うちの系列店かな？」

「たしか、コマ劇場そばで三階にあった……」

「（小声で）うちに近いなあ」

「『V』という店名だったような……」

「ああ！　そこはうちのライバル店」

稼いだカネは酒と遊びに費やした。

「とにかく遊び好きだから。ゴルフ、野球、アウトドア、女、酒、麻雀、なんでもやります。付き合ってるおねえちゃんは四人」

＊

歌舞伎町最大のぼったくりグループ、Kグループを率いた影野臣直が、ブラックボックスだったぼったくり店のカネの流れを打ち明ける。

「うちは歌舞伎町で五店舗出してたんですけど、従業員やホステスはみんなその日払いです。日当で払う。残った額が店の儲け。一日で十五万残るんです。それが五店舗だから一日七十五万。かける三十一日としてだいたい毎月二千三百万円の純利益になりました」

仕事は楽だったと影野はうそぶく。

元来の人なつっこさから、ぼったくると、被害にあった客と一緒に店で酒を飲んだりからかったりして遊んでいた。

「二百万取った客とも遊んでましたよ。だから揉めたこともないし、捕まらなかった」

警察にもカネをまいた。

ポーカーゲーム屋を港区のある繁華街で開業した際には、地元警察署の刑事に毎月二十万円渡していた。

「一度、賭博で捕まりそうになりましたけどね。警察とはうまくやるように、ゴルフは毎月一緒に回ってました。警察のほうから俺のポケベルに連絡が入るんです。〝ポケベル鳴らした?〟って尋ねると、『あ、そろそろ月末ですね。一杯やりたいですね』って。カネせびる合図なんですよ。マルボウ(暴力団対策セクション)にもコネクションがあったから。そこから情報が入るんですよ。『いま、韓国クラブなんだけど、ちょっと顔出してくれない? 紹介したいから』っていうんで出向くと、『ちょっと小遣いもらえる?』っていうからその場で三万渡したりね。家にも電話かかってきて、『急ぎだけど二十万貸してくれないか』って。メリットありますよ。少々のことではパクられなかったな。ガサ入れの前には必ず連絡入りますから。『いまから行きますから』って」

交番の警官にも交通取り締まりの警官にも、現金をつかませる。

「最初ビール券渡すんです。現金渡そうとすると警戒されるから。関越道でスピード違反で捕まったとき、ビール券渡して見逃してもらいました。警察ではビール券が金代わりに流通してたんです。本に挟んで渡すとか、ビール券挟んだ週刊誌を置いておくとか」

私も取材中にマントル(マンショントルコ)の待合室で制帽を脱いだ若い警官二名がかしこまって座っているのを目撃したことがあった。二人はそれぞれ店側から封筒を手渡され、礼を述べると去っていった。

店主に尋ねると、意味ありげな微笑を浮かべるだけだ。封筒の中身は感謝状や伝達事項などではなく、ましてやラブレターではないだろう。

影野臣直のKグループは毎夜、ぼったくりを繰り広げ、遂に歌舞伎町一、ということは日本一のぼったくりグループになった。

歌舞伎町で暇そうにしている若い女たちがいる。

男から声をかけられるのを待っているかのようなそぶりである。

ここは歌舞伎町だ、声をかけてみるのもいいだろう。

声をかけると、乗ってくる。

飲みに行こうと誘うと、断らない。

「わたしの知ってる店、行かない？　そこなら安心して飲めるし」

彼女が勧める店に入り、このあと、あわよくばと夢想しながらグラスを飲み干す。

ほろ酔い、会計になると、二十万円の料金が殴り書きされている。

店と女が組んだぼったくりの一種だ。

「ガールキャッチというんですよ。うちは三店舗ありましたから。連れてきた女と店が折半ですから」

現場で取り締まり側にカネをばらまき、ぼったくり店だと目をつけられると、すぐに引っ越し新たな店名で営業する。十一回、店を引っ越したこともあった。

ヤクザとの揉め事もしょっちゅうあった。

店の前に屋台を出された。

立ち退き代目当てだった。

ヤクザの事務所に、「屋台、引っ込めろ！」と怒鳴り込んだ。

背後からパイプ椅子が降りかかり、三十発以上殴打された。

「殺すなら殺せ！」

血まみれの影野が叫んだ。

「いい度胸だな」

さらにパイプ椅子が乱打される。

意識が朦朧としてくる。

ぼったくりの帝王と一悶着起こすのは、これ以上避けたいと思ったのだろう。

和解となった。

人なつっこさではアンダーグラウンドの世界でもずば抜けている影野臣直である。

特定のヤクザ組織とかかわりがあるわけではなく、多くのヤクザ組織と面識があるので、口の堅い影野のもとに様々な情報が入ってくる。

闇で発生したトラブルもいち早く影野のもとに情報が入ってくる。

アンダーグラウンド界の共同通信とでもいうべき存在なのだ。

「パイプ椅子で殴ったやつとは仲がいいですよ。〝きみに殴られたところ痛いなあ〟ってからかうと、びびってた」

パイプ椅子で影野を殴ったヤクザは2022年に亡くなった。

*

歌舞伎町で連日ぼったくり、儲けたカネはほとんどが酒で消えた。

一九九九年三月某日。

梅酒一杯十五万円事件と呼ばれる事件が起きた。

影野の店に格子柄のシャツとリュックを背負ったオタク風の若者が入ってきた。東北弁で故宅八郎(たくはちろう)のような長い髪をしている。歌舞伎町の風俗店をハシゴする三十代の風俗オタクだった。店の女の子たちをはべらせて、はしゃぐ。

「梅酒を女の子たちに飲ませて、本人は一杯しか飲んでないんです。両親と暮らし、働いていないので、さほど現金を持っていない。それでもホステスの乳はさんざん揉んだが、請求の金額二十四万は高いといって払わない。六時間も支払いを拒否してたんです。俺も頭にきて〝そのウザい髪を切れ!〟って、ハサミを持ち出した。〝金払わないんなら警察行くぞ〟っていったら、オタクは『勘弁してください』ってやっと払ったんですよ。まけてやったんですよ。東北までの汽車賃も必要だろうと十五万に。オタクはハサミを突きつけたとかいってるけど、突きつけてない。〝払わないならいいよ。息子はこんな馬鹿な遊びしてるんだ〟ってお父さんに電話するよっていうと、『ごめんなさい!』って泣き出す。お父さんが怖いんだ」

このときの金額が梅酒一杯十五万円ということで、Kグループの悪辣(あくらつ)さを象徴する事件になった。

悪運尽きて影野は逮捕される。

逮捕容疑は強盗罪、恐喝罪、風俗営業等取締法違反により求刑は懲役八年。

一審判決は懲役五年。控訴して高裁判決懲役四年六カ月を受け入れ、新潟刑務所に下獄した。

さぞや辛い獄中生活だっただろうと尋ねると——

「天国でしたね。皆さんも一度入ってみるといいですよ。娑婆で食うメシより低カロリーで健康的だし、刑務所ダイエットって呼んでるんです」

囚人が陰茎（いんけい）に玉を入れる手術に何度も付き合った。

「箸を折って、ゴルフのティーのようになるまでコンクリでこするんです。入れる玉は碁石か歯ブラシの柄とか、工場のなかでプラスチックの玉とか見つけるんです。それを磨いて、ティーの後ろに玉を置いて、陰茎の皮をつまんで貫通させてそのまま押し込むんですよ。ティーを抜き取ると玉だけ残る。オロナイン軟膏塗って、私物のティッシュで巻く。金曜日やれば土日、休みだから看守に気づかれずにくっつくんです。そりゃ痛いですよ。唾で消毒するけど化膿するし。ヤクザ以外も堅気だって入れるんですよ。窃盗犯でも。俺？　入れません。あんなの入れても女にモテませんから」

出所後、特異な体験を本にしようとみずから少しずつ書きはじめていた。

文章力が河出書房新社の女性編集者の目に留まり、作家デビューを果たす。

「それにしても歌舞伎町で暴れまくりながら、よく生き延びましたね」

「利用価値があるんですよ、俺みたいなやつ」

不夜城で数々の悪事をしでかした男がサングラスを取ると、愛嬌のある笑顔を見せた。

＊

「影野さんはその当時、ほんとにお父さんみたいな存在だった。毎日一緒に飲んでた。アーが歌舞伎町にいるのって、影野さんありきなんですよ」

元ぼったくりの帝王から歌舞伎町のスナック「LEON」のママ、アーこと仲河亜輝(なかがわあき)という女性を紹介された。

亜輝という名前から自分を呼称するときは〝アー〟と呼んでいる。

彼女は地上波で何度も取り上げられたことがある、歌舞伎町の著名人であり、孔雀のように髪を盛った姿はさながら歌舞伎町の女王である。

「歌舞伎町が楽しくなってきたときに、なんか個性がほしくなって、いろんな髪型試してみたんです。今回コロナになってなければつづけてたんですよ。これ、(髪型の)歴史」

プリクラのアルバムに毎日変わる髪型の写真が収められている。

美容院でセットしてもらうのだが、いったいいくらかかるのか。

「そんなにしない、めっちゃ安い。しかも仲良くしてたから、指名料も取らないでやってくれてた。このクオリティで千五百円」

「亜輝さんのプロフィール、プライベートの部分で伏せてほしいというところはボカしますから」

「もういいよ。なんでもいいよ。伏せなくて」

亜輝は一九八八年夏に生まれた。

ちょうどこの取材時に三十四歳になった。

父は日本国籍のある華僑、母は日本人。妹がいる。

歌舞伎町でスナックを開く前は、渋谷でギャルサー、「豹猫(サーベルキャット)」のリーダーだった。

「ヤマンバメイクしてたんですよ」と影野が冷やかすと、「汚いヤマンバメイクと一緒にしないで！アーは割ときれいなヤマンバだったんだから」と亜輝が反論する。

亜輝にとってギャルとは何か。

「個性！ギャルってみんな一緒に見えるっていわれちゃう。そのギャルのなかでもいかに目立つかっていうのが大事。ありきたりというのと、人とかぶるのがアーは好きじゃないから、歌舞伎町にきたらこの髪型でずーっときた」

「というと、亜輝さんの髪型はギャルの延長線上？」

「けっきょくそうなんでしょうね」

私たちが入店した亜輝のスナックは、歌舞伎町という土地柄か、客にはヤクザも多いが公務員やサラリーマンもいる。

「昨日は客全員がヤクザだから」

影野が証言すると、今度は亜輝も否定しない。

「うちは、本当に平和なお店、アットホーム。うちは特殊だから。こうなっちゃったのも、自分のつながりでガンガン広げていったから。いろんなヤクザの忘年会に一人で行ったりとかしてたから。アーちゃん、どこにでもいるね、みたいな貴重な経験をさせてもらってきたし。ああ、アーもここにいていいんだ、そういう場面にいていい女なんだって、ある意味嬉しいですよね。うちの店は若くても行儀が悪い人は一人もいなくて、うちの店は揉め事ないし」

亜輝の店は客同士仲が良く、見事に棲みわけができている。

「LEON」・アーこと仲河亜輝

取材時は、夏ということもあって亜輝の服は露出面積が広い。

「背中は十代のときに入れちゃってるんだけど。天女と龍です。右腕が龍です。左が鳳凰(ほうおう)です」

本格的な入れ墨である。

入れ墨は増殖中だ。

*

父親の貿易と不動産業の関係で一家はしばしば引っ越しをした。

豪勢な一戸建てで暮らしていたが、ある日、両親が離婚、亜輝と妹は母に引き取られた。

高校は中退。

ギャルサーのリーダーとして渋谷で生きる。

センター街で友だちとおしゃべりしていたら、見知らぬ男から注意を受けた。

近くに捨ててあったマクドナルドの包装紙を亜輝が捨てたと勘違いしたようだった。

あらぬ疑いをかけられた亜輝は、抗議した。

揉めているところに、またもや見知らぬ中年男が声をかけてきた。

揉め事はやめろ、と亜輝を引き離した。

仲裁に入ったのは、そのころよくメディアに登場していた「夜回り組長」こと石原伸司(しんじ)だった。

通算三十年におよぶ長期の服役後、ヤクザから足を洗い、渋谷の繁華街で非行に走りがちな若者たちの相談に乗ったり、更生の手助けをしてきた。

亜輝はこのとき石原伸司から「悪い男に引っかかるなよ」と名刺を渡された（後日、不思議な縁になる）。

ある日、二十歳になったばかりの亜輝の携帯電話に、昔働いていたキャバクラの黒服から連絡が入った。世間話に興じたあとに、黒服が「軽く稼げるバイトがあるんだけど興味ある？」と切り出した。

「どんな仕事なの？」

亜輝が尋ねると黒服は流暢に語り出した。

「マレーシアで何日か遊んで、荷物を持って帰ってくるだけ。それで三十万出すから」

悪くないアルバイトだった。

しかし、危ない気もしたから、黒服に何度も逮捕されるような危険な仕事ではないのか念を押した。

すると黒服は「大丈夫」と十回近く連発した。

タイミングというのだろうか、黒服から声をかけられる前日、亜輝はパスポートを更新し、一カ月後、母と一緒に中国旅行に行く予定だった。

パスポートを更新すると、海外旅行が気になるものだ。

行ったことのないマレーシアで羽を伸ばすのもいいだろう。

亜輝はアルバイトをやることに決めた。

二〇〇八年十月二十二日、成田空港。

日本からはもう一人、明治大学の学生という青年と一緒で、彼も亜輝と同じく荷物を運ぶアルバイト要員だった。

「なんか食べ方が汚くて、服にシミをつけてたから、〝シミ〟ってことになった。歌舞伎町でホストやってたっていうんだけど。ほんとに冴えないやつで、食べ方汚いっていうか、いつもこぼしてる。白いTシャツだったりするからよけいシミが目立つの。

で、そのままマレーシアに向かって。二泊三日、楽しんではない、やつと一緒だから。モチベーションあがるような男性だったらいいけどさ。そいつと二泊三日して三日目に、クアラルンプールのスタバで、三十ちょっとくらいの白人からキャリーバッグを一人一個ずつ持たされて、これを持って帰ってみたいな。白人、一言もしゃべらないから、どんな人なのかわからない。いまから思うと怪しいよね」

マレーシアの税関を通過して、韓国仁川（インチョン）空港に無事に到着。

このまま韓国に一泊して成田に着けば、報酬の三十万円がもらえるはずだった。

入国審査を終えると、ベルトコンベヤーに白人から渡されたスーツケースが流れてくる。それを受け取ると、税関に向かった。

すると持ち物検査に回された。

すぐに終わるだろうと思ったが、なかなか終わらない。

係官たちが何やら小声で話している。

亜輝とシミは奥にある部屋に誘導された。

まさかあのスーツケースに問題があるのか。

税関職員がスーツケースを特殊工具で分解しだした。

まさか何か入っているの？

スーツケースの底が割れて、白い塊が出てきた。

底が二重になっていたのだ。

日本語が話せる係官が出てきて、「これは覚醒剤だ」と断定した。

十代のころから自由気ままに生きてきた亜輝も、ドラッグだけには手を出さなかったので、目の前に転がり出た白いブツがいったい何なのかわからなかった。

二十歳になったばかりの亜輝は、まだ未成年者気分が抜けず、たいした罪にはならず、始末書を書く程度ですぐに帰国できるものだと思い込んでいた。

ドラッグは生産国から消費国まで運ぶときに、いかにも運び屋という風情の人物を使わない。税関や警察に疑われないように、あるいは捕まっても自分がどんなことにかかわったのかわからないような、善意の第三者をスカウトして運び屋に仕立てる。なかには運び屋を自覚して引き受けている者もいるが。

ともかく亜輝は運び屋になってしまったのだ。

「マレーシアはなんか知らないけど、通っちゃったんだよね。スーツケースの底から出てきたブツって、どこ産かわからない。べつにこっちからしたら、どこ産でもよくない？　そもそもブツが入ってるのも知らなかったし。運び屋っていう仕事があるのも、あのときの若さでは知らなかったし。中身はわからないし。スーツケース開けても、パッと見た感じでは洋服しか入ってなかったから。ブツが出てきてもピンとこなくて、なんか普通に帰れるとその場では思ってた。親は迎えにこれるんじゃないかなって。万引きで捕まった小学生みたいに、お母さんが迎えにきてくれる感覚だったの」

マレーシアから韓国経由で日本に帰国するコースを指示されたのは、なぜだったのか。

おそらく、マレーシアルートは覚醒剤密輸コースとしてマークされていたので、いったん韓国経由になったのだろう。それに亜輝という二十歳の若い女性が韓国から帰国するというのは、韓流ブームが起きていた当時としてはドラッグの運び屋を連想させない効果もあったに違いない。

*

韓国の検察は初犯にしては重すぎる懲役七年を求刑してきた。

弁護士との言葉の壁もあるのだろう。

裁判の過程は弁護士次第でいかようにでも変わる。だが私選弁護士を雇うカネは亜輝にはなかった。

面会室に亜輝を訪ねる人物がいた。

小さな穴があけられたガラス板の向こうに立っていたのは、亜輝の父親だった。

二年ぶりに見た父親は、すっかり白髪が増えていた。

父は泣いていた。

腕のいい私選弁護人をつけるように、父はいってきたが、カネのことを考えると娘は白髪になった父に、腕のいい弁護士を見つけてきて、とはいえなかった。

「そんなことは気にしなくていい。とびきりの弁護士つけるから」

父がいってくれた。

別れ際「体には気をつけるんだぞ」と父がいい残した。

父と急速に仲が復活したことだけは、逮捕の恩恵だった。

下された判決は懲役三年。

だが二十歳の亜輝にとって、青春真っ盛りの三年間はあまりにも過酷な懲役刑である。

収監先は韓国で唯一の女子刑務所、六百人以上の女性受刑者がいる清州(チョンジュ)女子刑務所だった。

亜輝が収監されたのは外国人だけの八人部屋だった。

「コロンビア人はみんな強盗で捕まった子たち。国が貧しいのもあるんじゃない。タイ人と中国人は詐欺。女だから、そういうのが多い。日本人は全員運び屋。五、六人いたかな。なかでは死ぬことしか考えなかったよ。でも死ぬ勇気ってないじゃん。まだ同じ日本人がいただけよかったのかな。中国語をあらためて勉強して話せるようにもなったし。もともと話せるんですよ、お父さんと一緒に暮らしていた小さいころの記憶が少しあるから。刑務所のなかでは、中国の人とは中国語、日本人とは日本語。工場の韓国人とは韓国語。刑務所で語学を学んだ。それしかなかった、何を勉強していいかわからないし」

ギャルは意外とたくましい。

「そのとき、亜輝さんを支えたものは何だったんですか」

「友だちかなぁ。外から友だちの写真とか送られてくると、見せびらかしたくなる。刑務所ってみんな同じ格好で、同じ髪色じゃないですか。だから、外の姿って自慢したくなるんですよ。その当時のギャルだった写真とか。向こうはそういうのないから、この人は何者だみたいな。アーは一番年下だけど、堂々としてたよ。一番上はタイの人が五十とかその辺」

十八歳のときダイエットがきっかけで摂食障害を発症した。百六十七センチで三十二キロしかなかった時期があった。

獄中でもダイエットはつづけた。

「何気なくはじめたダイエットがとんでもないことになるからね。治療法がないじゃないですか、精神的な問題というか。摂食障害って二十年三十年っていう人もいるし。あれは、なった人にしかわからないから。辛いとかっていうレベルじゃないし。吐かないから太っちゃうんだよ。全部普通に食べてた。いわゆる大食いレベルですよ。拒食症というのは、空腹はわからない、食べないのは当たり前。食べなくても慣れる。一日もずく三パックだけとか、ガムだけとか。それに慣れてくるし。不思議に、過食症は何千カロリー食べても、満腹がわからなくなる。やっかいなんですよね。あんだけ食べてなかったのに、こんだけ食べられるんだって」

「どっちが辛いですか？ 食えないときと食いすぎるときと」

「食べちゃうときじゃない？ だって、麻痺してるわけじゃない。痩せてきたのに、その反動で逆に一気に太るわけだから。だから食べてるときが怖いかも。太るのが怖くなるから拒食症になっちゃう」

「食ってると、落ち着くの？」

「なんだろうね……落ち着かないってことだよね。刑務所のとき大変だった。韓国ではお菓子、買いたい放題だったから。親からの入金も面会もあったから。そこは親がちゃんとやってくれてて」

成人式に晴れ着で出席するはずだったが、泣く泣く獄中から晴れ着のキャンセルを伝えた。獄中で亜輝は何度も〝打つ〟夢を見た。

打つとはセックスするという隠語である。

長かった三年間が過ぎて、晴れて釈放される日がやってきた。

青春時代のど真ん中三年間を異国の刑務所で過ごした。決して短くない囚われの日々だった。

獄中生活というのは人によって感じる長さが異なるようだ。

ぼったくりで新潟刑務所に収監された影野臣直によれば、あっという間に過ぎていくという。人間には周りの環境に順応する同調効果があるのか、受刑者にとって釈放までの時間は受容できる速度になるのだろう。

亜輝が獄中で読んだ雑誌のなかに、渋谷で知り合ったあの夜回り組長こと石原伸司がいた。

「この人、見たことあるって思って。手紙書いてやり取りするようになった。出所して、成田空港に石原さんと出版社の人が迎えにきてくれたの」

このときのことは、石原伸司著『夜回り組長のどん底から這い上がる13の掟』（静山社文庫）にも記述されている。

文中で亜輝は〝あき子〟という名で登場する。

〈あき子は、出所したあと、どう生きていったらいいのかわからない、助けてほしいと、私に手紙を書いたのだ。

以降、何度も手紙のやり取りを繰り返した。もちろん、私はあき子が日本にもどってきたあとも、

力になるつもりだ〉

夜回り組長は約束どおり、成田空港まで亜輝を出迎え、特異な体験を経た亜輝の本を刊行するため奔走する。

そしてできたのが『韓国女子刑務所ギャル日記』（辰巳出版）だった。

文と絵が亜輝、監修が石原伸司になっている。

活字の本文に加えて、亜輝本人が描いた自身のイラストと脚注がついている。サングラスに盛った髪、一緒に捕まった〝シミ〟の絵、人のよさそうな父と母、イラストは味がある。

「いっておきますが私これでも薬物反対派ですよ！」と本文の行間に自筆のメモもある。

全編にわたってギャルの匂いがする異色ノンフィクションに仕上がっている。

三年ぶりの日本だったが、亜輝にとっては精神状態がきわめて不安定な時期だった。

「鬱とアル中で、焼酎持ち歩いてたの。一度タクシーに焼酎置き忘れたとき、すごく不安になって、ビンごと買ってバッグに突っ込んだ。手に持ってないと不安だったの」

『歌舞伎町の歩く焼酎ことアーちゃん』というブログを立ちあげた。

天高く盛った髪型と長身の亜輝は、かぶく女が多い歌舞伎町でも、やたら目立った。

するとこんなことが起きた。

「女子大生アイドルが小金井でライブしたとき、つきまとって二十回くらい刺した男、いたじゃん。あの犯人が事件を起こす前、アーのブログを読んでアーのいるスナックにきたの。アーがアイドルと真逆だから、興味を持たれたのかもしれない。アイドルオタクってさ、こっちとはご縁がない。仲良くすることはないじゃん。アイドルとは逆だから、こんなにガンガンやってるのいないじゃないですか。だからかえって興味を持たれたのかなぁ。ツイッターに、〝俺は歩く焼酎ことアーちゃんと友だちだ〟みたいなことを勝手に書いてて。アーのブログを見てくれて、たまにコメントくれたりして。会いにきてくれたときも、アーはサバサバしてるし。そう、いきなり店にきたの」

二度目に来店したとき、男は顔面を腫らしていた。

「顔面ボッコボコできたんだよ。どうしたの？って聞いたら、よその店でぼったくられて、キレて大喧嘩になったんだって。その日、あいつ群馬に住んでるのにチャリできたとかいってたんだよ。頭おかしいよ。それから何カ月かたってから事件があったの。そのとき、付き合っていた男がニュースを見て、まだ寝てたアーが起こされて。『これ、あいつじゃん』って。ニュースになったときに、そいつのツイッターかブログが出てくるじゃん。そこに、〝歩く焼酎ことアーちゃんはおれのダチだ〟みたいにつぶやいてて。そっから、わけわかんない感じでいろんな取材を受けてきてるよね」

＊

亜輝が歌舞伎町のぼったくりの帝王・影野臣直と知り合ったのは、日本に帰国したあとだった。

影野が振り返る。

「俺が雑誌で編集者と女囚の合コンっていう企画を立てたんですよ。俺、懲役囚の服を持っていたから、それを編集者に着させて、刑務所帰りの女の子たちを呼んで合コンしようとしたんです。そしたら一人、欠員ができちゃって、困ったなぁってなったところで知り合いから亜輝を紹介されたんです。それ以来一緒に飲み歩いてますから」

過剰なまでに髪を盛っている亜輝は、また持ってる女でもある。

亜輝が書いた『韓国女子刑務所ギャル日記』の監修を務めた夜回り組長こと石原伸司は、テレビや雑誌で活躍し、著作も多かった。

ところが、二〇一八年三月六日、墨田区内の公園で男性を刃物で切りつける事件を起こしたあと、隅田川に飛び込み、溺死という衝撃的な最期を遂げた。

公園は同性愛の男同士が相手を求めるいわゆるハッテン場であった。

年輩の男性を殺害して金品を奪おうとしたところ反撃され、みずから入水したとされた。

実は前年、夜回り組長は東京都豊島区の簡易宿泊所で宿泊客の男性（七十一歳）を絞殺後、ロレックスを奪い、質に入れたことが判明した。

この宿泊所もやはりハッテン場として有名だった。

事件を起こす前には、仕事もなく、交際していた資産家女性とも別れ、食い詰め、あちこちにカネの無心をしていた。

寄稿してきた雑誌・書籍の編集者のもとにも訪れたと聞く。

持っている女のきわめつきが影野から語られる。

「亜輝は愛新覚羅（あいしんかくら）さんの親族なんですよ」

意外な名前が飛び出した。

「すごいんですよ、亜輝はラストエンペラーの一族なんだよ。秋篠宮さんみたいなもんだよ」

愛新覚羅溥儀(ふぎ)は、清(しん)の最後の皇帝、ラストエンペラーとして世界史に記録される著名人である。

たまたま店には亜輝の従兄がカウンターで飲んでいた。

生真面目そうな男だ。

影野が解説する。

「愛新覚羅溥儀さんの同母弟が愛新覚羅溥傑(ふけつ)さん。カウンターに座っている従兄は溥傑さんの孫なんですよ」

「そんなに近いの? なんか、うちのお母さんの結婚式の仲人が溥傑さんだったってのは知ってるんだけど」

影野がつづける。

歴史上の人物名が歌舞伎町のスナックに何度も飛び出してくる。

「その昔、さかのぼれば、愛新覚羅慧生(えいせい)さんっていうのは、お母さんのお姉さん。天城山でピストル自殺したじゃないですか」

亜輝の意外な出自が明らかになる。

しかし当の本人はあまり関心がない様子だ。

ヤクザ密集地帯で営業をつづける亜輝にとって、ヤクザとは何か。

「歌舞伎町でこんな風に毎日ヤクザと飲んでると、すごい義理堅いし、知れば知るほどヤクザってカテゴリーが好きになっていく。ハートがすごい熱い」

影野がツッコむ。

「ヤクザは感覚が子どもっぽいから好きなんだよ」

亜輝が反論する。

「子どもっぽくはないよ、ちゃんとするところはちゃんとしてるし。会話しても楽しいから」

「そりゃそうだよ、亜輝がサラリーマンと合うわけないじゃん。昨日も客全員ヤクザだよ」

渋谷のギャルサー出身だった亜輝は、二十五歳で歌舞伎町にたどり着いた。

「歌舞伎町を一言でいうと、なんですか？」

私が問うてみた。

「寂しがり屋には居心地がいいんじゃないかなぁ。そこに行けばだれかいるっていう安心感があるし。それにもう地元っぽい。マジで近所に住んじゃってるしね、店から歩いて五分だし。数年前はこうやって自分でスナックやってるとは思わなかったけど」

寂しがり屋の亜輝のもとに、今宵も強面（こわもて）が集い、店内のテーブルごとにそれぞれの組がグラスを傾ける。

第三章　不夜城の出自

歌舞伎町は新宿区のほぼ中央に位置する、広さ約〇・三四八平方キロメートルの一大歓楽街である。よく面積の単位として東京ドーム何個分という表現が用いられるが、それにならえば東京ドーム面積が約〇・〇四八平方キロメートルなので、歌舞伎町は東京ドームの七個分と少しの広さだ。

さほど広くないこの街が我が国最大の歓楽街と呼ばれ、不夜城と呼ばれてきた。

北の職安通り、南の靖国通り、東の明治通り、西の西武新宿駅前通りによって長方形に区切られたエリアが歌舞伎町で、飲食店、風俗店ビル、ゲームセンター、クラブが乱立する異界となった。

ここ最近では、キャバクラとホストクラブがもっとも勢いづいている。

東西南北を通りで区切られたことで、歌舞伎町の風俗熱を外に漏らさないように封印していることになる。

結界を張った歌舞伎町エリアに入ると、男も女も風俗街の住人にすぐ変身できる。

非日常の世界に変わるのだ。

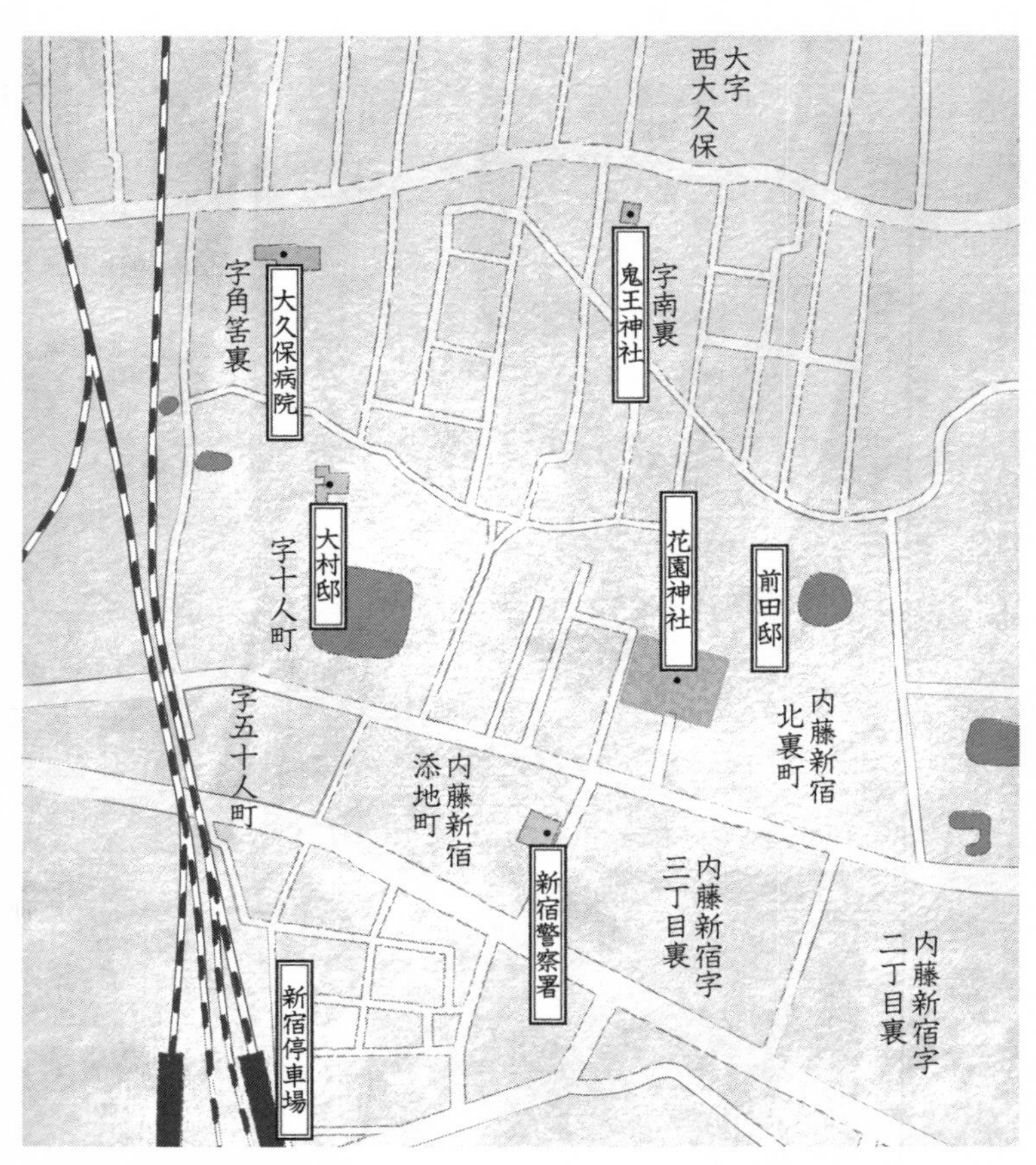

明治時代の歌舞伎町付近

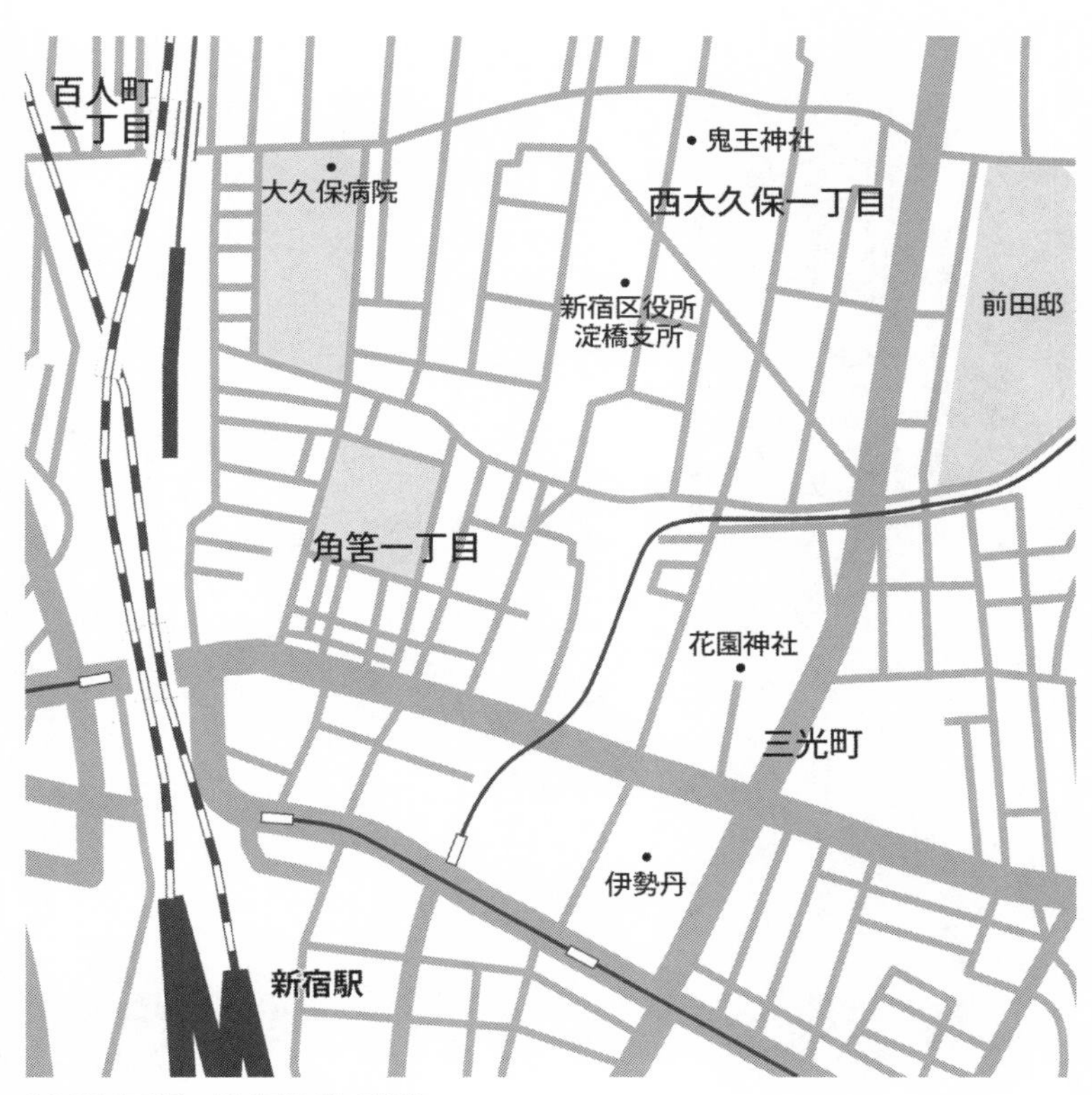

1945 年頃の歌舞伎町付近

JR新宿駅で降りて中央口にあがり、スタジオアルタ脇を歩き、靖国通りを横切ると、歌舞伎町に突き当たる。

ファッションヘルスやキャバクラで働く彼女たちの脳裏には、椎名林檎の『歌舞伎町の女王』がリフレインされていることだろう。

プロローグでも綴ったように、歌舞伎町は戦後誕生した比較的歴史の浅い街である。

江戸時代には歌舞伎町は角筈村の一部に位置する江戸の近郊農村だった。

角筈という珍しい地名の由来は、新宿区教育委員会の説によれば、角筈一帯を開拓した渡辺与兵衛の髪の束ね方が異様で、その形がまるで角か矢筈に見えたことから、与兵衛を角髪、あるいは矢筈と呼び、転じて角筈となったという。

ちなみに矢筈とは、矢を射る際に伸ばした弦を受ける、真ん中のへこんだ部分をさす。

かなり風変わりな人物だったのだろう。

いまに至る歌舞伎町の〝かぶく〟を象徴する男ではないか。

のちの歌舞伎町になる場所には旧長崎藩主、大村子爵の別邸があった。

新宿コマ劇場（現在の新宿東宝ビル）あたりは、鬱蒼とした森林が占領し中央部には沼があった。

沼を水源とした蟹川が西向天神社あたりまで流れていた。

沼には野鳥が多く棲息し、なかでも鴨が繁殖し、鴨猟をおこなう鴨場になった。

のちにこの地が日本最大の歓楽街、歌舞伎町になり、悪辣なぼったくりバー、個室ヌードなどが乱立するようになるとは、鴨が甦り悪質店のカモになるという奇妙な連鎖というものだった。

古地図を広げてみると、蟹川は西から東方面に流れている。

ちょうど歌舞伎町のど真ん中を流れていたことになり、現在歌舞伎町一丁目と二丁目の境界線となっている「花道通り」がほぼこれにあたる。

歌舞伎町一帯は、都心のなかでも高台にある。

築地の標高が約二メートル、銀座が三～四メートル、対する歌舞伎町の標高は約三十メートル。不夜城は台地の上に乗っている。

高台にある歌舞伎町は急な坂がなく、区役所通りが緩い坂になって、花道通りと交差して、この辺が歌舞伎町でもっとも低地になっている。

交差点には風林会館があり、キャッチ、ポン引き、立ちんぼ、ホスト、キャバクラの呼び込み、ヤクザが蝟集する、歌舞伎町一のホットスポットである。

沼地だった歌舞伎町をしっかりした土壌にしようと、一八九三（明治二十六）年、淀橋浄水場建設で出た残土で鴨場の池が埋め立てられ平地になった。

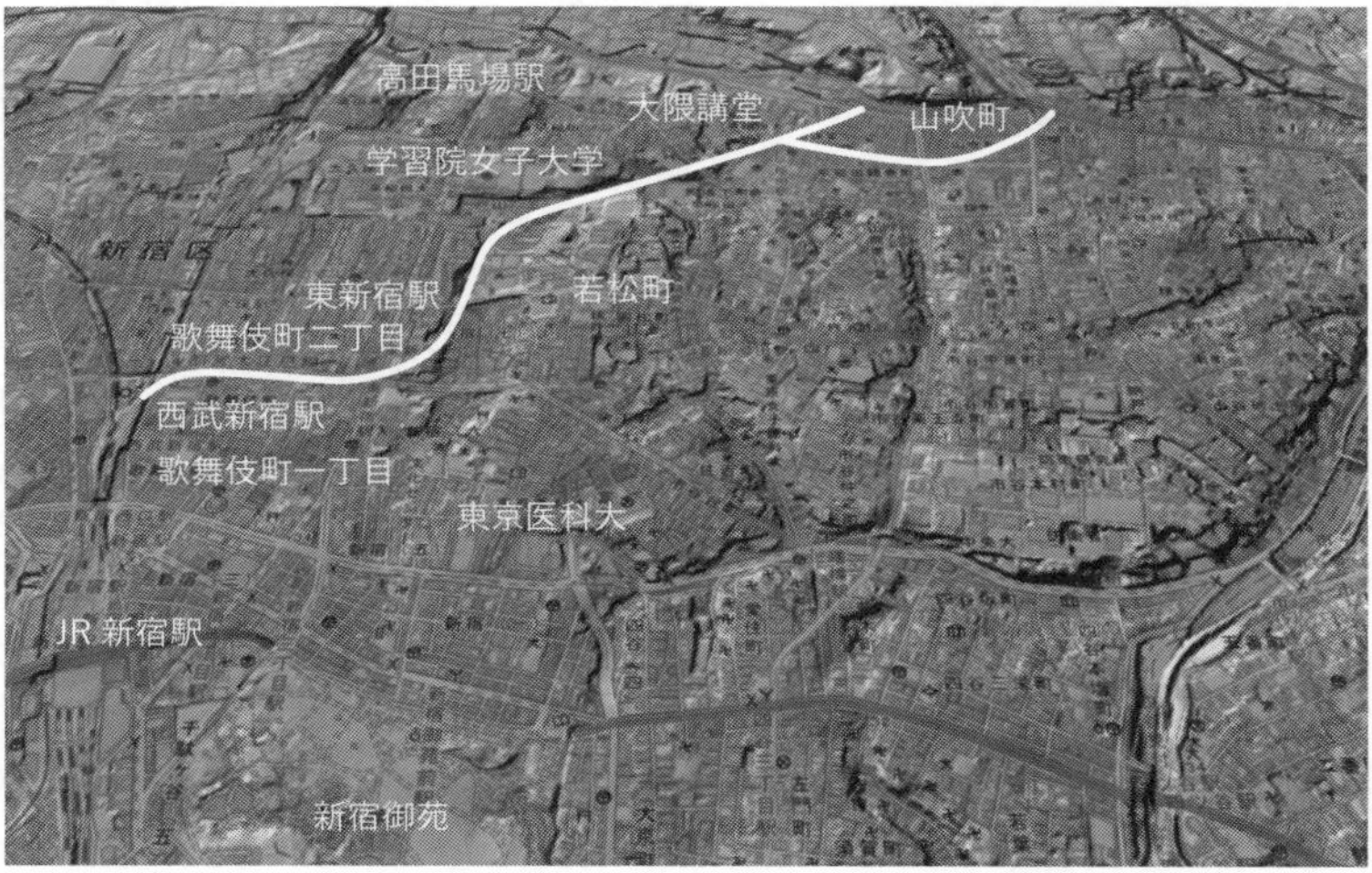

歌舞伎町を流れていた蟹川の大まかな流れをたどる。西武新宿駅あたりから神田川へ流れていた。
（※この地図は、国土地理院の電子国土 Web を使用したもの）

現在の喧噪からは想像もつかないが、戦前の歌舞伎町（角筈）は閑静な住宅街として、隣の戸山にあった陸軍関係の軍人や大臣の邸宅が並ぶ街でもあった。

終戦後、歌舞伎劇場を招聘しようとしたが頓挫し、地名に名残を留めるのみに至った。

だが街の推進者、鈴木喜兵衛は歌舞伎というエンターテインメントへの情熱は捨てがたく、焼け野原になったこの地を復興させるには、一大繁華街をつくるのが一番だとして、〝道義的繁華街〟なる呼称で再開発に着手した。道義的とはまっとうな道という意味であり、道義的繁華街とは、官許のエンターテインメント都市といった意味合いがある。

道義的繁華街の決定打になるべくして、一九五〇（昭和二十五）年四月から六月にかけて、歌舞伎町で東京産業文化博覧会が開催された。博覧会は時のワンマン総理にして戦後初の国葬になった吉田茂首相を名誉総裁に担ぎあげた。

官許のエンターテインメントはたいてい失敗する。

東京産業文化博覧会も案の定、大赤字で終わった。

パビリオンは公売にかけられ、所有権も切り売りされた。

その名残として、現在の大型映画館、ゲームセンター、ボウリング場、飲食店の原形ができた。

西武新宿線の前身は東村山‐高田馬場間で村山線として開業した。

一九五二（昭和二十七）年、高田馬場駅から一駅伸びて終着駅西武新宿駅が開業、西武新宿線になった。

西武新宿線は山手線との接続は高田馬場駅しかなく、念願の新宿駅と接続することで乗り降りが便利になり、利用者数も増えることが期待された。

ところが中途半端に歌舞伎町で西武新宿線は終わったのである。
西武新宿駅から国鉄（ＪＲ）新宿駅に乗るにはいったん外に出て七、八分歩かなければならない。
接続していないのだ。

実は西武新宿駅は一九四八（昭和二十三）年、高田馬場‐新宿間まで延伸することが決まっていたのだが、当の国鉄新宿駅の区画整理が終わっていなかったために、いったん歌舞伎町で西武新宿駅として開業したのだった。

このあたり、西武鉄道と国鉄のコミュニケーション不足が感じられる。

その背景には西武鉄道のオーナー堤康次郎と、東急電鉄のオーナー五島慶太の対立があったのではないかといわれている。

ともに一代で私鉄を核にした一大企業グループを創業してきた超ワンマン経営者である。
強引な経営手法は、ピストル堤、強盗慶太と呼ばれた。

戦前から東急・五島慶太側は西武鉄道を吸収しようと目論み、戦後になってからは都心に進出するのを阻止しようとしていたとされる。

一九六四（昭和三十九）年に開業した国鉄の新宿ステーションビルには、西武新宿線が延伸して国鉄新宿駅と接続するために設けられた乗客用入口や改札口が準備されていたが、西武新宿線沿線の乗降者数が急増したために車両も増えて新宿ステーションビルに西武新宿駅を接続するのは物理的にも不可能とされ、結局、新宿駅との接続は幻に終わった。

しかし、接続の可能性はくすぶっていた。

一九七七（昭和五十二）年三月三日、西武新宿駅の真上にプリンスホテルとショッピングモール、地上二十五階・地下四階の駅ビルが完成、駅ホームも拡張された段階で、国鉄新宿駅との接続は霧散した。

当時、西武鉄道といえば二代目・堤義明の全盛期であり、国鉄との接続を吹っ切って独自の路線を歩もうとしたワンマン経営者ならではの決断もあったのではないか。

おかげで歌舞伎町は西武新宿駅徒歩ゼロ分という立地条件を半永久的に維持することになった。

二〇二三年、西武新宿駅の目の前に巨大ビルが突如出現した（取材時は工事中）。

〝新宿歌舞伎町を堪能する拠点〟のコピーとともに姿を現した建物は、その名も「東急歌舞伎町タワー」。

二〇二三年四月に開業したこの建造物は、映画館・劇場・ライブホールなどのエンターテインメント施設、ホテルなどからなる高層複合施設になっている。

以前、西武と東急は、箱根、渋谷で覇を競い合っていたが、カリスマ経営者が一線を退くとしばらく沈静化していた。

それがここにきて、よりによって西武の牙城に、高さ二百二十五メートルの高層建築を東急が建てたのだ。

特徴的なのは、水しぶきのような形状の外装である。

はるか彼方からでも、独特のデザインによって歌舞伎町タワーだとわかる。

外装デザインを手がけたのは永山祐子建築設計。

外観は、歌舞伎町に神田川の支流である蟹川の水源があったとされることと、水とかかわりが深い弁財天が歌舞伎町弁財天として街のシンボルになっていることから、水をモチーフとして噴き上がる噴水をイメージしたものになったとされる。

私は西武鉄道所沢車両工場に勤務していた亡父の息子ではあるが、東急はなかなかしゃれたセンスだと思う。

一時期の勢いがなくなった西武の奮起はあるか。

*

歌舞伎町は台湾が色濃く残る街である。

風林会館は一九六七年一月二十七日、区役所通りと花道通りの角に誕生した。ダンスホール、グランドキャバレーなど六〇年代からの大型店舗が入るアミューズメントビルで、長らく歌舞伎町のランドマークになってきた。

ビル名に創業者オーナーの苗字、林再旺（りんさいおう）の〝林〟が入った台湾人のビルである。

この一帯は、風林会館をはじめ、クラブ・リー、クラブ・スカーレット、キャバレー女王蜂、日本料理あみもとといった大型飲食店が台湾人によって創業された。

終戦後、焼け跡の歌舞伎町は戦勝国側の台湾・中国・コリアンが土地を購入し、戦前と戦後の土地所有者が大きく変化している。

近くのラブホテル街はこの時期、アジア系所有者によって開拓された。

朝鮮半島出身者も進出した。

新宿バッティングセンター、メトロビル、ペックビルなどはコリアン系の新宿メトログループによるものだ。

歌舞伎町のエキゾチックな雰囲気も、土地・ビル所有者が台湾・コリアンという出自が影響しているのだろう。

*

私が歌舞伎町にはじめて足を踏み入れたのは一九六九年暮れのことだった。

なぜ正確な時期を覚えているのかというと、歌舞伎町である映画を観たのが私の初歌舞伎町体験だったからだ。

六〇年代末、中学生にとって映画館でロードショーを鑑賞することは、大人の証だった。

中学一年生だった私は待ちに待った冬休み、ロードショーを堪能しようと、新聞広告を見た。

邦画は、『コント55号 宇宙大冒険』『悪名一番勝負』『嵐の勇者たち』といったタイトルが並ぶ。

洋画のほうはというと、『女王陛下の007』『チップス先生さようなら』といった話題作が揃い、背伸びしたい中学一年生にとって魅力的だった。

なかでも新聞広告でやたら大きな宣伝を打っていたのが『ネレトバの戦い』という第二次世界大戦の戦争映画で、旧ユーゴスラビアとドイツ・イタリア・クロアチアの枢軸国(すうじくこく)との戦いを描いたものだった。

ユル・ブリンナー、フランコ・ネロといったシブい役者が登場していたが、同作の目玉は戦闘シーンの迫力だった。

私が住む埼玉県所沢市からは西武新宿線に乗り、終着駅の西武新宿駅で下車して踏み出す歌舞伎町は、十三歳の少年にとって危険な匂いのする歓楽街だった。

Kという級友と一緒に観に行った記憶がある。学校に内緒で新聞配達をしていたKは十三歳にしてはかなり自由になるカネを持っていて、映画がはじまる前に、ホットドッグを奢ってくれた。

三時間近い超大作を観終わると、満足感と疲労感ですっかり暗くなった館外に出た。

酔客が行き交う歌舞伎町を歩き、何気なく雑居ビルの隙間をのぞくと、異様な光景が目に飛び込んできた。

黒と白の物体が十数個無造作に捨てられているのだ。

女物のバッグだった。

ひったくりや置き引きで奪ったバッグを開いて中身を抜き取ると、バッグを人目につかないビルの隙間に捨てたのだ。犯罪者は同じ場所で犯行を繰り返す性質がある。

思春期の少年は、人間の闇を思い知らされた。

高校にあがると、西武新宿駅を降りて紀伊國屋書店に行ったものだ。歌舞伎町は高校生にとって、映画を観る以外は近づくべき街ではなかった。

大学に入ると、歌舞伎町は私の日常になった。

母校が春秋、定期的に野球で対戦する早慶戦では、試合が終わると歌舞伎町に繰り出し、噴水広場で輪をつくり、校歌や応援歌を放吟(ほうぎん)した。

私も飲めない酒を無理して飲み、輪に加わった。

景気づけに噴水に飛び込む学生がいる。

『俺たちの旅』のオープニングで中村雅俊と田中健が飛び込んだあの噴水池だ。

私が噴水広場にいた夜は、肌寒いせいかだれも飛び込まない。

だったら私が青春の証を体で表現しようと、一人で濁った噴水に飛び込んだ。

周囲から歓声と拍手。

腰まで浸かった私は校歌を先導し、歌い終わると意気揚々と濡れたまま池から出ようとした。

すると脳天を突き刺す激痛が走った。

だれが投げ捨てたのか、半分に割れたウイスキーボトルが池のなかにひそんでいたのだ。

靴底に刺さったウイスキーボトルを思い切って引き抜くと、鮮血が溢れ出した。

破傷風(はしょうふう)の恐怖を感じながら、私は声にならない悲鳴を漏らしながら、近くの薬局で消毒液を買い求め、深夜喫茶に転がり込み、夜通しまんじりともしないで、硬いソファに身を任せた。

痛みで一睡もできず、明け方、始発で所沢の自宅まで帰った記憶がある。

*

翌年、神宮球場の早慶戦が終わり、夜の歌舞伎町が早稲田の学生たちで埋まった。

私と友人が噴水広場に向かうと、昼の試合で早稲田が勝った勢いからか、大人数の学生たちが集まっていた。

人の壁が崩れた。

膝まである長い学ランを着た五、六名の大学生たちが、乱入してきたのだ。

手に一升瓶を持っている学生もいる。

ラッパ呑みしながら酔った勢いで、そばにいた早大生をつかむと、いきなり足払いをくらわせ硬い路面に倒した。

学ランの男たちが嗤う。

そしてまた群れのなかから早大生をつかむと、足払いしようとした。

必死になって払いのけようとする早大生に、今度は顔面を殴りつけた。

喧嘩慣れしていた。

学ラン男たちは硬派でなる大学の柔道部を名乗った。

学生たちから非難の声が沸き起こった。

すると、学ラン男たちは群れのなかから小柄な学生を見つけ出して、足払いで倒し、倒れたところを踏みつけた。

罵声が飛び交う。

学ラン男たちは酷薄な笑みを浮かべながら、次の犠牲者を探しだした。

群れが割れた。

制服警察官数名が、遅まきながら駆けつけたのだ。

今度は警察官とやり合うのかと思ったら、学ラン男たちは急に態度を変えて、頭を下げだした。

就職先に警察を志望する学生が多いといわれる大学だからだろうか。

勢いづいた早稲田の学生たちが、学ラン男たちに「帰れ！　帰れ！」の大合唱となった。

いつの間にか消えていた友人も、ちゃっかり再登場して帰れコールをがなっていた。

学ラン男たちは怒りながらまた学生たちに襲いかかろうとするが、警察官に押しとどめられた。

大人の力関係が露呈しかけた光景は、いまだに記憶の片隅にある。

＊

歌舞伎町のシンボルだった新宿コマ劇場は、一九五六年十二月二十八日に誕生した。

私の生まれ年でもある。

以後、二〇〇八年十二月三十一日に閉館するまで、映画、コンサート、ミュージカルといったエンターテインメントを提供する名所として全国的に有名になる。

コマ劇場ができる前は、東京産業文化博覧会の児童館、野外劇場の一部だった。

映画・演劇の街として発展させようという地元の意志もあって、誕生したのがコマ劇場である。

風変わりなネーミングは、円形舞台が独楽（こま）の回る様に似ていることから採られた。

演歌の殿堂として、北島三郎・小林幸子・都はるみ・氷川きよしらが特別公演を開催した。

歌手の顔が描かれた大看板は、夏休み、年末の歌舞伎町風物詩であり、コマ劇場を訪れる地方からきた団体客が歌舞伎町に押し寄せる様は、風俗街とのミスマッチな光景でもあった。

演歌だけではなく、毎年八月に催された『百恵ちゃんまつり』は一九七五年から引退した八〇年までつづき人気を博した。

テクノポップを一躍メジャーにしたYMOも一九八一年、年末公演をおこなっている。サザンオールスターズも一九八四年年末、カウントダウンライブをおこなっている。

コマ劇場は建物内にショップがいくつも存在し、土地柄もあって危険なスポットもあった。

大学生のとき、財布のなかにアルバイトで稼いだカネがあったので友人と、歌舞伎町をほっつき歩いていると、キャッチにつかまり、雑居ビル地下一階にある怪しげなスナックに連れ込まれそうになった。友人はすでにエロモードに切り替わっていたので、入店する気満々だったが、私は直前で危険を察知し、入店を拒否した。

キャッチは愛想笑いを浮かべ、再度連れ込もうとする。友人は「せっかく誘ってくれてるんだから」と入ろうとした。私は友人の腕を取り、階段をあがり、外に出た。

あのまま入っていたら、アルバイトで稼いだカネは根こそぎ持っていかれただろう。

ふて腐れた友人のご機嫌取りに、私はコマ劇場一階にあるアダルトショップに入ってみた。

小柄な店員がにじり寄り「何かお探しですか?」と尋ねてきた。

黙っていると、「こんなかわいい子が心も体もすべて投げ出して訴える、すごい本があるんですよ」といってきた。

棚に陳列している十代後半の女子高生風の写真集をさして、「この子の特別版です」とささやいた。

数年後、全国を席巻することになるきわどい写真を載せてビニールで包装したいわゆる〝ビニ本〟の前身とでもいうべきヌード写真集だった。

店員は茶色の紙袋に入った『特別版』を奥から持ってきた。

すでに買う気になっている友人と私は、半分ずつ出し合って大枚一万円で、特別版を買った。

さっそく近くの公衆トイレに入り、封筒から中身を取り出した。

二冊入っている。

一冊は、ヌード写真集だった。

疲れ切った痩せたホステス風の女がふて腐れて河原で裸になったカットが主で、明らかに売れ残った代物だった。

もう一冊は小さな版で、パラパラめくると、余白の多いページに何やら文章が載っている。

——あの日の夕暮れはわたしの涙。

たしかそんな文章だったと思う。

煮ても焼いても食えないセンチメンタルな文章が綴られたもので、七〇年代当時、夜の繁華街で「わたしの詩集です」というプレートを下げて売っていた詩集だった。

私と友人は強硬な抗議をおこなおうと、さっきのアダルトショップに引き返した。

「これ、なんですか？　詩集と売れ残ったヌード写真集じゃないですか。お金返してくださいよ」

店員は平然と答えた。

「ちゃんといってんじゃん。〝こんなかわいい子が心も体もすべて投げ出して訴える〟って。よく見た？訴えてるでしょ」

「ただの詩集じゃないか」

「カネ返してくださいよ」

私たちが強硬に抗議しても、店員は無言を決め込む。

「せっかくバイトして稼いだカネなんだから」と私がいうと、店員は「じゃあカネは返さないけど、品物をチェンジしてあげるよ」といって、棚から小さな物体を取り出した。

スイッチを入れると、ヴーンヴーンと妙な音がする。

「彼女のアソコにこれ、押しつけてごらんよ。しがみついて、はなさなくなるよ」

耳打ちしてきた。

「彼女がいなかったら、これをここに押しつけて」

ヴーンヴーンとうなるブツを私と友だちの肩に交互に押し当てた。

肩凝り用マシンなのか。

私たちは納得いかないまま、さっきの二冊をうなるブツと交換した。

店員はいままでの愛想笑顔を消し去り、本性を現した。

「さ、出てって、出てって」

私と友だちは店外に押し出された。

歌舞伎町の夜風が身に染みる。

私たちはコマ劇場の角にある小さな寿司屋のノレンをくぐった。

生まれてはじめての寿司屋である。

カウンターに座り、目の前にあるメニューを見ながら、寿司職人に注文する。

知っている名前の鯖(さば)や鰯(いわし)を注文するのが関の山だ。

自分で好きなメニューを注文するという行為に、大人になった気分を味わっていると、真ん中に座っていたヤクザがいきなり怒鳴り声をあげて、飲んでいたお猪口を目の前の寿司職人に投げつけた。

お猪口は寿司職人のすれすれを飛び、棚のボトルに当たって粉々に砕けた。

「毎度ありがとうございます」

寿司職人は何事もなかったかのように挨拶した。

ヤクザは店から出て行った。

いったい何が気に入らなかったのか。それにもまして、寿司職人の見事なまでの立ち居振る舞いに感心した。

歌舞伎町の寿司屋という、ヤクザがもっとも立ち寄る店で修業してきた寿司職人ならではの対応だった。

物書き稼業をするようになって、とある寿司屋でたまたまコマ劇場の話になった。

五十代の寿司職人が「若いころ、コマ劇の寿司屋で働いていた」という話になった。

あのときの寿司職人ではなかったが、興味深い話をしてくれた。

「お客の多くは、ヤクザとホステスだったからね。こっちも鍛えられますよ。深夜、ずっと立ち仕事でしょ。どうしても眠くなってきたら、カウンターのなかでしゃがみ込んで、そっと打ってましたから」

片腕をまくり人差し指で注射器のポンプを押すジェスチャーをした。

七〇年代当時、歌舞伎町の飲食業は覚醒剤常用者が相当数いたのだった。

*

私が大学生だった七〇年代後半、歌舞伎町はディスコ黄金時代に突入していた。

大学に入った一九七五年は、バンプが流行っていた。

男同士が片足を合わせて半身で向き合い、挑発するかのように激しく踊り合う、バトルのようなダンスだった。男女で組んでバンプを踊ることもあった。

見せ場をつくるペアには周りから拍手が起こり、フロアの中央で踊った。

翌年『SEXY BUS STOP』が爆発的に流行ると、ステップを踏んで踊った。

七七年にはフィフティーズ・ブームで、ツイストが流行った。

一九七八年夏、ディスコ黄金時代を迎える。

ジョン・トラボルタ主演映画『サタデー・ナイト・フィーバー』が大ヒットし、ビージーズの『ステイン・アライブ』『ナイト・フィーバー』がエンドレスのように流れ、連日、ディスコは満杯になった。

映画タイトルにかけて、「フィーバーしようぜ」という言葉が流行り、以後、〝フィーバー〟はもっとも日本語化した英語になった。

歌舞伎町にある「第二東亜会館」はもっともフィーバーしたディスコ・ビルだった。

カンタベリーハウスのビバ館、ギリシャ館が営業し、いつも賑わっていた。

入場料、男千円、女五百円だった記憶がある。

フリーフード・フリードリンク、食べ放題、飲み放題。

当時のディスコでは、ピラフとパスタ、唐揚げが主流で、ピラフやパスタにカレーやシチューをかけて味を追加した。

客席に運ばれるボトルは最初から封が切られていて、客たちは中身のウイスキーがどんな銘柄だかわからないと噂した。踊り疲れて汗をかいたあと、水割りを一気飲みしたり、ナンパの景気づけに飲んだりして、いつしか悪酔いしてトイレで吐く客が続出した。

オリエンタル・エクスプレスの『SEXY BUS STOP』、KC&ザ・サンシャイン・バンドの『Shake Your Booty』、スティービー・ワンダーの『Isn't She Lovely』がかかると、フロアが一段と活気づいた。

四十分に一回、照明が落ちてチークタイムとなる。つのだ☆ひろの『メリー・ジェーン』がかかると、場内のチーク熱が最高潮に達する。

お気に入りの女子をフロアに引っ張り出して、チークダンスという名のカラダを密着させた前戯をおこなっていた。盛りあがって踊りながら口を吸い合う初対面同士の男女も多数いた。

かくいう私はというと、一度もチークに誘うことができず、チークタイムがはじまると場内の食べ放題のバイキングで冷めたスパゲティを皿に盛って席で頬張ったり、トイレに行って、ゲロ臭漂うアサガオに放尿しながら、己の不甲斐なさを呪った。背後の個室から若い男の吐く音が聞こえる。

ＯＥ！　ＯＥ！　ＯＥ！

ビバ館、ギリシャ館の店員は、客を客とも思わぬ荒っぽいやつが多く、酔った客を殴ったりしていた。

フリーランスの物書き稼業をはじめる前、イベント関係の事務所に籍を置いたことがあった。

世の中にはこんな仕事があるのか、と感嘆するような作業をこなしたものだ。その一つに、漫画家・楳図（うめず）かずおの『まことちゃん』の新曲のキャンペーンとして、ディスコでかけるプロモーションを任された。

まだ店頭に出る前のシングルレコードを持って、六本木、赤坂、渋谷、新宿のディスコをめぐり、レコードをかけてもらうようにＤＪに直接交渉するのだ。

ＤＪによってすぐにかけてくれる場合もあれば、曲が好みに合わないのか、なかなかかけてくれないＤＪもいた。

乗りでいえば、圧倒的に歌舞伎町のディスコの客が乗った。かけるといつもお祭騒ぎになった。

一番乗りがよかった歌舞伎町のディスコで、楳図かずお本人が来店して歌い踊るイベントが組まれた。楳図かずおは客から色紙にサインを求められると、まことちゃんの絵を丁寧に描き、見事な作品に仕上げるのだった。

＊

一九八〇年九月、大学を卒業して二年目の秋、私は念願のフリーランスになった。

これ以降、歌舞伎町は物書き稼業の私にとって定点観測の街として存在するようになった。

歌舞伎町はいまより猥雑（わいざつ）で危険な匂いが立ち込め、ディスコは夜明けまで営業し、練り歩きといってヤクザの集団が街中を歩き、縄張りを誇示していた。

喧嘩も頻繁に起きた。

コマ劇場付近でパンチパーマの若いヤクザが大柄なサラリーマンと喧嘩していた。

ほとんど一方的に白いエナメル靴を履いたパンチパーマのヤクザが、サラリーマンを殴りつけている。サラリーマンも血気盛んで殴り返そうとするが、かえってヤクザを怒り狂わせることになり、ネクタイを引っ張られると地面に引きずり倒された。ヤクザは白いエナメル靴で倒れたサラリーマンの顔めがけ、何度も蹴りをお見舞いする。酷薄な笑みを浮かべ、情け容赦なく。尊厳を踏みにじるかのように。サラリーマンは顔中から血を流し、悲鳴をあげた。

それでもヤクザは蹴り続ける。

サラリーマンの口から赤いレバー状の液体が溢れ出した。

ヤクザは白いエナメル靴についた赤い液体を、サラリーマンのスーツになすりつけた。

「警察！」

だれかが叫ぶと、ヤクザは人混みのなかに消え失せた。

*

七〇年代、同伴喫茶という不思議な喫茶店が歌舞伎町に妖しく花開いた。

一階は普通の喫茶店なのだが、地下に下るか二階にあがると、急に薄暗くなり、対面式の座席ではなく、二人がけのベンチシートが同じ方向に並んでいた。

腰かけて映画を観るわけではなく、やることはただ一つ。肉交一歩手前のことをここでするのだ。

同伴喫茶はコーヒー一杯の値段が普通の喫茶店より三、四倍したが、学生、サラリーマンがよく利用した。

私も学生ツアーで知り合った女子大生と一度だけ同伴喫茶に入店したことがあった。

生まれてはじめて触る胸のカーブ。

しかしここまでだった。

同伴喫茶はまだラブホテルに入るにしては幼いカップルや、カネのない若者の緊急避難的な店だったのだ。

現在は新橋でレンタルルームという名前でわずかに生き残っている。

風変わりな喫茶店はまだあった。

一九八〇年代になって歌舞伎町に爆発的に発生したのが、ノーパン喫茶だった。

七〇年代後半、関西に誕生したノーパン喫茶は八〇年代に入り東京に飛び火、あっという間に全国の繁華街に出現した。

若い女性の半裸状態が拝めるノーパン喫茶は八〇年代を象徴する歴史的事件だった。

ノーパン喫茶は女性従業員がカラダに触られることもなく、本番もなく、高額のアルバイト料を稼げる場になり、風俗業界に素人女性たちが飛び込むきっかけになった。

早番時給千五百円、遅番時給二千円。

当時、喫茶店ウエイトレスの時給が五百円前後だから、千円以上高額である。ノーパン喫茶嬢は、「おしり見せ代」と明るくいっていた。

ノーパン喫茶は、フリーランス記者になったばかりの私の最初期の取材対象だった。

一九八一年、ノーパン喫茶五十店舗を一挙に紹介するという企画で、歌舞伎町に密集しだした店の取材をしたときのことだ。

締め切り当日、薄暗い雑居ビルの地下に開店したばかりの店を発見すると、飛び込んだ。

ドアを開けると、乳房を露出させたノーパン嬢が出迎えた。

店の奥からスキンヘッドの男が姿を現した。

私に罵声を浴びせると、胸ぐらをつかみ、奥に引きずり込もうとした。

私は取材目的を告げたが、無駄だった。

店の宣伝になるから、と都合のいいことをいって雑誌掲載料を要求する、俗にいうパブ屋だと勘違いされたのだ。

奥の倉庫に閉じ込められた。

誤解を解こう、必死になって取材の目的を告げた。

監禁されて行方不明というケースは、アンダーグラウンドの世界では珍しくない。

ふだんは腰が引け気味の私であるが、仕事になると肝が据わった。ふだん、役者が人見知りでもいざ台本を持つと、とたんに人が変わるように。

すると、やっとわかったのか、スキンヘッドの男は取材を許可したのだった。

ソファに乳房を露出させたノーパン嬢六人が揃った。

スキンヘッドが選りすぐりを揃えてくれたのだ。現場で苦労すると、かえっていい原稿になるものだ。

ノーパン喫茶ブームは世の男たちの視線を釘づけにしながら、一、二年で急速に街から消えた。

＊

「新潟の高校三年生にとって、歌舞伎町は憧れの街で、そこだけ妖しく浮かぶ街でした。いつか行ってみたいと」

大手出版社で硬派な書籍を相次ぎプロデュースする辣腕編集局長が、十代の歌舞伎町体験を回想する。

「いまから三十五年前でしょうか。年末に上京して念願だった歌舞伎町に友だちと行ってみたんですよ。一九八五年、改正風営法が施行する直前でした。セントラルロード（現在のゴジラロード）を歩いていると右手にのぞき部屋みたいな看板があるんです。『五千円ぽっきり』って呼び込みの店員が声かけるんで、女の人の裸が見られるんだ、と思い込んで入店したんですよ。もちろん僕も友だちも女性経験なんてまったくなかったですから興奮しっぱなしです。地下に降りていったら、大きな金魚鉢があって、熱帯魚が泳いでる。それ越しに見えたのがミニスカの女性。かわいかったですよ。向き合って少し話したんですけど、すぐにパンチパーマの店員が出てきて、『五千円だとここまでですよ』っていうわけです。『追加すればどうにでもなりますよ』っていうんだけど、僕はもうお金がなかったんで仕方なく出てきました」

友だちは財布に余裕があったので居残り、十八歳の青春を歌舞伎町の地下で暴発させようとした。

「友だちは店員から、『お客さん、おっぱい揉みたい？　追加であと一万払えば三回揉めるよ』っていわれて、即一万払ったんですよ。生まれてこのかた一度もおっぱい揉んだことがなかったもんだから。それで服の上からおそるおそる三回揉んだんです」

友だちはゴムまりのような感触にいたく興奮し、さらに一万支払った。

「それでまた三回揉んだんです。トータル二万五千円です。その金額ならちゃんとした店で最後までできましたよね。でも二万五千円払っておっぱい揉めて喜んでました。そいつは三学期がはじまると、〝スリータイムズ〟ってあだ名がつきましたけど」

編集局長は大学を卒業すると現在の出版社に入社した。

「仕事が終わって深夜十二時、歌舞伎町で飲んだあと、無性に抜きたくなったんですよね。それでどうしたかというと、客引きに声かけて、そういった店あるか聞いちゃったんです。飛んで火に入るですよ。客引きが嬉しそうな顔して『こっちにあるよ』っていって、僕一人ついてっちゃったんですよ。ふだんは客引きなんかに絶対声かけないんですけど、酔っ払っているから、つい」

編集局長の証言は、実は重大な意味が込められている。

歌舞伎町にはぼったくり店、悪質店が多く棲息しているのがわかっているはずなのに、なぜ男たちは入ってしまうのか。

それはアルコールが入って、性欲が高まり、気が大きくなり、正常な判断力が作動しないからなのだ。客引きはそれを狙って、酔客に近づいてくる。サバンナでシマウマにそっと近づくハイエナのように。

「客引きに連れていかれたのが、コマ劇の裏にあった雑居ビル、そこの暗いスナックに案内されたんですよ。席数が十席もない狭い店でした。真っ暗で、店員が持つペンライトで確認するしかないんです。席について、出てきたピーナッツを頬張り、ビールで流し込んでいると、薄手の服着た若い女の子がきて、ピンサロみたいにおしぼりであそこ拭いてサービスはじめるんです。僕はピンサロよりもお互い素っ裸になって僕の体に密着してくるファッションヘルスに行きたかったのに。それで店から出ようとしたんです。そしたらお決まりの体格のいい強面の用心棒が二人、奥から出てきて脅すんです。『お客さん、抜くまで帰っちゃだめだよ』って。僕が断固として外に出る気でいたら、強面が『絶対、抜いてもらわないとだめだ』っていうわけです。

ぼったくり店だったんですね。あとから警察にたれ込まれたらまずいんで、とにかく発射させてしまえば、ぼったくりだと訴えにくいから。そんなにいい女でもなかったなあ。一時間くらい、強面と僕とで『絶対に抜いてもらう』『いやだ』の繰り返しです。やっとのことで、支払いになったんだけど、請求書見たら、五万円なんですよ。まったく触ってもいないのに。おつまみのピーナッツとビールを数口飲んだだけなのに」

強面はペンライトで真っ暗な店内の壁を照らした。

「これ、わかる？　料金表。お客さん。ちゃんと読んでよ。うちはこの料金でやってますんで」

若き編集局長はペンライトに照らされた料金表を見た。

「小さな字で〝ピーナッツ一粒五千円〟って、ペンライトに照らし出された料金表、いまでも覚えてますよ」

編集局長は若き日々の過ちを、笑い飛ばすのだ。

結局、カードで五万支払い、発射もせずに退出した。

そしていま、こんなことを感じている。

「歌舞伎町って、みんな何かしら思い出がありますからね」

編集局長にとって歌舞伎町は大人になるための乗り越えるべき悪所だった。

*

女が死んでいた。

一九八一年春。

歌舞伎町ラブホテルで連続三件の殺人事件が発生した。

被害者はいずれも女性だった。

第一の事件は三月二十日午前十時頃、ホテルニューエルスカイ。

男女二人で四〇一号室にチェックインしてから、しばらくすると若い男が先に部屋から出てきた。

連れの女性がチェックアウトの時間になっても出てこないので、不審に思った従業員が四〇一号室を訪れると、中年女性の絞殺死体を発見した。

被害者の持ち物のなかから財布が消えていた。部屋に残された名刺から、三十三歳の歌舞伎町キャバレー日の丸のホステスと判明した。

ところが店に提出していた履歴書はすべて偽りで、実年齢は四十五歳、夫と子どもがいたが、喧嘩が絶えず家出して、キャバレーで働きだしたのだった。夫と子どもは相次ぎ病死していた。

第二の事件は四月二十五日午後十時頃、ホテルコカパレス二〇三号室に男女がチェックインしたが、サラリーマン風の男だけが先に出て、女性客がなかなか退出しないことを不審に思った従業員が同室を訪れると、パンティストッキングで絞殺された浴衣姿の二十歳前後の女性を発見した。身の回り品のライター、タバコ、イヤリングはあったが、被害者の身元を示すものは下着を含めてすべて持ち去られていた。

身元が特定できず、警視庁は似顔絵を公開する。司法解剖すると肺が汚れていなかったことから、空気のきれいな地方都市の暮らしが長かったのでは、と推測された。腋臭（わきが）の手術痕があったことから、医療関係にもあたったが被害者を特定できなかった。

第三の事件は六月十四日午後七時四十分頃、ホテル東丘で発生した。

男女がチェックインし、先に男が退出してしばらくたっても女性が出てこなかったことを不審に思った従業員が部屋を訪れると、パンティストッキングを首に巻かれてベッドの上に倒れている女性を発見した。体温が残っていたので直ちに救急車で病院へと搬送されたが、一時間後に死亡した。

バッグが残されていたが、財布や身元を示すものは残っていなかった。埼玉県川口市立図書館所蔵の本が見つかり、貸し出し記録から、被害者は十七歳の未成年者と特定された。

逃げた男は三十歳前後、身長百六十センチ台前半、黒縁眼鏡、紺色スーツ、おとなしいサラリーマン風とされた。

第四の事件は、六月二十五日夜十一時頃、キャバレーホステス（三十歳）とサラリーマン風の男がラブホテルにチェックイン。部屋に入ると男がいきなりネクタイで首を絞めてきたので、ホステスが必死に抵抗したところ男は殺すことを諦め、財布から五万円を奪って逃走した。

危うく殺されるところだったホステスによると、ゲームセンターで一人で遊んでいたところ、男から声をかけられたと証言した。

事件現場は第三の事件が起きたホテル東丘の一軒置いた隣だった。

＊

歌舞伎町の恐怖イメージを決定づけた歌舞伎町ラブホテル連続殺人事件は、連日大きく報道された。

被害者のなかで唯一身元不明だった第二の事件被害者の似顔絵がテレビのワイドショーで何度も放送された。

一九九六年、時効を迎え三件の殺人事件の犯人は闇の彼方に消えてしまった。

一連の事件の犯人は同一犯なのか、それとも複数の人物によるものなのか、推理が飛び交った。

私はいまでも同一犯だと推定している。

目撃証言で、「若い男」「中年」という年齢差があったが、短時間で目視すれば二十歳位の誤差は不思議ではない。

女性たちはサラリーマン風のスタイルに安心感を持ってしまったのではないか。

ホテル従業員の証言では、いずれの男女も初対面のように距離感があったという。歌舞伎町で男から声をかけられラブホテルについていったのだろう。

ラブホテルに入室して時間をかけずに、首を絞めていることから、強盗目的のほかに快楽殺人が考えられる。連続殺人は快楽殺人の特徴でもある。本人ですら犯行を止められなくなるのだ。

八〇年代初頭、繁華街にはテレクラもなく、初対面の男女が知り合うのは、もっぱら路上でのナンパだった。

第三の被害者の胃からコーヒーが検出されたということから、ホテルに入室する前に喫茶店で男と会っていたのだろう。

被害者三人の体内からは覚醒剤が検出された。体には注射痕がなく、水で溶かして飲んだものと思われる。

当時も歌舞伎町には覚醒剤が蔓延し、水商売やゲーム店、飲食店従業員のなかには常用者が少なからずいた。

三人の被害者は街頭でサラリーマン風の男に声をかけられ、援助交際に至るところだったと思われる。

誘ってきた男が、ドラッグの話をすれば、かなりの確率で女も乗ってくる時代だった。被害者たちが、男と出会う前に覚醒剤を使用していたのかもしれない。

八〇年代初頭、援助交際という言葉はなく、隠語で〝ウリ（売り）〟と呼ばれていた。援助交際はテレクラや伝言ダイヤル、二〇〇〇年代に入ってからはSNSが主流になったが、すでに七〇年代から八〇年代には対面によるウリが盛んにおこなわれていた。

援助交際を嘆く知識人が、個人の自由ばかり尊重する戦後民主主義の悪影響によるものだと説くが、その当時しきりに未成年者をカネで買っていたのは戦前の皇国教育を受けた昭和一桁世代、大正世代だった。むしろ、男女交際に厳しかった時代を生きた彼らこそ、セーラー服、女子高生に対する憧れと欲望が強く、熱心に買春したものだ。

歌舞伎町ラブホテル連続殺人事件は、思わぬところで被害者の隠された人生まであぶり出した。

ラブホテルは建物も店名も変えて、いまも歌舞伎町で営業中である。

＊

少女が死んでいた。

一九八二年六月六日、歌舞伎町のディスコ「ワンプラスワン」で踊っていた二人の中学三年生女子が、店を出てゲームセンターで遊んでいると二十代の男から声をかけられた。流行している田原俊彦のヘアスタイル、俊ちゃんヘアがよく似合っている。

二人の少女AとBは男の国産車に乗り、深夜のドライブを楽しんだ。行く先は東方面だった。

二人は家出していたので、ディスコで夜を過ごしていた。

安心しきって車のシートに身をま任せているうちに、少女Bは眠ってしまった。

物音がしてBが起きると、Aがいないことに気づくが、男に誘われるまま外に出た。

するといきなり男が背後から殴りかかり、首を絞めてきた。

Bは気を失った。

しばらくして目を覚ますと、男は消えていた。

付近を見ると、笹藪のなかに少女Aが大量の血を流し横たわっていた。すでに体が硬直していた。

現場を通りかかった通行人が通報して、事件が発覚する。

少女Bは気づかなかったが、連れていかれたのは千葉県千葉市の郊外だった。

歌舞伎町からここまで車で疾走したのだ。

殺害された少女Aは、逃げられないように両足首のアキレス腱をナイフで切断され、頸動脈を深々と切られての失血死だった。

被害者がともに中学三年生ということ。

被害者が家出して歌舞伎町のディスコをねぐら代わりにして、ゲームセンターに入り浸っていたこと。

ゲームセンターでナンパされた男の車に乗り込むという不用心さ。

アキレス腱を切断されて殺害された凶悪な犯行。

事件発覚時、報道では被害者と犯人が接触を持った場所がゲームセンターだったことから、「新宿ゲームセンター殺人事件」と呼んでいた。

少女たちが歌舞伎町のディスコで夜を過ごしていたこと、殺された少女のように、家に寄りつかず、歌舞伎町で遊び呆ける少女たちの存在に、事件は「歌舞伎町ディスコ殺人事件」と呼ばれるようになった。

不良少女を惹きつける魔都としてあらためて歌舞伎町は悪名を高めた。

事件当時、この街には大型のディスコが二十店近く営業していた。

「カンタベリーハウス」「ブラックシープ」「アップルハウス」「カーニバルハウス」「ビッグトゥゲザー」そして「ワンプラスワン」。

二十六歳だった私は、連日歌舞伎町に通い、このなかの店で毎夜踊っている少女たちから殺害された少女のことを聞き出そうとした。

すると、殺害された少女と遊び仲間で、殺害される前日も一緒に遊んでいた十六歳の女子高生と出会った。仮に少女Cとしておこう。

「カブキではじめて見かける子で、無視するから喧嘩になったんだけど、話してみるとすごいいい子だからすぐに仲良くなったの。家出してるって聞いてたけど、カブキはあまりきているようじゃなかった。あの子、ゲームセンターが好きでよく行ってたけど、そこで声かけてくる男の子ってすごい多いから、つい油断してついてっちゃったのかも。まさか自分が殺されるなんて、思わないもん」

少女Cはこの地を「カブキ」と称していた。彼女も都内杉並区の自宅に帰らず、歌舞伎町で過ごしていた。

少女Cはこんなことも嬉しそうにいっていた。

「いま付き合っているのは少年ヤクザです」

胸の真ん中に組の代紋を彫り、暴力団の下部組織としてこの街を群れをなして練り歩く未成年のヤクザだった。

少女Cの晴れやかな笑顔が印象的だった。

前年のラブホテル連続殺人事件と、ディスコ殺人事件をきっかけに、歌舞伎町浄化運動が激しくなり、深夜営業のディスコは軒並み午前〇時までで営業を終わらせることになった。犯人との接触の場に使われたゲームセンターもすべてが午前〇時までの営業となり、のちの風営法施行に発展していった。

無惨な殺され方をした十四歳の少女が、親子の良好な関係を保てなかったことも問題となり、十代の非行問題のモデルにもなった。

*

歌舞伎町ディスコ殺人事件の真犯人像を、取材した上で推理してみた。

犯人は一人で行動していたのだろう。生き残ったほうの少女の証言をもとにしても、共犯者は存在せず、歌舞伎町で少女たちと手軽に遊べる同伴喫茶に入った形跡もなく、ゲームセンターから二人の少女を乗せて迷うことなく千葉県に向かっている。

千葉県に土地勘がある、あるいは地元の青年ということになる。

生き残った少女Bは犯人の年齢を「二十五歳くらい」と証言していたが、私はこれよりも数歳若いような気がする。

十四歳の少女にとって二十代で年上の男は、かなり上に見えるはずだ。ということは、車の免許を持っている十八歳以上二十五歳未満、さらに幅を狭めて十八歳以上二十二歳未満になる。

パーマをかけた俊ちゃんヘア、特徴ある上下二色にわかれたポロシャツ、モンタージュの人相も甘いマスク。

〝関東近郊の自宅で親と同居するお坊ちゃんタイプの遊び人〟という匂いがしてくる。

まだバブル経済ははじまっていなかったが、駐車場代も一人暮らしの大学生には重荷であり、スピードの出る国産車を乗り回していた犯人は、車を自宅の車庫に入れて、歌舞伎町に繰り出す若者ではなかったか。

果物ナイフでアキレス腱を切断するというプロ的なやり口は、この事件のなかでももっとも扇情的な行為だった。

新聞紙上に、「大藪春彦の作品を愛読する者か?」といった推理まで登場した。

大藪作品のなかには敵のアキレス腱を切断し動けなくさせ、アジトを聞き出し、目的が達成されると頸動脈を一気に裂き、殺害するといった描写がよく登場する。

警察も大量のモンタージュ写真を作成し、メディアも連日、犯人を推理した。

目撃者が一人生き残ったのだから、殺人犯は捕まるはずだと思われた。

しかし事件の捜査は長期化していった。

歌舞伎町は昔もいまも、氏素性をとやかく聞かない、匿名性の空気があった。定住しない若者たちが寄り集まる街全体がねぐらのようなところである。

飲食店も含め、欲望を満たす産業はすべてこの街で揃う。異邦人を排除するように見えるが、すぐに溶解して迎え入れてしまう懐の深さがある。そこにまた事件が多発する土壌が生まれるのだが。

当時、殺人事件の時効は十五年、この無慈悲な事件は一九九七年六月六日午前〇時に時効を迎えてしまった。

新聞テレビ、雑誌に犯人のモンタージュ写真まで載っていたのだから、犯人はもちろん、同居しているであろう親、兄弟、あるいは顔見知りの学友、職場仲間、恋人、遊び友だちのなかに、「もしかしたらあいつが」と疑う人物がいたはずだ。

事件から四十年以上が経過した。

犯人も還暦越えのセミリタイアした男になっていることだろう。

朝刊を開くとき、女房がお茶を差し出したとき、孫娘が中学生になったとき、彼は少女を殺した感触を、ふと思い出したりしないだろうか。

第四章　ヤクザの街で暮らす女

「わたしは事件マニアなので、歌舞伎町というと一九八二年のディスコ殺人事件がすごく気になってて、小説にも書いたりしたんです。実際の事件は、家出中の中学生二人が新宿のディスコで遊んだあと、ゲームセンターにいたら男に声をかけられて車に乗って千葉の山奥まで連れられて、そこでアキレス腱を切られて惨殺される。もう一人は生き残るんですよね」

作家・岩井志麻子が歌舞伎町で起きた事件について語り出した。

岩井志麻子。一九六四年十二月五日岡山県生まれ。旺盛な創作活動とともに私生活でも派手な活動をおこなう。テレビのレギュラー番組では、豹柄の全身タイツを着用し強烈な存在感を視聴者に与えている。

歌舞伎町に暮らしてすでに二十年以上になる。

「ものすごく気になったのは、わたしは、殺された少女なのか生き残った少女なのか、どっちだったんだろうということです。自分はすごく個性的でありたいと思ってきたけど、田舎の平凡な子でしかないというのもわかってたんですよ。そんなわたしが、そういう目にあったときにどうやったら生き残れるんだろう。目の前の男に気に入られようとするのか、やべぇ、こいつってすぐ逃げる勘を磨くのか。殺された女の子より、助かった子にすごく感情移入して、その後彼女はどうやって生きていくんだろうとずっと思っていました。いったい彼女はいまごろどうしてるんでしょうね。何食わぬ顔で主婦になってるのかなぁ」

作家のイマジネーションが膨らむ。

「ほんとに何食わぬ顔で生きてるのか、あるいは女子刑務所に入って、身を持ち崩して早死にしちゃったとか……。それがわたしのなかに歌舞伎町というものがものすごく刻まれた事件だったんです。それと一九八一年に起きたラブホテル連続殺人事件が印象に残っています。三人殺されたうちの一人がわたしより一つ上なんですよね。彼女は一番若かったはずですよ。殺されたラブホテルって全部、うちの近所なんです。当時のホテルはなくなっているか、名前を変えて営業しているかでしょうね。都市伝説で、中森明菜の『少女A』は最年少の被害者のことを歌ってるんだと昔からいわれてるんです。ネットがない時代でもみんなそれを知ってたんですよね。最年少だった彼女が私より一つ上というのが、いかに昔かってことですけど。殺された彼女も不良少女で、けっこう美人で、タレントになりたいとか、当時流行った原宿の竹の子族とかに憧れたんでしょうね。非行に走って高校を中退して、いまでいうところのパパ活、援交みたいなことをしてて、殺されちゃうんですけど。三件の事件の犯人が同一人物かどうかもよくわかってない。（殺害方法が）バラバラなんですよ。首を手で絞めたり、パンティストッキングで絞めたり。犯人は割と小柄なサラリーマン風といわれてるんですよね」

岩井志麻子にとって、歌舞伎町で起きた殺人事件はいずれも被害者が女性だったことで、自身と投影しやすくなり、より切実な問題になる。

「二番目に殺された被害者の持ち物は犯人にほぼ持ち去られてるんです。だから、二番目の人はいまだに身元がわからない。三番目の十七歳で殺された彼女は、図書館で借りた本を持ってたんですよね。犯人は持ち去ってないんですよ。それで身元がわかったんですけど。彼女って、非行に走って高校を中退して、不良少女になって援助交際やってたけど、図書館で本とか借りてたんだなぁ。そこでわたしは彼女にすごく感情移入するんです。読書好きだったんでしょう。昔は不良でも本を読んでいましたよね。強い印象を残した歌舞伎町の事件って、この二つなんです。どちらも八〇年代ですもんね」

岩井志麻子の最初の結婚は二十三歳のときだった。

相手は地元で三代つづいた会社の経営者で、東京に憧れていた志麻子は結婚を機に、もうこれで地元を離れることはないだろうなと思った。

時はバブル期で東京発のきらびやかな暮らしぶりが岡山にも届いたが、羨ましいとも、妬ましいとも思わず、遠い遠い世界の話で、東京ってこんなんかあ、わたしに関係ない世界だなと思うだけだった。

創作意欲は消しがたく、十代のころから小説を書き始める。

一九九九年、『ぼっけえ、きょうてえ』で第六回日本ホラー小説大賞、二〇〇〇年第十三回山本周五郎賞を受賞。これを機に離婚、単身上京を決意する。

岡山から肌身離さず持ってきたのは散弾銃だった。散弾銃一丁あればなんとかなると思った。

少年のような好奇心と正義感を持って、大都会にやってきた岩井志麻子。

作家・岩井志麻子

なぜだか、散弾銃を持って上京した彼女を想像すると、きりっと鉢巻きをしめた桃太郎を連想するのだ。

頼れる編集者に東京のお薦め物件を尋ねたら、新橋のウィークリーマンションを勧められ、しばらく住んだ。

次に別の編集者から勧められたのが、文京区白山のワンフロアに一世帯しか入っていないペンシルビルだった。

岡山から上京してきた女にとって、そこはホテルに長期滞在しているようで、くつろげる場所ではなかった。

契約更新のときにある編集者から「新宿七丁目にいいマンションが建つみたいですよ」と教えられた。

志麻子の両親は『新宿の女』『圭子の夢は夜ひらく』で七〇年代初頭、歌謡界の新女王と呼ばれた藤圭子の大ファンだったこともあり、東京といえば新宿だった。自由が丘や青山、成城といっても親はそこが東京だとはわからなかった。

志麻子も新宿七丁目という住所が気に入り、さっそく内見に向かった。

マンションは気に入ったが、住所が正確には新宿七丁目ではなく道一本挟んだ歌舞伎町二丁目だった。業者が歌舞伎町のイメージを嫌ったのだろう。

だが志麻子にとってはプラスに働いた。

「歌舞伎町っていったら、あの街か。そのとき、わたし、導かれるように歌舞伎町にきちゃったなあというか、因縁があったのかなあと思ったんですよ。その前後から歌舞伎町について関心を持っていたら、『パリジェンヌ』が出てくるわけですよね。いまみたいな改装されたお洒落なカフェじゃなくて、ほんとに怪しい感じの、赤いソファで、ピンク電話が何台かあって。そこで発砲事件とかいろんな事件が起こって、わたしが行ってみたかったのがパリジェンヌだったんですよ。これぞ歌舞伎町」

内見を終えて、即決でマンション購入の契約をした。

購入資金は自己資金と大手出版社からの前借りだった。いかに岩井志麻子が版元から重用されているかがわかる。

「生まれてはじめての大きな買い物ですが、そのときは、なんのためらいもなく、ここ買う！ってなったんですよね。歌舞伎町がきたーっ。わたしが歌舞伎町にきたんじゃなくて、歌舞伎町がわたしに歩み寄ってきた」

*

歌舞伎町で暮らしていると、日常の光景としてヤクザ、ホスト、キャバ嬢と出くわす。

志麻子の飼っている犬が散歩中に逃げ出したときがあった。

途方に暮れていると、路上に居合わせたホストやキャバ嬢が手分けして探してくれた。

「見つけたら、はい解散！　みたいな。敵とかライバルとかにならない相手には歌舞伎町は優しいよなぁってしみじみと思います」

ハイジアは志麻子の散歩コースである。

正式名称東京都健康プラザハイジア。

歌舞伎町では「ハイジア」で通じる、地上十八階建ての高層ビルである。

都立大久保病院の跡地を都の土地信託事業として活用した大規模施設であり、大久保病院のほかスポーツクラブ、フィットネスクラブ、事務所などが入居している。

都立大久保病院は、一八七九年（明治十二年）八月、この地に誕生した、歌舞伎町の推移を目撃してきたもっとも古い施設である。

現在は近代的な建物に建て替えられ、歌舞伎町の印象をがらりと変えてしまった。

もっとも変わらない風景もある。

歌舞伎町名物、立ちんぼがいまもハイジア周辺で健在である。

立ちんぼとはソープやピンサロ、ファッションヘルスといった風俗店に所属することなく、フリーランスの身で路上に立ち、通行人に声をかけて売春する職業をさす。

「ハイジアの周辺というと立ちんぼがいるところ。女ホームレスもいるんですよね。いまから五、六年以上前、ハイジアの前に立ってる女たち、だいたいみんなパンチが効いてますけど、思わず二度見してしまうすごい女がいたんです。肥満体で肝臓悪い系の肌の黒さ。真冬でもタンクトップでミニスカート、全身にタバコの火を押しつけた痕があるんですよ。いつもムスッっとしてて。この女を買う人がいるんだなあと思ってたんですが、あるとき、彼女のお腹が妊娠後期のように膨らんでいるんです。堕胎手術ができない明らかに産むしかない腹になっていると、わたしは気づくんです。どうなるのかと思っていたら、しばらくして、いなくなるんですよ。あれ？　産んだのかなぁ。無事に生まれて、元気にやってればいいがなぁと思いながら、家でテレビを見てたら……いました！　うちの近所のマンションで、立ちんぼ同士のリンチ殺人があったんです。ホストの取り合いかなんかで揉めたのか。四、五人の立ちんぼが一人の立ちんぼをリンチして殺しちゃったんですよ。逮捕されて連行されていく女のなかに、あ！　あいつだ！　間違いないあいつだ。テロップで名前が出たから検索したんです。そうしたら、二十代半ばのサブリーダーで、立ちんぼやりながら子どもを施設に預けてるみたいな情報が出てきて。やっぱり間違いなかった」

事件は二〇一四年初夏、一一九番通報で救急隊員が駆けつけたときには、女性が吐瀉物にまみれて布団に寝かされていた。

全身を鉄パイプで乱打され、タバコの火とヘアアイロンで押しつけられた火傷痕が無数にあった。女たちはリンチをネット中継していた。

犯行動機は「悪口をいわれ、腹が立ったのでやった」というものだった。

被害者は生まれてすぐ父親が蒸発したため、児童擁護施設に預けられ、十二歳のときに母親が病死、姉と二人暮らしをしてきた。そのうち歌舞伎町に通いだし、ホスト遊びに熱中、いつしか立ちんぼになった。

被害者を殺害したのはこのときの仲間だった。

「リンチをした立ちんぼのなかで一番若くて下っ端だった二十歳の子がいるんですね。下っ端だったから、わりと短い刑期だったんですよ。

さて、月日は流れ、つい数カ月前、裏モノに詳しいある雑誌の編集長が、『僕、あの子を知ってます』っていうの。当時二十歳だった彼女は刑務所を出たその足でハイジアの立ちんぼにもどっていたんです！　わたしは他人事ながら暗澹たる気分というか、立ちんぼから殺人者になって刑務所に入ってやっと出てきて、なんで元のところにもどるの？　どうして地道に働こうとしないんじゃ、なんで昼の仕事をしようとしないいんじゃろかと思いました。そういうところはわたし、岡山の田舎の子なんですよ。普通の家の子なんで、そう思っちゃったんですよね」

岩井志麻子の知り合いのある編集長は、「彼女は行くところがないし、そこしかないんですよ」と自説を述べた。

「そうか、家もないし。中学校も行ったかどうかわからないような経歴で、あまり条件のいい仕事には就けないじゃないですか。と思っておったらね……わたし、ホリプロに所属してるんですよ。わたしのマネージャーの上司がいうには、『彼女の経歴でできる職業といったら、単純作業とか流れ作業とか清掃とかでしょう。地道で社会的に大切な仕事ではあるけれど、わたしは選ばれたという実感を一切味わえないじゃないですか。でも立ちんぼだったら何人かいる女のなかから、おっちゃんに、〝君！〟って選んでもらえる。選んでもらえたっていうのを味わえるから彼女は立ちんぼをやってるんですよ』っていわれて、なるほどと。それをいったのが芸能プロのマネージャーっていうところに、承認欲求を見透かしてるんだなぁと思ったんです。ずん！ときました。わたしも、選ばれた！みたいなものをほしいわけですから。だからわたしもどこかで重なるんだなぁと思った次第でございますよ」

＊

親ガチャという言葉がいまや定着した感がある。

ガチャとは、店先にあるゲーム機で、ハンドルをガチャガチャ回すとカプセルが落ちてくる。なかに何が入っているかは開けてみないとわからない運任せである。

親ガチャとは、子どもが自分で親を選べない運命的なものを意味する。

「なんでこの子がAV女優で、なんでこの子がメジャーアイドルっていうのがわたしにはわからないんですよ。それは出会った人の違いかなあ。どのマネージャーにあたるか、どのスカウトにあたるかで変わってくるんだなぁと。

歌舞伎町にきたら、社会ガチャとか世間ガチャとか、自分ガチャに直面するんだろうなあ。どのホストにあたるか、どの風俗店にあたるか、どのスカウトにあたるかでまったく運命が変わってくる。歌舞伎町のガチャってなんだろう。何が入ってるかわからない。これが港区だったら、ある程度中身が予想できるけど、歌舞伎町は何が入ってるかもアタリかハズレかもわからない」

いま、歌舞伎町でもっとも勢いがいいのはホストクラブとそこで働くホストたちである。

まるでアイドルと会うように、夜ごと、若い女たちがホストクラブを訪れる。ホストガチャが待っている。

「ホストに狂った女の子に仕事で何人か会ったときがあるんですよ。彼女たちは指名しているホストが好きなわけではないんです。ホストと結婚したいとか、交際したいとも思ってなくて、わたしの力でこいつをナンバー1にするんだという、競走馬を育てるみたいな、ゲームで自分のアバターを強くしていくみたいな感覚なんですよ。あと、女たちの戦い。そのホストを指名している女たちの間で、あいつには負けない、あいつより（お金を）使う。あの子よりわたしのほうが、たくさん払ってるよねというような。あのホストがナンバー1になったのは、あの子じゃなくてわたしのおかげよっていう、女たちの戦いなんです。ソープに勤めながらホストにお金突っ込んでる女の子に、何が気持ちいいの？って聞いたら、ソープの客が気持ち悪いおじさんであればあるほど燃えるというんです。おっさんがソープにやってきて、涙をこらえながら接客して、もらったお金を握りしめてホストのところに行って、シャンパン入れて。あんたのためにわたしは、どれだけ汚いおじさんのチンコをしゃぶったと思ってんだよ！っていうのが嬉しくてしょうがないんですって。ほんとに気持ち悪いおっさんをしゃぶりながら、ホストのためにここまで汚れてるわたし……ジーン！　なんですって。なんじゃそりゃ。堕落願望っていうのはあるんですよね」

カルト教団が信者にお布施を要求するときもこれに似ている。

全財産を差し出すように要求するのは当たり前で、信者はそこまで教団に尽くすことに宗教的法悦感で全身を満たされ、オーガズムに達する。それゆえに、教団は情け容赦なく収奪する。不動産はもちろん、年金まで吸いあげる、徹底的に。

「女の子が汚いおっさんのしゃぶって必死に稼いだ金であろうが、ほんまもんの金持ちの父親からもらった小遣いであろうが、宝くじに当たった金だろうが、ホストにとっては全部同じお金で、何も物語はいらないんですよね。お金さえあれば物語は不要。女の子にいわせると、それもまたたまらないんですって。ホストが泣きながら、『僕のためにそこまでがんばってくれてたんだね、もう無理しなくていいよ』っていったらかえってさめるんですって。ホストがしれぇーっと、『来月もお願いね』っていうのがたまらないんですって」

岩井志麻子はホストに入れあげる女たちを、〝愚行権〟という用語で分析する。

「わたしは新潮社の編集者、中瀬ゆかりちゃんから聞いたんです。彼女は（評論家・作家の）佐藤優さんがいってたというんですけど、人間には愚行権というものがあるのだと。それをしたいからするんだよ、それは権利なんだという。

ホストに貢ぐ女の子たちは、たしかに愚行権を行使することに喜びを感じてるなぁと思うんです」

『ホス狂い』（大泉りか・鉄人社）、『ホス狂い・歌舞伎町ネバーランドで女たちは今日も踊る』（宇都宮直子・小学館新書）という同タイトルの本が同時期に出たのも、ホストと女たちの熱病ぶりがいかに凄まじいかの証左になっている。

*

女と男の好いた惚れたの熱い現場だから、歌舞伎町で刃傷沙汰はよくある話だ。

二〇一九年五月二十三日に発生した抜弁天（ぬけべんてん）の高層マンション一階における、女性客（二十一歳）によるホスト殺人未遂事件は衝撃的だった。

女に刺されたホスト（二十歳）の鮮血で白い床が真っ赤に染まり、床に座り込んだ女が美脚を真っ赤にさせてスマホでだれかと話し、制服警官たちが取り囲む写真が、SNSで拡散された。

加害者の女が「好きすぎて刺した」と証言したことで、歌舞伎町ホストと女性客の因縁が露呈した。

女はガールズバーの店長だった。岩井志麻子が語る。

「あの事件も割とうちの近所です。歌舞伎町のホストに夢中になった女の子がせっせと貢いでいたんですけど、半同棲にまで持ち込むんですよ。ところが彼は職業がホストなんで、しょっちゅうほかの女からも連絡がくるし、甘いこともいってるし。ある日、思い余った彼女はセックスのあとに、裸で寝てる彼を刺しちゃうんです、包丁で。彼は必死に逃げて、マンションのロビーで血まみれで倒れるんですよ。こういう時代ですから、多くの人が写真とか動画で撮って拡散されたんです。まるでドラマの一場面のような、血まみれのホストが倒れてる横で、女の子が裸の上に男もののシャツだけ着て、スマホ持ってタバコを吸ってニヤっとしてるんです。そのあと何がすごいって、幸いホストは命は助かったのですが、退院したあとに、元の店にもどるんですよ。刺された痛みに負け〝るな〟って名前で。こんなに痛い目にあったのにホストはやめないのかと思ったけど、やっぱり彼もほかに行き場がない。聞いたところによると、彼は栃木県かなんかの子で、中学を卒業して鉄筋工をやってた。それで先輩に誘われたかで歌舞伎町のホストになるんだけど。複雑な家庭というか、兄弟ばらばらで、連絡も取れなかったんだけど、あの報道がされて警察が彼の兄弟を探してくれたんですよ。生き別れになった兄ちゃん姉ちゃんを警察が無料で探してくれたっていうちょっといい話。わたし思ったのは、彼が栃木の鉄筋工だったら加害者の女は萌えなかったんだろうなということ。普通に考えたら、栃木の鉄筋工のほうがまじめに結婚してくれそうじゃないですか。交際してくれそうじゃないですか、一対一で。だけど彼女はそういう結婚してくれそうな男はいやなんです。危うい歌舞伎町のホストが好きなんです。彼の中身は同じでも。多くの人は、栃木の鉄筋工にしとけと思うじゃないですか。でも結婚してくれる栃木の鉄筋工より、金むしって風俗に沈める歌舞伎町のホストのほうがいいんだからもうどうしようもないですよね」

「女性として、志麻子さんはその気持ち少しわかる気はします？　栃木の鉄筋工よりもホストを選ぶ、ある一定の女たちがいるっていうことを」

「わたしのなかに、栃木の鉄筋工を選ぶ自分ていうのもいるんですよね。だから、わたしは歌舞伎町を面白がってるんじゃないかと思うんですよ。歌舞伎町は大好きだけど、飲み込まれずに、ちゃんとローン払ってマンション買って、定期的に仕事をもらって、捕まることはせず。わたし、なんたって散弾銃所持できてるんですから。というのは、栃木の鉄筋工と結婚したいという気持ちがあるからじゃないかしら。歌舞伎町のホストではなく」

その一方で、歌舞伎町のホストに入れ込む女たちの気持ちもわかるという。

「わたしもわけのわからないヒモに貢ぎつづけた時期もありました。どの国にも歌舞伎町的なものはあるというか。韓国も梨泰院（イテウォン）が歌舞伎町に相当するんじゃないかと思うんですけど。あの怪しげな感じ。江南（カンナム）ではないんですよね、カンナムは港区です。わたし、シンガポールが妙に好きなんです。シンガポールっていうと清潔な管理国家、カネのある北朝鮮とか、さんざんにいわれてるけど、妙に好きで。シンガポールって東京二十三区より少し大きいくらいで、すごく小さな国ですよね。クリーンな国を売り物にしてますけど。当然ながら歓楽街もあるわけで、しかも政府公認なんです。ゲイランって地区なんですけど、めちゃくちゃ好きですね。妙に落ち着くと思ったら、ゲイランって歌舞伎町なんですよ。あの管理国家シンガポールでさえも歌舞伎町は必要であると。そこだけ雰囲気が違うんですよ。シンガポールがどれだけ取り繕って、金持ちハイソぶったって、やっぱり怪しい東南アジアの一つっていうか、ベトナム、インドネシアからの出稼ぎのおねえさんたちがそれ用のパスをもらって、三カ月そこで働ける。あと、有名な歓楽街といえばタイのパッポン。歌舞伎町が国になってるみたいだなぁって、タイに行くたびに感じます」

一人息子は三十歳になる。

最近、息子は歌舞伎町の名所、新宿ゴールデン街で飲むのを覚えた。

母はその若さで強者どもが飲みあかすゴールデン街にひたるのは、いかがなものかとよけいな心配をする。

「ほんと歌舞伎町って、とりあえずすべての人を受け入れますよね。少なくとも文京区白山ではわたしが受け入れられてるとは感じませんでした。新橋でも感じられませんでしたね。歌舞伎町で暮らしていると、すべて歌舞伎町のなかで完結できます。わざわざ渋谷とか六本木とか、あんなところに行く必要がない」

歌舞伎町の女になった豹柄の作家は、「パリジェンヌ」でいまなお語り終わろうとしない。

＊

「この辺ですよ、声かけたの」

元ぼったくりの帝王・影野臣直が歌舞伎町のある角で立ち止まり、恋女房との出会いを回想した。

「うちの女房、化粧品会社の美容部員やってたんですよ。妹と二人で福島から上京してきてるんです。俺が上京してこの街で客引きしてるときに声かけたって話しましたでしょ」

「太地喜和子によく似た女性だって」

「そうですよ。好みでしたから。俺より七つ上」

「遊び人が年上の女と付き合うケースは昔から多かったですからね」

「そうですね。女房の妹が俺の四つ上なんですけど、いまだに『影野さん、昔かわいかったよね』なんていってるんです」

元ぼったくりの帝王は陽気に笑った。

影野と太地喜和子似の美容部員は恋に落ち、影野が借りていた大久保の四畳半一間のアパートで同棲をはじめた。

八〇年代初頭のころだった。

影野が通う大学の最寄り駅は高輪台（たかなわだい）であるが、何故に大久保という距離のある街に部屋を借りたのか、問うと――

「歌舞伎町に近いから」という答えがすかさず返ってきた。

「アパートを決める前に、歌舞伎町のぼったくりのアルバイトを先に決めて、そこの寮に入ったんですよ」

高校生のときから大阪のグランドキャバレーでボーイをしてきた影野は、東京でも水商売のアルバイトをしようと決めていた。

「水商売は売り上げ制とキャバレーのようなパック制と両方あるんです。売り上げ制というのは売り上げをどんどんあげていくんです。三十分でも四十分でも、『そろそろお時間でございます』っていって、延長するときはまたセットをお願いいたします、みたいにね。瓶ビールで出してたわけですから。しかも、目の前で栓を開けなきゃいけない。なんでかというと、昔はバクダンといって、なかに何度も使い回しのビールを詰めて栓をしてクーラーボックスに入れてまた客に出すんです。パック制というのは全部料金が含まれているシステムです。関東地方はこっちが多いんです」

歌舞伎町でアルバイトしようと飛び込んだ店がぼったくり店だった。

「それでぼったくりの世界に入っちゃったからね。まさか俺がぼったくりの帝王なんていわれるようになるなんて思ってないですから」

「影野さんが十八番にしているキャバレーの名司会、あれはどこで学んだんですか?」

「あれは、大阪のキャバレーハワイ・チェーンですね」

「でも関西弁出ないじゃないですか」

「歌舞伎町でお客さんに関西弁なんかで話せませんよ。〝払ってもらえませんか?〟ってお客にいってもなかなか恐喝にはならないですけど、関西弁で〝払えんの?〟っていったら一発で恐喝になっちゃうんです。だから歌舞伎町の店員は関西弁は御法度。歌舞伎町でぼったくりやるのなら、関西弁はダメです。ヤクザだと認定されちゃう、取り締まる側にはそういう定義があるんです」

ぼったくりの知られざる舞台裏である。

「結婚したのは子どもが生まれてからですよ。入籍もしてなかったです。ずっとね。結婚するとか自分の嫁にするとかいやだなと思ってたんです。女房が七つ上でしょ。三十六、七のとき妊娠してるんですよ。産むっていうんで、長男ができて、二年後にまた妊娠して次男坊ができたんですね」

影野の青春時代は精力があり余り、あちこちで十五回堕ろさせている。このなかには夫人の三回も含まれている。

「貧乏人の子だくさんっていうのは本当なんですよ。金のないときほどできちゃうんですよね、不思議なもんで。でも、俺二十代前半からものすごい金ありましたから。給料で四十五万もらってましたからね、大学生のころ。歩合もくれるようになったし、二店舗任されるようになったら給料も百二十万。だから毛皮のコート着たり、オーダーのスーツ、テカテカの高いやつ着てましたから。歌舞伎町の不良は洗練されてるんですよ」

影野の会話に関西弁の名残など微塵もない。

太地喜和子似の女に一目惚れして結婚した影野だったが、このころ、恋女房との仲がぎくしゃくしだした。

「家庭内別居ですよ。歌舞伎町でまた何かやりたいといったら、また俺がぼったくりやるんじゃないかって疑ってるんです。女房は俺に『息子の前で再就職してガードマンにでもなって、まじめに働いているところ見せてやってよ』っていうんですよ。こうしてちゃんとやってるんですけどね。俺はいつも家には寝に帰るだけ。女房と口も利かない。出所してから寂しいもんです」

今日、影野臣直の打ち明け話を聞いている歌舞伎町の喫茶店にくるまで、元ぼったくりの帝王が歩くと、あちこちから声がかかった。

二十代から四十代、全員ヤクザである。

ぼったくりから引退しても、人付き合いのいい影野臣直は交流が途切れない。声をかけてきた若いヤクザのなかには〝時若(ときわか)〟という身分の男たちもいる。

「時若っていうのはですね、最近、ヤクザがカタギの商売で内装屋なんかやってるんですよ。いま、ヤクザになってもなかなか食っていけないから、『お前、組員の登録しないで時若になれ』って上からいわれる。そのときだけ組の若い衆になる。事務所当番だけさせたりとかね。ヤクザは好きだけど、ヤクザになっても食えないので、『名前だけは外しておいてください。その代わり上納はしますから』ってやつはいっぱいいますよ。それが時若です」

ヤクザと長い付き合いがある影野臣直だが、違法ドラッグはいままで一度もやったことがない。それどころかタバコも中学二年から一度も吸ったことがない。

「人に支配されたりクスリに支配されることに興味ないんです。誘われますけど、勘弁してくれって断る。俺は酒があればいいんですよ。タバコもうまいとは思わなかった。みんな吸うから付き合いでふかしてただけです。俺がクスリにハマってたら、たぶんどうしようもない人間になってたでしょう。だからいまがあるんですよ。自分の思考を支配されるなんて馬鹿ですよ。あんまりポン中（覚醒剤依存症患者）にはいえないけどね」

「ヤクザの覚醒剤使用率はどれくらいなんですか？」

「（覚醒剤は）やってますよ。やってないヤクザはいないでしょうね。やらないとネタのいい悪いもわからないから」

「カウンターに、付き合ってた男たちが三人並んだことありましたよ。めんどくさいから、昔付き合っていたことといいますよ。わたしって、別れた男には優しいかも」

新宿ゴールデン街「中村酒店」のママ、中村京子がカウンターのなかから語りかける。

何の悩みもなさそうに語尾を伸ばす、八〇年代女子大生特有の言葉遣いがまだ生き残っている。

中村酒店の住所は歌舞伎町一丁目一番地。

戦後、青線だったエリアが新宿ゴールデン街として生き残った。

通説ではあるが、売春行為を黙認する区域を警察が地図に赤い線で囲み、これら特殊飲食店街を俗に「赤線」と呼んだ。これに対して特殊飲食店の営業許可なしに、普通の飲食店の営業許可のまま、売春行為をさせていた区域を地図に青い線で囲み、「青線」と呼んだ。

中村京子の中村酒店は旧青線地帯、新宿ゴールデン街にある。

一階が極小空間の飲み屋、二階は青線時代の名残、娼婦が客を取る部屋で、現在は二階も別の店が営業している。

ここは長屋だから壁一枚で隣の店に連なっている。

人口密集地帯で、安あがりの店が寄りそう。

街には文化人、小説家、評論家、映画監督、俳優、テレビディレクターがやってきた。

ゴールデン街は酒で気が大きくなった彼らの論争の場となり、しばしば腕力に訴える場にもなった。

その意味においてきわめて歌舞伎町的であった。

「この店は二〇〇二年からはじめたんで、二十年になりますね。いい歳になってきたんで、AVの仕事より何か違うことやらなきゃなと思って。この界隈では飲んでなかったんですけど。この店の入口に『貸店舗あります』って貼り紙があったんです。いま、ゴールデン街は大人気だから一年半とか待たないとお店が持てないけど、二十年前はまだそんな感じで。たまたま見つけて電話したら七人応募者がいて。大家さんが、女の人にやってほしいということで、すぐにわたしに決まっちゃった」

ゴールデン街のほとんどの店舗には大家がいて、店子(たなこ)に貸し出す形式である。

「大家さんが一万円のお祝い袋みたいのをくれるから、びっくりして。マンションとかアパートを借りるときはそんなことやってくれないじゃない。大家さんの旦那さんは公務員。わたしが家賃払って三年くらいたったら、新宿に大家さんのビル建ってた。家賃収入って大きいなって思って。アハハハ。ベランダ代はわたしが払ってるな」

一説にはゴールデン街の店舗所有権の値段は二、三千万円ともいわれている。

「二十年やってきて、景気のほうは山あり谷ありですね。谷はいま(取材時のコロナ第六波)なんだけど。山はラグビーワールドカップのとき。外国人のインバウンド景気がすごくて、この辺は日本人がアウェーみたいになってた。外国人向けガイドブックでゴールデン街のことが紹介されてたり、SNSとかでも広がってるんで。うちもその期間、常連になる外国の人がいた。イギリスの人が多かったかな。一カ月かけて、そこら中にラグビーの試合見にいってた裕福な人も多くて。ニュージーランドの人たちは店の中でハカを踊ったりしてた。アハハハ」

中村酒店・中村京子

中村京子といえば、Dカップ京子の異名を持ち、八〇年代『平凡パンチ』をはじめとして数多くの雑誌グラビアのヌードモデルとして活躍した。

八〇年代は素人がもて囃(はや)された時代だった。

その筆頭が女子大生であり、中村京子は第一走者になった。

*

一九八二年盛夏。

静岡県立大学の女子大生は、ささいなことから同じ大学の彼氏と大喧嘩してしまった。

和歌山県から一人、大学に通うため静岡県までやってきて、最初に付き合った彼氏だった。

女子大生は、彼氏の部屋に積んであった映画雑誌を広げた。

「にっかつ新人女優コンテスト出場者大募集!」

ふーん。こんなのがあるんだ。

ほんとは東京で暮らしたかったんだ。よーし、東京見物がてら、コンテストに出てみよう。彼氏を心配させてやるんだ。

翌週、数年前にできたばかりの池袋サンシャイン60に彼女はいた。ここの大会議室がコンテスト会場だった。

静岡県立大学の女子大生は、スタイルのいいYという出場者と仲良くなった。

「コンテストのために、歯を治したの」

冷やかし半分の女子大生に比べ、Yはやる気満々だった。

数十名の参加者が水着になって、審査が進行する。女子大生は、最終審査の十名に勝ち残っていた。

「それでは皆さん、最後におっぱいを見せてくださいっ！」

司会者が大声を発した。

え？　胸？

女子大生は戸惑った。隣のYは平然とブラジャーを外した。ええ？　みんな取っちゃうの？

女子大生は大喧嘩したとはいえ、彼氏以外に、胸を見せたことはなかった。公衆の面前で、カメラマンたちのフラッシュの嵐のなかで、脱げというの？

だが勢いというのか、若さというのか、八〇年代初頭という熱気がそうさせたのか、女子大生も自分でブラジャーを取った。

オーッ！

どよめき。

静岡県立大学の女子大生の乳房は、出場者のなかでもっとも大きかった。まだ巨乳という言葉も一般化されなかった時代である。

のちに彼女は「Dカップ京子」と呼ばれ、Dカップは大きな乳房の代名詞となるのだった。

優勝者は看護師だったが、大事になっていくことに怖じ気づいたのか、当人が賞を辞退し、第二位のYが繰り上げデビューを果たした。

Yは新婚夫婦がアメリカで銃撃され、のちに保険金殺人ではないかとマスコミが大報道したいわゆる「ロス疑惑」騒動に巻き込まれた。被害者の女性が殺害される前に、ホテルで何者かに殴打された事件があった。その加害者がYだったのである。コンテスト出場のとき、すでにYは殴打事件を起こしていたのだった。

コンテストは出場者の人生を翻弄していく。女子大生は惜しくも入賞を逃したが、東京の取材陣からたくさん名刺をもらい、ヌードモデルの仕事が舞い込んできた。

もっとも当の本人はいたってのんきだった。就職活動を控えていたので、彼女は地元静岡で一番給料が高くて夕方五時には帰宅できる消費者金融の入社試験を受けてみた。本人は受かるつもりだったが、甘えんぼうのような語尾を伸ばすしゃべり方がまずかったのか、落ちてしまった。

そのころ、東京でヌードモデルの仕事があった。手取り三万円。女子大生の初任給が十四、五万円の時代、これは大きかった。

静岡県立大学生の最初の仕事は、週刊ポストの女子大生ヌードだった。

東京へはヌード撮影の仕事のたび、静岡から新幹線で上京した。

「最初に東京きたときって、けっこう人の家を転々としてたんですよ。ある人の紹介で、ホストの家に三日間泊まっていいよって」

「ホストって歌舞伎町のホスト?」

「うん。紹介されて。『京子ちゃん、泊まるところなかったら、知り合いのホストが時間帯が違うから』って。わたし、週五はグラビア撮影だったんで仕事終わるのが夜十時十一時じゃない。ホストはその時間に一回も帰ってこないから会うこともなくて。だから、〝ありがとうございます、助かりました。お金ないんで四千円置いておきます〟って書き置きを残して。わたしってそういうのきちんとしてるじゃん。どんなホストかも会ったことないからわからないまま。ホストの部屋は飯田橋あたり。だから、そのあと東京に引っ越してきたとき、飯田橋とか神楽坂に住もうと思ったもん」

そのころの八〇年代半ばは、ＡＶという新たなメディアが誕生したときだった。

「ビデオに出るときは、芸名なんてなくて、『女子大生真理子』、『人妻淳子』とそのときの役柄によって名前を変えてた。当時はみんなそうだったよ」

中村京子の芸名は仕事をはじめて三日目、仕事場でカメラマンが即興で考えた、ごくありふれたものだった。

中村京子のＡＶ初出演は、一九八二年ＶＩＰから発売された『ＶＩＰ劇画シリーズ　静香・濡れてオナニー「覗かれて」』だった。

陵辱系官能漫画の笠間しろうの挿絵と、中村京子のヌードが合体した三十分物だった。

「スライドみたいな絵とわたしを組み合わせたビデオだったんですよ。胸触ったり、オナニーするときはわたしが、アアアンってやるの。当時はからみがなくてオナニー物全盛だったんですよね。代々(よよ)木忠(ぎただし)監督の『ザ・オナニー』がブームになってわたしも最初の五、六本はオナニー物しかしなかった」

一九八三年、はじめてからみがあるＡＶに出演した。

「わたしがはじめてからんだのはセーラー服物で、速水健二君が相手役でした」

当時は人気ＡＶ女優というのも出現前で、誰々が出演しているから売れる、という時代ではなく、モデルの出演料は一律だった。

だが、中村京子人気は凄まじく、ピンク映画でも、愛染恭子主演『愛染恭子の未亡人下宿』と中村京子主演『巨大バスト99　Ｄカップの女』が日活の正月映画になったほどだった。

中村京子をはじめヌードモデルたちは、皆フリーで、人脈や情報をもとに、仕事を取ってくる時代だった。

「ヘアメイクやスタイリストもつかなかったから、自分でお化粧してた。自分で重い荷物持って現場に行ってたし」

ＡＶ男優という職業もまだ確立される前で、雑誌編集者や映画俳優が兼業で務めていた。

「いまみたいに、男優の数も多くなかったので、現場に行くと、みんな友だちみたい。なかでも雑誌の人たちとウマが合ったの。ビデオの人は、あわよくば本番させようと、お互い腹の探り合いだったし」

中村京子も前貼りをつけて出演していたが、そのうち前貼りなしで裸になった。

時代は過激になっていく。その一方で中村京子は、頑に擬似本番を貫いた。

体格もよかったので、女相撲企画にもよく呼ばれ、何度も優勝した。

「タモリ倶楽部の柔道大会で、わたし優勝して、作家の安部譲二から黒帯もらったの。ちょっとルールが違ってて、みんなルーズソックスを履いて組み合って、ルーズソックスを脱がしたら勝ちっていうやつ。わたし、そういうのががんばっちゃうの」

愛嬌があった彼女はスタッフからも愛されて、仕事が途切れなかった。出版業界でも人気が高かった。

評論家の奥出哲雄と付き合っていたころ、当時の『噂の真相』副編集長が部屋に居候していたこともあった。

ゴールデン街で店を出すと、Dカップ京子時代からのファンが客となった。

「でもわたしの昔からのファンは、どんどん減ってます。わたしが、そういう人には意外と冷たいんで。昔のことばっかりいわれたら、普通の話ができなくなっちゃうじゃない。あと、（店に飾ってある絵画をさして）絵を描いてる子とかのお母さんとわたしはほぼ同世代だから、その世代の子はわたしのことなんか知らないわけ。そうなると、みんなで面白い話とか、たまにはちょっと真面目な話したりとかのほうがいいんですよ」

ここで担当編集の勝浦基明が、控え目な口調で打ち明けた。

「僕が新人編集者のころ、京子さんの原稿を取りに行かされたのは、新宿のどこだったんだろう、女相撲か泥レスをやってるところに行きました」

「昔あったビアガーデンかな。泥レスじゃないよ。女相撲だから。わたし、泥レスやらないから」

ヌードモデルをやりながら、いくつもの雑誌で文章も書いていた。

八〇年代前半、いまでは信じられないが、胸の大きな女性は頭が悪い、という俗説が残っていた。

「ひどいこともあったんだよ。ある出版社から原稿依頼があって、『書き出すとき、段落落とすの知ってる？』っていわれて。知ってるような気がしますって、そういうしかないじゃん。ちょっとびっくりして。『文章が終わったら、行替えするとか大丈夫ですよね？』とかもいわれたよ」

＊

ゴールデン街で営業していると、事件にも遭遇してきた。

「お正月前の大掃除をバイトの子とやって、正月明けの四日に、トイレの扉を開けたら、ひゅーって風が吹くから何?と思ったら、窓が外されてトイレから泥棒が入ってたの。いつもカウンターに三万円置いてるんだけど、それがなくなってた。どうしようかなと思ったら、ほかのゴールデン街のお店も七軒被害にあってて。交番に行ったら『待ち五(番目)だからね』っていわれて。アハハハ。一軒ずつ検証に行くんで、五番目。〝あんなに窓が綺麗に外されるんだね〟ってみんなで見てたら、全員指紋取られた。指一本ずつ取るのは知ってたけど、手の横とかも取るんだね。捜査には、鑑識課で沢口靖子みたい(科捜研の女)な人もきて。便座に靴跡があったから。で、結局、犯人は捕まったんだけど。赤坂署の刑事の人から電話をもらったから、犯人はどんな体型ですかって聞いたら『痩せてる』って。やっぱり」

つい最近では、店の脇から失火して消防車が出動する騒ぎが起きた。

「この辺は謎の事件はいっぱいあるの。人を刺したり殺したりはなくて、死ぬ人は階段から落ちても死ぬし」

二階の急な階段は酔っているときわめて危険な凶器になるのだ。

「ゴールデン街にはぼったくり店もあるよ。その店の人は女装の人で、いつも着物なんだけど。本人曰く、菅(かん)さん(菅直人)がきたことがあるって」

「菅さんがぼったくられたの?」

「菅さんがまだ、ペーペーのころじゃない？　ああいう店の人たちって、人を見てぼったくるから。以前、うちにマッチョなお客さんがきてて。ちょうど斜め前のお店もぼったくりだったのね。そこ、一杯なんでも五千円なんだけど、そのマッチョな人が行って、〝五千円〟っていわれたから『あぁ？』ってすごんだら、〝五百円でいいです〟って。よかったじゃん、うちより安いねーって。アハハハ。夫婦でやってたんだけど、二人とも餓死しちゃった。菅さんをぼったくった人も何年か前に死んだみたい」

「ゴールデン街で生き残るコツはありますか？」

「いま、ゴールデン街では若い女の子もバイトしてるから、その子たちが毎日発信してるの。『わたしは毎日お店に出てるから』って、キャバクラみたいになってる。お目当ての子が出勤したときだけ行くおじさんたちもいるし」

ゴールデン街名物、酔客同士が口論となって、「表に出ろ！」という光景はいまでも見かける。

「この前は、テレビ関係の人と雑誌関係の人が表に出ろってなってた」

「発端は？」

「きっと、ささいなことですよ。面白かったのは、二人とも喧嘩に慣れてないから、ボクシングの一番最初の選手、前座？みたいな感じで猫パンチになってて。聞いたら、店の中ではファイトしたけど、外に出たら喧嘩しなくて、あとで謝ってきたみたい。たぶん、二人とも連れがいたので、見栄の問題だったんでしょ。飲んでればいろいろあるよ」

かつてのＤカップ京子は独身。いまもモテる。

八〇年代からの知り合いである私は、元Dカップの女王にｉｆを尋ねてみた。

「もし、消費者金融に就職していたら？」

「とっくに結婚していたでしょうね。結婚しようと思ったこと、二十九歳のころにあった。相手は雑誌の編集者。でももう結婚は、一生しないんじゃないかな」

中村京子は大学時代に付き合っていたあのときの彼氏と偶然、東京で再会した。彼は車関係の業界誌で働いていた。

もしも喧嘩しなければ、東京のサンシャイン60で催されたコンテストに参加していなかっただろう。ヌードモデルにもならなかっただろうし、ほかの会社に就職して……。

ｉｆは至るところに棲息し、運命を弄ぶ。

一番平凡な芸名をつけたつもりだったが、四十年以上過ぎたいま、中村京子という名はもっとも存在感のあるものとして生き残った。

迎え入れてくれたのは、ここ歌舞伎町だった。

＊

「あそこに住んでたんです。ちょうど女王様やってるとき」

ミクが歌舞伎町のヤクザマンションに住んでいたころを証言する。

今年四十代半ばになるミクは実年齢より十歳以上若く見える。以前はＳＭの女王様だった。

欲望に忠実に生きてきた女は、細胞も活性化するのだろう。

歌舞伎町の名所ともいえる俗称ヤクザマンションは、大通りに面して建つ大手不動産会社の賃貸マンションである。

新宿駅にも近く、アクセスもいいので、事務所に使用したり、歌舞伎町で働く人々の住居としても重宝されてきた。

気づくとマンションは、ヤクザの組事務所、組員や歌舞伎町のキャバ嬢・ヘルス嬢の住居、交際クラブ事務所、闇金事務所、といった歌舞伎町を象徴する人々の建物と化した。

なかでも強面の男たちの密集度は歌舞伎町一、全国一だろう。

黒いスーツの男たちがマンション階段を取り囲みあたりを警戒するなか、幹線道路に止めている黒のアルファードに事務所から出てくる組長を迎え入れるのは、日常の光景だ。

マンションの正面の角度のある階段を降りるとき、式典の舞台に立ったようで、組幹部も気分は悪くないだろう。

「部屋を借りたとき、ヤクザマンションだっていうのは知らなかったですけど、住んでいるうちにだんだんわかってきた。最初、ヤクザマンションの裏にも物件があって、二つくらい見にいったんですよ。入ったとたんにゴキブリが走り回っていて、それがいやでヤクザマンションにしたんです」

女王様はヤクザよりゴキブリのほうが怖かったのだ。

「少しして女王様をやめたあと、歌舞伎町のキャバクラで働いたんです。部屋は狭かったですよ。普通のワンルームで二十平米くらい。お風呂、トイレ、キッチン。家賃は九万円だったと思うんですけど。

プラス水道代とかが入ってくるから、結局高くなって十三万とか十五万になるときがあって。不動産屋さんに〝高い！〟って文句いったことがあります。そしたら、入ってる人たちみんなで水道代を割ってるみたいな説明をされた。だから、その値段になるって。家賃下げてくれなかったです」

ほかの部屋は風俗店もあれば、外国人も住んでいたり、様々だった。

「わたしは四階、一番端から三番目の部屋に。そこに子ども三人と住んでました。隣の人が外国人でもうバイオレンスなんです。女の人が殴られてる悲鳴が聞こえてくるの。警察がきたこともあって。そのあとにだれかが引っ越してきても、またバイオレンスの人が入ってくるんです。それを不動産屋さんにいったんですよ。そうしたら、『不思議なもので部屋ってそういうのを呼び寄せるんじゃないかなあ』みたいなことをいってましたよ。アハハハ。だからわたしは、あそこをバイオレンス部屋って呼んでました」

住民がかわっても、バイオレンス部屋からは早朝、女の悲鳴が漏れてきた。

「わたし、よくあんなところに住んでたなぁって、いま思いますね。うち、長女が二、三歳のころ、夜泣きがすごくて、病気なのかなってくらい、毎日夜中に泣くんですよ。宇津救命丸飲ませたらいいのかなとか心配して、夜中に散歩に行ったりとか近くの花園神社であやしたりしてたんです。うるさすぎて、非常ベルを鳴らされたことがあるんです。真下の人も、うるさいからって、下からドン！と突きあげてきて。その人の嫌がらせで、郵便物が盗まれたりとかいろいろされるようになったんです。『殺す』ってポストに入れられたりとか。警察に相談したら、『何か起きるまで動けない』っていわれて。何か起きたら困るから相談してるんじゃない！　しょうがないから、一番下の娘のパパに頼んで、脅しに行ってもらいました」

ミクにはそれぞれ父親の異なる三人の子どもがいる。

一番下の子のパパというのはさぞや強面の顔で、迫力があったのだろう。

「夜中、下の人がきたんですよ。インターホンを鳴らされて、ドアは開けなかったけど、謝りにきたんです。『ほんとにうるさくて、気が狂いそうだったから、あんなことをやってしまいました』って。顔は見てない。怖いから。若い男の人でした」

ヤクザマンションにある日、機動隊がやってきた。

マンション内に敵対関係にあるヤクザ事務所があったため、発砲事件が起きて、互いの組員が駆けつけ一触即発の事態になったのだ。機動隊が取り囲み、黒服のヤクザたちを規制する。

ミクのところに安否を気遣う電話が何本も入った。

抗争寸前で事なきを得た。

「わたしはヤクザとは絶対に付き合いたくないです。ヤクザは絶対にいやだ」

ミクは十代のときに、地元のキャバクラでアルバイトをしていた。

ある夜、不良っぽい青年がソファに腰を落とした。ミクが知っている地元の先輩だった。

着崩したファッションをしていたが、それがよく似合っていた。

地元の先輩は毎日、店にきてミクを指名した。

一カ月間、毎日来店した。

しばらくして付き合いだした。

彼はミクにシャネルやルイ・ヴィトンといったブランド品を買い与えた。

付き合いだしたころ、彼は自分はヤクザだと打ち明けた。

ミクはなんとなくそんな予感がしたので、さほど驚きではなかった。

彼は落ち着きがなく、いつも戦闘モードでヒステリックだった。

新聞紙にくるんだ棒状のものを「これ、保管しておいてくれ」と頼んできた。

開いてみると日本刀だった。

所属する組が抗争を起こすと、彼が持って帰ってきた。

いつも何かにいらつき、怒り散らす男にミクも限界にきたので「別れたい」と切り出すと、彼はプレゼントしてくれたバッグや服を包丁で切り裂き、火をつけた。

「だからヤクザに対するイメージがよくないです。かかわりたくないです。でも、エレベーターとかで会うじゃないですか、そういう人たちと。ぜんぜん優しいっていうか。うちの子どもたちも、マンションの下とかで遊んでもらってました。おじいちゃんみたいなヤクザもいて、話しかけてもらったり」

一番下の子の父親がヤクザマンションを借りてくれたのだった。

「わたし、家が遠かったから通うの大変だろうと。それからずっと住んでた。結婚してないけど、ずっと住んでたんです」

ヤクザとキャバ嬢は親和性が高く、彼女たちの彼氏がヤクザという率は高い。

女っぷり、男っぷりを競う世界で生きているせいか、相性が合うのだ。

＊

ミクと知り合ったのはいまから二十数年前、ある総合月刊誌でとある殷賑地帯のルポルタージュを発表することになり、風変わりな風俗に潜入取材した。

逆夜這いプレイだった。

客の私がホテルのベッドに目隠しして寝ているところに、風俗嬢がそっと侵入してきて、私をいろいろ責めるという、九〇年代に入って派遣型風俗で急速に流行した、男が受け身になるプレイの一つだった。

それから何年が過ぎただろうか。

ある日、私が取材場所の喫茶店に入り、空席を見つけて座った。

すると後ろの席にいた女性と視線が合った。

お互い、あっ、と口から出た。

何年ぶりかで見かけるミクだった。

「あのとき、人と待ち合わせしてたんだけど、わたしが勘違いして違う喫茶店で待っていたんですよ。そしたらばったり本橋さんと」

「ということは、あなたが店を間違わなかったら、あそこで出会っていなかった」

「そうですね」

お互いその店ははじめて入ったところだった。

時間が数分違っていても、再会は不可能だっただろう。

大都会では、当人同士も気づかない、すれ違いと出会いが交錯している。

あれからミクは荒波に揉まれて生きてきた。

実家の事業が傾き、ミクは寝る間も惜しみ働き、経済的に支えてきた。

体を壊し、やっと復帰したかと思ったら、付き合っていた男がミクのカネを持ち逃げして消えてしまった。

キャバクラからもう一度SM店に移った。

私と奇跡的な再会を果たしたとき、ミクはSMの女王様として人気を博しているときだった。

彼女には常にM男たちがかしづき、SM専門誌ではミクのグラビアが毎月のように組まれた。

逆夜這いのころ、ミクは恥じらうような微笑を口元に浮かべ、女王様になると鞭を持ちながら、やはり微笑していた。

ミクは〝癒しの女王様〟と呼ばれた。

「当時の女王様はみんな笑わないし、キリっとして写真に出てて、赤い口紅とかつけてるんですよ。でもわたしはナチュラルメイクで、赤い口紅はつけないし、写真撮るときも笑うし。だからナチュラル系。〝わたしとM男と仲間たち〟みたいなチームだった。M男に共通する特性って……なんだろう……依存心。支えてくれる、包んでくれる人がほしいんじゃないかなあ。だから、わたしになつくのかな。わたし、包容力そんなにないんだけど、みんななつく」

ミクの暮らすヤクザマンションでは、時々、みずから死を選ぶ人間がいた。

夜中や明け方に、鈍い衝撃音がある。しばらくするとサイレンの音がして、外がざわめく。あとで通ると、血の跡があった。

居住者が長い間、行方不明になっている部屋も複数あった。

父が異なる三人の子どもたちをミクは一人で育ててきた。

近くの小学校には様々な国の子どもたちが在籍していた。彼らは歌舞伎町を遊び場として十分、楽しんでいた。

育ち盛りの子どもたちと暮らすと、洗濯物だけでも大変だ。

洗濯機は部屋に置けないから、一階の階段をあがったところにある住人専用のコインランドリーで洗濯した。

歌舞伎町で暮らす人々は自分たちのことに必死で、他人のことなど気にしている暇はない、とミクは感じた。

「いろんな人が住んでるじゃないですか。画一的じゃないでしょ、属性が。受け入れ態勢が広いっていうか、懐（ふところ）が深いっていうか。子どもが近くの公立小学校に行ってたんですけど、そこのママたちもいろんな人がいるんですよ。だからわたしみたいなSMクラブ勤めのママがグループに入ってもウエルカムなんです。それまでわたしは排除されることが多かったんですけど。ちょっと変わってるとか、若いっていうのもあったし。ママグループから排除されるっていうのがあったんで、ママ友はつくらないって決めちゃったんです。でも歌舞伎町のママたちは、背景もそれぞれで、旦那さんが右翼だとか、飲み屋やってるとか、そういう人たちが多いから、わたしが入ってもなじめるんです。歌舞伎町のいいところは、いろんな人がいるから器が大きいし、寛容っていうのかな」

女王様は引退して、いまではある衣料関係の会社を経営している。

夜泣きした子どももすっかり大人になり、経理関係の仕事をしている。

「振り返ると大変だったんだろうけど、いま思うと、あんまり大変っていう記憶がなくて、子どもと暮らしてる時間って、ほんとに楽しくって、ほんと幸せですね。それぞれ個性があって、そういう個性と付き合って暮らすのが、ほんとに幸せだと思います。もうみんな独立していなくなって、違う時間を過ごしてるんだけど、それはそれで幸せ。わたしの人生、前半戦はいろいろあったけど、後半戦は充実してるし、経験したことがいっぱいあるから、腹も据わっちゃってる」

東京郊外で暮らすミクに、久しぶりの歌舞伎町の感想を尋ねた。

「やっぱり、落ち着くかな。いっぱい思い出があるから」

第五章　職場は歌舞伎町

「台湾のコックさんたちはネットワークがすごいです。東京中、あるいは関東近郊であればすぐになんでもわかるようになっています。コックさん自身が失業しても、次の日から仕事はありますね、彼らは。日本人はハローワークなんていってますけど、彼らはそれに代わるものを持ってるので、仕事には困らないんじゃないですかね。我々の年代（七十代）でコックさんをやってる人でも、ブランクがあってもすぐに仕事はありますよ。二、三人の知り合いに電話するだけですぐに決まっちゃいます。それはすごいなと思います」

歌舞伎町の中心地、新宿東宝ビルの近くにある「台湾料理 青葉」は創業一九六八年、台湾料理の老舗（しにせ）である。

日本人は店長の渡辺清二が一人、あとはすべて台湾系従業員が仕切っている。

歌舞伎町は終戦後、焼け跡に台湾系の人々が住みだし、商売をはじめた。なかでも旅館業と台湾料理は客を集めた。いまでも歌舞伎町に台湾料理、中華料理が多い由来である。

戦勝国の一員になったものの、まだ日本企業への就職は狭き門だったので、手に職をつけることが必要だったのだ。

もっとも「青葉」は少し系統が異なる。

「戦時中、台湾に行ってた日本人、けっこういるじゃないですか。それで、戦後に引き揚げてきました。オーナーは最初、警察官をやって、それから不動産屋をはじめたという話です」

渡辺清二が証言する、警察官から転身し不動産業をはじめた人物は、現在の日拓（にったく）グループ創業者西村昭孝である。

一九六五年、不動産開発企業日拓観光を創業。プロ野球球団東映フライヤーズを買収。球団買収からわずか十カ月後に日本ハムに球団を売却する。

パチンコホール業にも進出し、事業を拡大させる。

現在の西村拓郎代表取締役社長は長男であり、妻はタレントの神田うの。

「いまの『青葉』のオーナーというのは、ここを日拓が経営していたときに働いてたコックさんなんです。台湾からコックさんを招聘してましたから。当時、台湾の方からすれば、日本の給料は向こうと比べればだいぶ違ったと思います。

日拓がここ（歌舞伎町）に店を出して、六本木とかいろんなところにも系列の店や自社ビルを建てたんです。二十年くらい前に日拓は飲食店をやめたんですが、ここだけは、思い入れがあったんじゃないでしょうか。ここだけ残して、そのときに働いてたコックさんに譲ったんです。日拓の会長も残したかったんじゃないですか、どんな形でも。それならば、自分が雇ってたコックさんに譲って継い

台湾料理「青葉」店長・
渡辺清二

でもらうという考えだったと思います」

「『青葉』という店名の由来は？」

「おそらく、日拓の会長がつけたんでしょうけど、台湾に青葉（チンエイ）っていう有名なお店があったんですよ。日本人が旅行に行くとそこに寄って、『青葉』は東京にもあるというのを聞いて、ここにくるということがつづいてたんです。台湾の青葉はコロナだなんだで、閉めたようですね。その店から取ったんだと思います」

人気メニューを味わおうと、テーブルに並べてもらう。

香ばしい匂いが漂ってきた。

「長年きてくださる方は、しじみの醤油漬け、これは必ず注文します。それから青菜炒め、台湾野菜の炒めもの、腸詰めは皆さん頼まれますね。うちは台湾から直で素材が入ります。台湾の夜市とか行くと臭い豆腐があるんです。日本語でいうと臭豆腐（しゅうどうふ）っていうんですけど。そういったものも、横のつながりもあるので、台湾から直接入ります。ルーローハン（魯肉飯）っていうのがあるんです。ロバハンとも読む。これは、日本人の方も聞いたことあると思います。いま、ブームになってます」

「何の肉ですか？」

「豚です。豚肉を煮込んだものです。これも台湾の屋台料理です。食事の番組でも、よく出てきますね。台湾料理というのは小皿料理なので、何品も頼める。二、三人いればいろいろと食べられますよね。中華料理は大皿なので、少人数の場合は品数は頼めないけど。そこが台湾料理のいいところじゃないですかね。あとは、格調高い料理でもなくて、屋台料理の延長という感じで、気軽に食べられます」

歌舞伎町は在日台湾・中国人、在日コリアンを中心に、アジア系外国人が行き交うアジアンタウンでもある。

「在日の台湾の方ってすごく多いんですね、しかもお医者さんが多いです。皆さん台湾の高雄（たかお）や台北（たいぺい）の医科大学を出て、医師の資格を取ってくる方が多いです。日本で歯医者さんや内科を開業してる方も多いし、皮膚科もいるんです。歯医者さんだけ集まっても相当な数がいます。毎年、台湾の高雄医科大学を卒業して日本で開業してる方たちの集まりが二月、向こうでいう旧正月にあるんです。五十人くらい集まります。みんな日本で開業してますよ。大久保辺りにはいっぱいいます」

店内には芸能人の色紙が数多く貼られている。

「コマ劇場があったじゃないですか。コマ劇場に出ておられた方が、うちに食事にきたりして、まあ、多いですね。二〇二〇年に亡くなった小松政夫さんは定期的にきていただいてました」

渡辺清二は一九四九年（昭和二十四年）生まれ、団塊世代である。

「出身は茨城県です。歌舞伎町は、当時は怖いイメージで、いまでもそうですけど。客引きには怪しげなのが多かったじゃないですか。おかまちゃんの客引きもいました。夜中の十二時過ぎ、路地裏に入ると怖かった。コマ劇場がなくなって、ホテルができて、通りがきれいに整備されて、変わりましたね。うちの前の通りは、昔は薄暗かったんです。コマ劇場の裏出口で楽屋口でしたから。いまみたいに若いお姉さんは歩いてませんよ、怖くて。いまは渋谷みたいな感じになっちゃったから。トー横キッズっていうんですか、昔はそういう子どもみたいのは一切いなかった。いいのか悪いのかは、わかりませんけど。昔と比べると明るくなったというのは間違いないです。我々は平和通り商店会っていうんですけど、週に一回タバコの吸い殻拾いをやってますよ。昔はそういうことはあり得なかったと思うんです」

渡辺清二は、アルバイトを経て日拓に入社した。

飲食店だけではなく、ライブハウスの運営も担ってきた。現場の空気を感じることが接客業の要諦である。

渡辺清二のように若いうちに上京して、経験を積み、出世していくのが歌舞伎町の王道だ。

現在、「青葉」は日拓から独立して経営されている

東京一、ホットな繁華街だから、度胸もつく。

八〇年代のころは台湾クラブが大流行した。

暴力団、およびその周辺に蠢くグループを反社会的勢力(Anti-Social Forces)、略して反社と呼ぶ。暴排条例等によって反社との付き合いは禁じられた。

以前のように店舗が営業していると、ヤクザからみかじめ料を取られたが、いまではかなり減っている。

反社は台湾料理・中華料理を好む。

一人で食事することは稀で、たいてい数名から大人数で食事をするため、台湾料理・中華料理が好まれるのだ。

「その当時は、我々としてはいいお客様ではないんですけど、反社的な人も多かったです。どうしても、女性がからめばそういう方もきますから。団体でくればうちも断りますけどね。個人だとむげにはで

きません。当時はまだね。バブルのころ、夜十二時になると（反社の）皆さんけっこういらしてました。周りのお客様も当時はそんなに気にしないんです。わいわいガヤガヤやってるんで。でも、ああいう方たちですから、ちょっと気分が変わると怖い。紹興酒の盃がこの辺（顔の近くをさして）に飛んでくることもありましたから。最近で一番勢いがいいのは、ホストですね。昔はこんなになかったですもんね」

歌舞伎町の風雪に耐えた渡辺清二は、鉄人の風貌だった。

*

「歌舞伎町は俺の学校です。あんないい学校ないね。人格形成の面でも鍛えられたし。コマ劇前の噴水で泳いだり、酔っ払いのだらしない姿、男と女が殴り合ってる……でも怖いイメージないんですよ。おかげさまで落とし穴とか悪いやつとか、見抜けるようになりました。マルチにも引っかからないし、変な宗教にも入らない。この街は柵のないサファリパークだから」

本名赤江祐一（あかえゆういち）。

芸人玉袋筋太郎はだれもが知る有名人である。

愛称、玉（たま）ちゃん。

水道橋博士と組んだコンビ名、浅草キッド。

西新宿一丁目の実家は本名から取った赤江ビルという建物で、雀荘を経営していた。

新宿駅西口生まれの玉袋筋太郎にとって、新宿副都心と歌舞伎町は幼いころからの遊び場だった。

水遊びといえば、高層ビルの噴水だった。

三井ビルのガラス窓に太陽光線が反射し、下界を彩る。

野村ビルのエスカレーターは格好の滑り台だった。

住友三角ビルの壁面は登るのにちょうどよかった。

回転式ドアに腕が挟まって、ガードマンにせっけん水流し込んで抜いてもらった。

都庁ができる前は広い原っぱで、少年野球の試合にもってこいだった。

京王プラザホテルには外国人レスラーが宿泊していて、なんとかして会いたいと、のぞきに行った。

新宿区の一番標高が高い高層ビルで景色を眺め、インベーダーゲームをしていた小学生は自分である、と自負している。

歌舞伎町は幼いころから遊び場であり、アルバイト先でもあった。

「高校生のとき、区役所通りにあった昌平ラーメンで出前のバイトしてたんですよ。夜働く人たちのお腹を満たす給油係でした。ラーメン、中華丼、天津丼、餃子。歌舞伎町は詳しくなりましたよ。あのころ深夜番組の『トゥナイト』で歌舞伎町をよくレポートしてた山本晋也(やまもとしんや)監督より詳しい。昭和五十八年くらいか。夕方五時から出前やるんですよ。(新宿)ゴールデン街には、内藤陳(ないとうちん)、中上健次(なかがみけんじ)、たこ八郎がいた時代です。改正風営法施行のときも出前やってました。その日は通しでずっとやった。まあ風営法で夜十二時で終わりなんだけど、みんな内カギ締めて営業してましたね」

出前は歌舞伎町全域におよんだ。

芸人・玉袋筋太郎

「ストリップ、ホテトル待機所、ラブホテル、ホストクラブ、組事務所、防犯カメラが三つある雀荘、風林会館裏のポーカーゲーム屋。出前してましたねえ。新田裏（現在の歌舞伎町一丁目北部）のラブホテルに持っていくと、風呂あがりの男が出てきたりしてね。『（ファッションヘルス）クリスタル』は女の子がトップレスだったから、出前の注文きたら、やった！　店に行ったらパンチパーマのボーイが出てきたり。ストリップ（劇場）は出前が時間指定なんですよ。『八時十五分にきてくれ』って。踊り終えたお姉さんが素っ裸で楽屋にもどってくるんです。ラーメンのラップ取ってると、四歳くらいの男の子が楽屋走り回ってたりしてね。コマ劇場の楽屋に持っていくときもありました。ワクワクですよ。村田英雄先生に持っていくんだから、中華丼を。感動した！　オールナイトニッポンでさんざんうちの（ビートたけし）師匠が村田先生をネタにしてたから。コマ劇近くの雀荘に出前すると、由利徹（ゆりとおる）さんが時代劇の格好で打ってたりしてね」

　高校時代の玉袋筋太郎は、日本最大の殷賑地帯で人間の隠された顔を見た。

「トルコ嬢、どんぶり洗わねえんだ。ヤクザは若い衆が洗うからすごいきれい。アハハハ。賭け麻雀してるヤクザにラーメン持っていったら『ラップ取れ』っていわれて取ったりしてね。会計のとき、〝はい、お釣り〟って渡すと、みんな小指がない。それでも器用に牌積むんだ。なかには異様に眉毛が濃いヤクザがいてね。見たら入れ墨入ってる。楽しかったですよねー」

　出前持ちの自転車で歌舞伎町を疾走する。

　すると交番前にあった柳家という蕎麦屋の出前持ちの自転車が横に並び、ときならぬレースがはじまる。

通行人の波をぬって、走る走る。

脇から変な自転車がからんできた。

ど派手な新聞配達のタイガーマスクだ。

歌舞伎町は高校生の夢の砦だった。

「出前やってるとき、バイトの先輩に吉原のトルコ『ベルサイユ宮殿』に連れてってもらったんです。サリーさんってトルコ嬢、二十五歳といってたけど三十代後半で。あのころはポラロイド見せてくれて選ぶんですよね。童貞だって知られないように、オヤジのジャンパー着ていったんだから」

風林会館にもよく出前した。

一階は「パリジェンヌ」という大型喫茶店が営業している。

ホステス、ホスト、ヤクザが夜通し、席に陣取っていた。喧嘩はしょっちゅう、ときには発砲事件もあった。

「風林会館のエレベーター係がおじさんでいつも艶々（つやつや）しているの。エレベーター乗るとケツやチンチンずっと触るんですよ。だから風林会館の出前はじゃんけんで負けたやつが行った」

＊

ビートたけしの追っかけをしていた三人組の高校生（そのうちの一人が玉袋少年）がビートたけしから将来について尋ねられた。

「三ツ矢サイダーのルートサービスに決まりました」と玉袋青年が答えた。

するとビートたけしが「俺んところにこいよ」といった。

二十万円の現金を渡されて「これで部屋借りろ」ともいってくれたのだ。

「こんな十七歳の人生預かったんだから、うちの師匠はすごいですよね。見込まれたのかどうかわかんないですけど、弟子入りを許してくれたのも、あのころ女性ファンが多くてきゃあきゃあいわれていて、男のファンが少なかったからじゃないですか」

そう謙遜するが、高校生の玉袋は高校生ばなれしたセンスがあったのだろう。

「たけし軍団には、二軍のセピアと三軍があったんです。俺は三軍でした。そこで（水道橋）博士と知り合ったんですよ。『風雲！たけし城』で一般参加者に混じって出ると五千円もらえて弁当も食えた。そのうち師匠が、『浅草フランス座に行くやついないか？』っていうんで、俺と博士が手を挙げたんです。前から博士とフランス座に行きたいって話していたんですよ。やっぱり師匠と同じ道歩みたかったから。博士はすごいですよ。明治大学やめちゃって軍団に入ったんだから。俺より五歳上、当時二十三歳。『赤江君さあ、ドリフのボーヤって何人いた？』って聞いてくるんです。死屍累々（ししるいるい）ですよ。売れたのは志村けんさんだけ。だからここは俺たち、芸人としてフランス座で修業したほうがいいってことになったんです」

三年修業すれば芸人の匂いがつくだろう、と師匠がいった。

軍団から浅草フランス座には五、六人が修業に出て、彼らは浅草キッドブラザースと呼ばれた。

「ちょうど浅草が沈んでいるときで、道には歩いている人より寝てる人のほうが多かったんだから」

フランス座のストリップの合間、芸人たちがコントでつなぐ。

客たちは裸を見にきてるのだから、芸人のコントは邪魔でしかなかった。芸人たちは必死になって客の心をつかもうとする。それが芸を磨くことになる。

「やめろ！」

客席の酔っ払いが玉袋と博士に罵声を浴びせた。

それでもつづけなければならない。

「ホラ、これやるから」

ステージに二千円が投げつけられた。

頭にきて二千円を蹴飛ばした。

客席から今度は一升瓶が投げ込まれた。屈辱である。悔しくて涙が出た。

ねぐらの布団は何年も無数の人間が寝ていて干したこともなかったから、疥癬（かいせん）となり、玉袋は全身に赤いブツブツができてしまった。

大久保病院で診てもらったら「いまどき、野良犬もかからないぞ」と医師から呆れられた。

キンカンの原液を三日間塗って、痛みとかゆみに耐えた。

将来、芸人で食っている自分が見えない。

劇場で照明を担当しているとき、客席にどこかで見た二人が入ってきた。

両親だった。

「でもうちは大らかだったんですよ。それより（水道橋）博士が大変だった。実家の岡山から両親が連れもどしにきたんですよ。オウムに入信した信者の脱会みたいなもんです」

修業しているうちに八十六キロあった体重は五十キロ台に落ちた。

*

フランス座で修業していたとき、ビートたけしとたけし軍団メンバーがＦＲＩＤＡＹ襲撃事件を起こし、謹慎となった。

浅草で修業中だった玉袋と博士は事件に不参加だったが、フランス座の経営者が変わり、二人は七カ月で浅草を去らなければならなくなった。

「どこに行ったらいいんだろう……そのころ、渋谷のライブハウスの『La.mama（ラ・ママ）』でコント赤信号の渡辺正行さんがプロデュースするライブがあったんです。お笑いニューウエイブが流行りだして、ウッチャンナンチャンをはじめ、しゃれたショートコントばかりだったんです。俺はそれがいやでさ、よし、腕試しだって、みんながシティ派コントやってるなか、俺と博士はフランス座仕込み、ハゲヅラにちょび髭でステージにあがってフランス座でやったコントをやったんですよ。そしたら渡辺さんがゲラゲラ笑って、ほかの芸人たちに『お前ら、これがコントだ』っていってくれたんです。フランス座にいたのは七カ月でもどこか俺たち芸人の匂いがしたんでしょうね」

どんな芸名にするか、ビートたけしからいくつかの名前が提案された。

「それがシロマティと蟻（あり）の門渡哲也（とわたりてつや）、玉袋筋太郎ですよ。シロマティって巨人にいたクロマティからきてるんだけど」

黒人をデフォルメしたカルピスのキャラクターが人種差別問題になったのはこのあとだった。

玉袋は予感がしたのかシロマティは回避。蟻の門渡哲也は渡哲也の石原軍団から文句がきそうで回避。残ったのが玉袋筋太郎だった。ＮＨＫには一生出られそうもない芸名である。

「俺って芸もないから名前だけでも笑いが取れればいいって思いました。それがまさかこんな重い十字架背負うとは」

玉袋筋太郎の芸名をもらい、晴れて両親に報告することになった。

嘆くだろうなあ。

気が重いまま、両親の前に座り、芸名を告げた。

すると――

「いい名前もらったな！」

芸名を一番喜んでくれたのは父だった。

その父も親族との関係がこじれて、みずから命を絶った。

「親には感謝。よくぞ新宿で生んでくれたって。非常によかった！」

実力がものをいって、天下のＮＨＫも浅草キッドに門戸を開いた。

このインタビュー時点（２０２２年）で、相方の水道橋博士は参議院選挙に立候補する前だった。

高田馬場芳林堂（ほうりんどう）書店で、水道橋が自著のトークとサイン会を催したときに顔を出した。

サイン会は大盛況だった。

サインをするデスクには博士が出したいくつかの本が並んでいる。

玉袋筋太郎の本も置かれていた。

「ああ、ここです」

歌舞伎町の水先案内人は、インタビュー終了後、撮影のために私たちを連れてビルとビルの谷間をくぐり抜け、何処へか導いた。

玉袋が指さしたのは、ビルとビルの狭い谷間だった。

私が中学一年で、はじめて歌舞伎町に足を踏み入れたとき、ビルの谷間に女物ハンドバッグが捨てられていた。あのときの暗い谷間によく似ている。

さすがに捨てられたハンドバッグは見当たらないがビールの空き瓶や何かのケースといったものが無造作に捨てられている。

狭い路地を抜けると、また狭い路地に出た。

長い時間いられない。

転ばぬように急ぎ足で案内人のあとを追う。

歌舞伎町のネズミになった気分で暗がりを急ぐ。

やっと抜けだした先は、私が想定したエリアではなく、歌舞伎町セントラルロードだった。

街の喧騒がいきなり私を包み込み、現実に引きもどされた。

*

金色とピンクの長い髪がキックのたびに乱れ浮く。

「新宿歌舞伎町 キックボクシングジム」代表のＲＩＫＩＹＡである。

「うちは朝六時までやってます。（歌舞伎町の）土地柄に合わせてというのもあるし、人のやってないことが好きというのもあります。オープンしたのは二〇〇七年」

「新宿歌舞伎町 キックボクシングジム」は歌舞伎町ラブホテル街のど真ん中にある。

すぐ近くには前章に登場したヤクザマンションがそびえ立っている。

「プロレスラーは（長髪が）多いですね。髪が長いほうが映えるというか、ロープからもどるとき、髪がなびくと動きが大きく見えるんです。少し動いても髪が大きく動くと、ぜんぜん違うじゃないですか。演出として長かったり、衣装もヒラヒラつけたりすると動きが大きく見えたりというのはありますね。それに比べると格闘技は長いと目にかかったりして不利なので、リスクを考えると短いほうが実用的です。自分は好きでやってます」

場所柄、ジムの会員にはホスト、元ヤクザ、ダイエット目的のキャバ嬢も多い。

ホスト業界で格闘技大会が催されたときは、ホストがジムに押しかけた。

最近は、朝倉未来がプロデュースするブレイキングダウンを目ざす入会者や体験入会が増えて恩恵を受けているという。また、ブレイキングダウンの開催に伴って増えた素人格闘技大会では怪我人も出ていて、ＲＩＫＩＹＡ自身は怪我をせずに童心にかえってコスプレ格闘技大会やピローファイトの大会を開催し、その動画もアップしている。

元駐車場だったジムは地下一階ということもあって、洞窟のようだ。どこかで見かけた光景だと思ったら、アウトローのカリスマ瓜田純士のＹｏｕＴｕｂｅでトレーニングをしていたのがこのジムだった。

「瓜田君はふだんも練習しにきてますよ」

この街出身の瓜田純士は、全身にタトゥーを入れたアウトローで、関東連合がらみの揉め事で何度も登場してきた。私たち世代では、暴走族ブラックエンペラー二代目総長の父親が有名だった。

天才的な語りのうまさは親子に共通している。

アウトローはしゃべりで相手を圧倒する。語りがうまくないと上に立てない。

世の中は健康ブームだ。

筋トレ（筋力トレーニング）は鍛えていくと体型の変化が着実に現れるとあって、自己愛に満ちた人々に好まれている。

最近ではダイエット効果を狙ってジムに通う女性が増えている。

ＲＩＫＩＹＡのジムも美容のためにキックボクシングを習う女性会員たちが急増し、コロナで会員数が減った分を補っている。

私たちがＲＩＫＩＹＡにインタビューしている間にも、若い女性会員がやってきてトレーニングをやりだした。

男たちの汗臭いジムといったイメージとは異なる光景だ。

「いまは新規の入会は女性のほうが多いんじゃないかな。タレントやモデルがキックボクシングであ

新宿歌舞伎町　キックボクシングジム・RIKIYA

の体をつくったとなったら、そうなりますね。スポーツはなんでもある程度やれば、体調がよくなるし、肌も健康的になるし、性欲も強くなる。体を鍛えて、戦うことは（男性ホルモン）テストステロンが出るから。それがないと昔は狩りができなかったんです」

歌舞伎町に格闘技ジムを開くという、緊張感を抱かせる選択をしたのは、ごく自然だった。

「うちの会員は入れ墨ＯＫにしてるけど、いまはファッションだから、若い人も女の子でも普通の人でも入れてるし。もちろん、がっちり入ってる人もいるけど、別に気にしないです。自分がバンドやってたのもあるかもしれないんで。バンド系は昔から墨入れてる人も多かったんで。入れてても、演奏できるってことはちゃんと練習してるってことだから」

暴排条例によって本職のヤクザは申し込みの時点でジムに入れなくなった。

だが、一般人を装って入会する可能性もあるし、その場合は見分けるのも難しくなる。

ヤクザは本来ケンカ好きである。格闘技をやっているヤクザも少なくない。

私がまだ大学生だったころ、北区のあるサウナに入っていたら、サウナ室から出て涼んでいるヤクザに話しかける遊び人風の若者がいた。

ヤクザはその若者に向かって、ヤクザは喧嘩が強いと吹聴する。

日ごろ、酒やドラッグに溺れ、不摂生がたたり、素手で戦うときは圧倒的にボクサーや柔道、空手有段者のほうが強いのは目に見えている。

ところがヤクザはこういった。

「俺らは、勝たないとやっていけない。だから手段は選ばない。柔道やボクシングやってるやつと違う点は、やつらは防御をする。俺たちは防御なんて一切関係ないから。殺るか殺られるか。どんな手段取っても殺るから」

そのやり取りは私の記憶に強く刻まれていた。

以前、とある著名ボクシングジムに在籍するプロボクサーを取材したとき、そのやり取りを話したことがあった。

プロボクサーは少し前まで本職のヤクザで見事な入れ墨を入れていた。ところが堅気になってボクサーを目ざすために、入れ墨を外科手術で消して、リングにあがり、当時話題になった。

彼ならヤクザとボクサー、両方の世界に身を置いたのだから、北区のサウナで目撃した一件について意見を持っているはずだ。

すると元ヤクザのボクサーが神妙な顔でいった。

「そのヤクザがいってること、そんなに間違っていないと思いますよ」

プロボクサーのほうが圧倒的に強いと断言するものだと思っていたのだが。

防御もせずに捨て身でくると、強いというのだ。

RIKIYAはどんな意見なのだろか。

「シチュエーション次第でしょうね。時と場合ですよね。そういう人たちは口もうまかったりしますからね。どう制圧するか知ってますから。手を出す前に心理的な制圧がうまかったりすると、半分以上勝った状態からはじまる。相手をビビらせるんであれば、組の名前を使ったり、入れ墨見せただけで怖がるだろうし」

「まさに総合格闘技的な実戦ですね」

「そうですよ。例えば、世界で一番足の速い人ってだれだと思います？」

「ウサイン・ボルト？」

「マラソン走ったらウサイン・ボルトは勝てます？」

「なるほど」

「つまり、その競技のルールによってだから。じゃあ、競走しようぜってマラソンをやったら、短い距離だったら、向こうのほうが強いけど。自分らももしかすると勝てる可能性は出てくる。そういうことですよね。どっちのルールで、土俵でやるかっていう。ちょっと屁理屈っぽくなっちゃうけど」

「やらないのが最強ですよね」

格闘技を学んでいくうちに、身につくものがあるという。

「やってると、そういうもの（強さ）が出てくるんでしょうね。あと、本人が自信持ってやるかやらないかは大きいと思うんですよ。なんでもそうだけど、正しいことでもぼそぼそ話す人だと説得力がない。ほら吹いてても堂々といったら本当になっちゃうみたいな」

「実戦の制圧法の一つですね」

「それはありますよね。人間は事実よりも信じたいものを信じるし、感情に流されるんですね」

＊

ＲＩＫＩＹＡは一九七〇年、北海道札幌市で生まれ育った。

幼いころ両親が離婚し、母に引き取られた。

「記憶がないころに離婚してるんで、父親は顔もわからないし、記憶もない。そっちの親戚もぜんぜんわからない。会ったこともないですね。子どものころは、学校で父の日に何か書きましょうってなったら、どんな父親なんだろうと思ったけど。いまじゃ興味ないです」

母は昼も夜も働き、ＲＩＫＩＹＡと妹を育てた。

「母親が昼と夜、働いてたんであまり会った記憶がないんです。母親の実家は兄弟が多くて、母が末っ子だったんで何も買ってもらえなくて、お金にも苦労したみたいで。だから、自分の子どもにはお金の苦労させたくないと、働きづめでした。新品の服を着せてあげて、習い事もしたいことをさせてあげたい、という。母親が子どものころはやりたいことは何もできず、農業を手伝わされる状態だったらしいんです。母は日曜も働いてました。いまは何をするんでもお金がかかるから母の気持ちが理解できるんだけど、そのころは逆に寂しかったというのがありましたよ」

母方の祖母の家に行ったとき、急な階段を上り下りするのが怖かった。母を取り巻く環境と重なったのか。

中学で脚を負傷して運動ができなくなり、完治すると高校時代はバトミントン部に入部した。同時に音楽活動にも熱中する。

子どものころからプロレスや特撮物、戦隊物を見て、正義の味方に憧れ、自分も強くなろうと地元の空手道場に入門する。

同時期、夢中になったのが音楽だった。高校時代からすでに現在のように髪の毛を染めていた。学校が自由だったので髪の色についてお咎めなしだったが、高校三年になって担任が強硬に染め直すように命じてきた。

染め直す気もなかったので、いやな担任からはずれようと、一年落第するつもりで学校に通わなくなったら、ほかの教師から「いいからこい！」といわれ、登校したら強硬だった担任はおとなしくなっていた。

学校の成績はよくて特に理数系はトップクラスだったので、学校も気を使ったのだろう。

「理数系に強いロックシンガーも珍しいですね」

「シンガーじゃなくベーシストですけど」

「ああ、そうでしたか。実はうちの妹の旦那が東大中退でベーシストなんですよ。ベーシストは理数系に強いのか」

私が半分ジョーク混じりで返した。

すると理数系に強かったベーシストが答えた。

「またすごい転身だな」

「バンドでは食えないっていうんで、医療関係で働いてます」

「そりゃあ難しい。バンドで食べたい人はたくさんいるけど食べられる人はごくわずかです」

バンドマン自体、全員我が強いが、なかでもヴォーカル、ギターに多いとＲＩＫＩＹＡがいう。

「ベースはどちらかというと、両方の間を取り持ってるイメージはあります。リズムを刻んでメロディーもやってというまとめ役的な。自分の場合はぜんぜんまとめてなかったですけどね」

RIKIYAが在籍したバンドは札幌市内で名が通る存在になった。

「東京のときより札幌時代のほうが売れてたのかな。札幌時代はコンテストに出れば入賞して、地方行けばギャラもらったし。地元のタウン誌に毎月載ってたし。メタル系ではけっこうお客さん入ってたんです」

それでもギャラ十万が入っても、メンバー五人で分けたら二万だ。プロとしては苦しい。音楽をやるには花の東京でやるしかないと、バンドメンバー一人とハイエースに機材と日用品を詰めてフェリーに乗り込んだ。

東京に着いてはみたものの、一週間サウナとカプセルホテルで過ごすしかなかった。昼間は住まい探しをして夜はアルバイトの面接に行ってみたが、ど派手な色の長髪二人ではなかなか決まらない。

故郷を離れる際に持っていたカネも徐々に底を尽きだした。電車に乗って探して、また降りて不動産屋に飛び込む。そんな毎日を繰り返していたが、見つからない。

東京暮らしを諦めかけたとき飛び込んだ不動産屋のお婆さんが乗りのいい人で、中野の野方のファミリータイプを紹介された。

野方やその近くの高円寺はバンドマンが多いエリアで、歌舞伎町にも近い。バンド活動をやりながら、毎日、ティッシュ配りやビラ配りをやった。夜は飲食店で働いた。

バンドは解散した。

「やっぱり団体競技は向いてなくて、個人競技のほうが合ってたんです。どちらかというと、人間関係がめんどくさくなっちゃったというか。プロを目ざすと、人間関係と金銭面が大変になってきちゃって。一人で動けるほうがすごく楽でしたね。自分の思ったとおりにできるから」

格闘技好きは上京してからも変わらず、正道会館東京本部に入門、K－1出場選手と練習するようになる。

「K－1選手や海外選手も試合前に調整にきたりしてたんです。アンディ・フグもいて、昼間練習するんです。自分は夜働いて、アンディと練習時間が合ったんで一緒にできたっていうのが大きいですね。最初にK－1選手とかとマススパー（リング）っていって実戦形式の練習をするんです。同じ体重くらいの選手との練習と比べてもパワーがまったく違うんです。ある程度（パンチとキックを）もらっちゃうじゃないですか。ディフェンスをしっかりするようになりました」

キックボクシングもボクシング同様、過酷な減量が待っている。

「人によって十キロとか減量する人もいれば、四、五キロ体重を落とす人もいる。これが一番ナチュラルでパワー出るから。昔はむちゃくちゃな減量させてたみたいですけどね。そうすると、栄養取らないから骨がスカスカになって骨折しやすくなっちゃう。いまは昔と違って水抜きの技術ができてきたんで」

「水抜き？」

「水分で最後は体重を落とすこと。昔はいまほど科学的ではなくて、最後は我慢できずに水道の水を飲んでしまわないように蛇口に針金を巻くとか。いまは逆にギリギリまで水飲んで、汗出して水分を出しやすい体質をつくって試合に挑む。昔は、ある程度になったら、水分を取らないようにしたんで、汗が出なくなっちゃうんです。いまはサプリメントがあるんで、昔の十キロ落とすよりもいまの十キロ落とすほうが楽」

*

ジムを開く前は歌舞伎町で飲み屋を開いていた。飲み屋のときのほうが客層は荒くれが多かった。酒が入ると、おとなしい人間でも荒くれになる。それに比べたら、ジムに通う会員は素面(しらふ)なので飲み屋の客よりずっと理性的である。

飲み屋からジムに移り、約十六年になる。

「歌舞伎町という街はどんなといわれても、ほかのところをあまり知らないから。実家もススキノに近いところに住んでて、野方にいたのは半年ぐらいでそのあと歌舞伎町に部屋を借りて住んでました。だから、ここに住んで三十年近くじゃないかな。通勤時間が一番の無駄だから家賃が一、二万高いんだったら、ここに住んじゃったほうがいいし。電車が止まるのとか気にしなくてすむし。仕事をこの辺でしてるんで、便利は便利です。買い物も歩いてすぐだし。三丁目とか伊勢丹もすぐに行けるし。ドンキホーテもあるし」

「場所柄、道場破りはこないですか?」

「思い切り道場破りみたいのはこないですけどスパーリングやりたがる人はいます」

ＲＩＫＩＹＡが歌舞伎町に行き来するようになった三十年前に比べると、街もかなりきれいになった。

「きたときは汚くて、ホームレスが多くて、チンピラもいて、当時はゲーム喫茶とかポーカーゲーム屋が全盛で、電話ボックスには（風俗店の）ビラがびっしり貼ってあって、そのうちディスカウントの店ができて、コンビニが増えて、カラオケも増えて、外資系ホテルができたころはだいぶ変わった」

「コマ劇場がなくなったのは影響ありました？」

「お年寄り相手の食事屋さんとかはちょっと困ったんじゃないかな」

「ＲＩＫＩＹＡさんがよく行く、歌舞伎町のうまい飯屋さんは？」

「もともと自分で作ってたんで」

「ああ、格闘家はそうですよね」

「歌舞伎町はディスカウント化が進みましたよね。昔はビール頼んで、ほかもばらばらに頼んだら二万近くしてたようなのが、いまは普通に五、六千円で食べられますから。外国人がすごく増えて、ゴールデン街がえらいことになってたりとか。いま、話題になりかけて潰されかかってるのがトー横キッズですね。東宝シネマ横で若い人が道端に集まって騒いで、問題になって。いまはそれを警備する人が出てきて、その辺に座ってたら、どかされて、すごく厳しくなってますから。広場は広場でまた問題になってますけど。ホームレス風の人たちが飲んでたりとか。ライブハウスが近いんで、終わった人たちがコンビニでビール買って飲んで騒いだりしてる。ホームレスに見えるけど、実はあの人たちホームレスじゃない。ガチのホームレスは少ない。生活保護の人が多くて、暇なので集まってきちゃうらしいですね」

ＲＩＫＩＹＡは将来、仕事に関する事務的手続きもすべて自分でできるようにと、行政書士をはじめとした資格を取ろうと、法政大学の通信教育部で学んでいる。

派手やかに見えても、足腰の基盤はしっかりしていないとジムはやっていけない。

「母親は昼の仕事が終わると、夜はススキノで働いてて。自分が中学のときまでは独立してスナックやってましたね。小学校のときは、託児所に預けられてました。一人で留守番してて寂しかったけど。スナックをやるようになると、当時はそんなに厳しくなかったから、スナックのお客さんに、『ちょっとくらい飲みなよ』っていわれると、売り上げを伸ばすために付き合ったり、愚痴を聞いたりしてました。中学のとき、札幌クラブハイツとかエンペラーとか、こっちでいえば歌舞伎町クラブハイツみたいな店に母親は勤めてて、指名があと一本足りないとき店に行って、席についたりしたこともありました。母親が自腹を切っても、そっちのほうが給料がよくなるんです。当時だからできた話です。ジュース飲んでました」

「お母さんがホステスとして働いてるのを見て、どう思いましたか」

「がんばってくれてるなぁと、すごく感謝してますよ。あとは、店にきてもらうための案内状を書かなきゃいけないんで、そういうのもずっと見てたんで、大変だなぁと、ほんと母親には感謝してます。いまはジャンルは違うけど、母親が自分にしてくれたことの倍は返したいけど、できてないですけどね。思ってるっていうだけです」

ジムは徐々に熱を放ち、夜を震わせる。

*

「ダークスーツのバカでかいヤクザが走り回ったり、辻には相撲取り崩れのヤクザがにらみを利かしたり、しょっちゅうサイレンは鳴ってるし、目の前でヤクザが警察にふん縛られて地面に押さえつけられてるとか、ほぼ毎日でした」

米田龍也(よねだたつや)日刊ゲンダイ芸能編集部部長が歌舞伎町のとある角に立ち、回想する。

一九七六年福岡県・北九州市生まれ、四十六歳。

西武新宿線野方駅の近くに住み、早稲田大学に通いながら、新聞の求人情報を見て歌舞伎町の「コージーコーナー」のアルバイト学生になった。

正式名「銀座コージーコーナー」。

一九四八年(昭和二十三年)、銀座で誕生し、現在では首都圏を中心に約四百店舗に成長したレストランで、シュークリームをはじめ豊富な種類のケーキを店頭販売している。

ジャンボシュークリーム(百四十円)は質量ともに最上級である。

「ケーキもおいしいし、レストランではステーキもスパゲティもあるコージーコーナー。あのレストラン店舗が歌舞伎町にあったんです。営業時間は夕方の四時から朝の四時で、水商売関係と酔っ払い

日刊ゲンダイ 編集局 芸能編集部部長・米田龍也

とヤクザと外国人しかいないんです。客層がほんとにひどい店で……」

当時二十歳だった米田青年は苦笑しながら歌舞伎町ならではの思い出を掘り起こす。

「ケーキの出前があるんです。お誕生日用のホールのケーキ、それを歌舞伎町中の店に出前するわけなんですよ。平均一日二十軒。それがクリスマスになると一日百軒以上。クリスマスは出前部隊があって、クリスマスだけで、店の売り上げが百五十万あるんですから。僕は一番下っ端だから、出前ってなると呼ばれて、『リービルのクラブ』とかいわれて伝票と一万円からのお釣りを持って〝ケーキ持ってきました!〟と店内に入って、そこで大人の世界を垣間見るわけです。当時九七年って、韓国クラブが全盛期だったんで、韓国クラブの出前がめちゃくちゃ多かったですね。韓国クラブが下火になると次に中国人クラブがばぁーっと出てくるんです。そういう歌舞伎町の店の変遷も面白かったですね。明らかに変わったなっていうのがわかるんです」

女子高生の援助交際が社会問題になった時代だった。

歌舞伎町はアルバイト感覚でやってくる女子高生と、現金を支払い彼女たちと遊ぼうとする大人たちが出没した。

四十代のサラリーマンが自分のスーツを女子高生にコート代わりに着せて、制服を見られないようにしてラブホテルに連れ込む光景が連日、目撃された。

*

米田青年の視線を釘づけにしたのが歌舞伎町に花開いたランジェリーパブ、いわゆるランパブだった。

「なんだここは⁉　こんな煌びやかな世界があったのかって。出前行ったら、下着のお姉ちゃんがいっぱいいるから、ランパブの出前はすごく楽しみでした。キャバクラも流行っていて、キャバ嬢もめちゃくちゃ美人がいっぱいいるじゃないですか。

当時一番の高級店が『フォクシー』。店長がいうには、歌舞伎町の最高級店がフォクシーだって。出前で行くと、大人になったらこういう店に行ってみたいなあって思ってました。すごくゴージャスで高級感がありました。女の子もえらい美人で、客とのアフターで朝方五時くらいにコージーコーナーにくるわけですよ。それ見て、ああ早く大人になりたいなぁと」

ケーキの出前はランパブや高級キャバクラ店ばかりではなかった。

「ヤクザの組事務所にもよく出前しました。漫画『殺し屋1』のモデルになったヤクザマンションあるじゃないですか。あそこの何号室とか行ったし。……こんなところにも出前しなきゃいけないのかと思いながら持っていきました。新宿二丁目までケーキを届けさせられたりとか。二丁目は守備範囲外なんですけど」

歌舞伎町名物ホストクラブはいまより店舗数が少なかった。

「当時あったのは、『愛本店』と『ニュー愛』のほかに数軒だけですよ。いまよりはるかにホストクラブは特殊な店だったんです。細木数子は愛本店のナンバー1ホスト圭介にハマってました。圭介は羽賀研二に似ていて、店の前に写真が貼ってあるから、へぇー、この男がナンバー1かって思いながら出前してましたよ。愛田さんが娘にやらせてた『ニューマリリン』っていうおなべクラブがあって、入口に勝新太郎の写真を飾ってました」

当時、勢いが増した中国人クラブに米田青年が迷い込んだときのことだ。

「フロアを間違えて、中国人クラブに〝すいませーん！〟って声かけて入っていったら、現金を山分けしてるところなんです。あれなんだったんだろう」

*

店には職業不詳の男たちが毎夜、やってきた。

背中がくの字に曲がった男はいつも美貌のホステスを連れてきた。

早い時間は暇潰しや、同伴の待ち合わせのホステスがやってきた。

クラブの店長やホステスのヒモも毎日のように席に座っていた。

店内掃除のとき、トイレを清掃すると、覚醒剤を打った注射器がよく捨てられていた。

「時給がよかったのも、危険手当込みだってわかるんですけど」

米田青年は〝米田〟と書かれたネームバッジを胸につけ、蝶ネクタイのボーイスタイルで働いた。

蝶ネクタイにネームバッジは、歌舞伎町で働くボーイのシンボルであり、身分証明だ。この格好だったから、ヤクザ事務所や正体不明の事務所でも平気で入っていけた。

「店の常連さんにはヤクザもいて、後々、ヤクザ雑誌を見て、このおじさんだ！って人がいたんですよ」

男は住吉会系の有力組織組長だった。

四十代で恰幅もよく、Vシネマから抜け出したような男前のヤクザだった。いつも若い衆を連れて、食事を振る舞っていた。

ヤクザが店のウエイトレスと顔なじみになって、いつしか惚れてしまうケースもあった。

常連客の多くがオーダーするコージーコーナーの人気メニューに「森のきのこのパイ包み」という名物スープがあったという。

韓国クラブの韓国人ホステスがくると、たいていそれを頼む。

「タバスコを持ってきて」

米田青年が持っていくと、ホステスはタバスコ一瓶すべて入れてしまった。

「そんな辛くすると味がわからないだろって思うんだけど、まだ入れてる」

ケーキの出前の多くは誕生日祝いなので、プレートに「誕生日おめでとう」とチョコペンで書く。誕生日を迎えた贈り先の名前を入れる。

「書くのは技術がいるんです。うまく書ける店員が帰っちゃうと、お客に書かせるんですよ。こっちが書くと文句いわれてもあれだから。『俺、字が汚いから、あんちゃん書いてくれよ』って照れながら僕にホステスの名前を書かせる純情なヤクザもいるんです。あとで、その人は抗争で死んだって聞きました。沖縄出身らしいです」

米田青年にとって、賄(まかな)いつきが何よりも助かった。

採用してくれた店長は短髪でよく働くゲイだった。

「毎日尻を触られるし変だなと思っていたら、ゲイでした。東京はすごいところだなと思いましたね。店長は仕事が終わったあといつも新宿二丁目のサウナに行くんで、『あんたも行く？』ってよく誘われました。行きませんでしたけど。朝四時まで働いて片づけ済ませて外に出るのが五時くらい。始発まで時間があるもんだから、一番街のほうに向かって帰っていくんですけど、雀荘があるんで毎日、麻雀ですよ。僕は、そこで覚えさせられたんですけど、給料半分はカモられてました」

歌舞伎町でケーキの出前をしてきたので、あらゆるビルの名称と地図が頭のなかに刻まれた。

毎朝、仕事が終わったあと、火照った頭を冷やさないと、野方のアパートに帰ってもすぐには眠れない。

西武新宿駅前、二十四時間営業の漫画喫茶のソファに身を沈め友だちととりとめのない話をして時間をつぶした。

無駄話は青春時代に咲き誇る。

話に飽きたら、パチンコ屋で玉を弾くか宇宙センターというスロット屋で運試しをした。

「ろくなもんじゃないですよね。そりゃ留年しますよ」

＊

一九九九年秋、コージーコーナーで新聞を開いていたら、日刊ゲンダイの学生アルバイト募集の文字が目に飛び込んだ。

コージーコーナーのアルバイトもそろそろ潮時かもしれない。

「洗い場とキッチンの間に喫煙できるくらいのスペースがあって、そこに毎日日刊ゲンダイが置いてあるんです。はじめて開いて、五木寛之の『流されゆく日々』が連載だったり、独特の過激なタイトルがあって、なんだこれ?とそれから読みだしたんですよ」

時給を比較したらコージーコーナーのほうがはるかに高かったが、いつかはマスコミで働こうと思っていた米田青年は思いきって試験に挑んだ。

すると即採用。

歌舞伎町のビルというビルをくまなくめぐり、頭のなかに精密な歌舞伎町地図ができるくらい、好奇心の強い男だから、何か光るものがあったのだろう。

一年間のアルバイトを経て、就職シーズンを迎えると、出版社・新聞社を受けた。

伝統ある大手出版社の最終面接に残り、米田青年は、受かったつもりになった。

最終面接の前日、前祝いだと友人たちと祝杯をあげ、翌日を迎えた。

二日酔いで最終面接を受けた。

儀礼的な面接だろうと思っていたら、役員からいろいろツッコまれ、しどろもどろで時間が過ぎた。

「まさかの最終面接落ちです。どこも行くあてがなくなって春からどうしようかなと思ってたら、日刊ゲンダイが何年かぶりに新卒を採用するから、『受ける?』って聞かれて、受けますってことになったんです」

何年かぶりの新卒採用ということで志願者が殺到し、筆記試験は三百人という大人数になった。

英語・国語長文読解・政治経済・一般常識。

雑学問題では、左側に有名芸能人の名前、右の欄にいくつもの新興宗教の名があり、関係するものを線で結ぶ、という問題もあった。

沖縄が生んだカリスマシンガー、安室奈美恵のフルネームを漢字で書け、という問題もあった。まさしく雑学である。

好奇心旺盛で博学、歌舞伎町で身についた生きる知恵もあって、米田青年は筆記試験の成績が一位だった。

結果、米田青年ともう一人が合格、晴れて日刊ゲンダイに入社した。

私からのインタビューを受けるため、久しぶりに歌舞伎町に立った元青年。

甘いケーキが揃ったあの名店は消え、キャバクラに変わった。

コージーコーナーは二〇〇八年三月、ロッテホールディングスに全株式を譲渡し、完全子会社になった。

「歌舞伎町、当時は人がいまよりいっぱいいたのが面白かったですよね。熱気の渦中にいる感じはあって、いまの職業に通じるものがありました。自分もそこにいていいんだという大らかさが歌舞伎町の魅力でしたね」

*

「本橋さんも、やっと書き下ろしが終わったんで歌舞伎町一本でやれますよね」

担当編集の勝浦基明が渋い声でいってくる。

私が大学生のころから親交している伊藤輝夫、世にいうテリー伊藤の半生を描いた書き下ろし『出禁の男』（イースト・プレス）が二年越しで完成し、世に出たばかりだった。

一九八五年、テリー伊藤が総合演出した『天才・たけしの元気が出るテレビ‼』は、バラエティ番組を根底から変えるドキュメント風演出と素人を表舞台に引きずり出す手法でテレビの歴史を塗り替えた。

天才ディレクターと呼ばれるテリー伊藤は最初から脚光を浴びていたわけではなく、制作会社の一ディレクターだった。低視聴率で日本テレビを出禁になり、テレビ東京で低予算の『いじわる大挑戦』という番組を演出していた。

たこ八郎に東大生の血液を輸血したらＩＱは上昇するか。たけし軍団に交番の前を唐草模様の大きな風呂敷をかつがせて何往復もさせたらどうなるか。稲川淳二にサファリパークの虎の荒れた唇にリップクリームを塗らせる、といったいまではオンエアできない過酷な実験を演出してきた。

あまりにも馬鹿馬鹿しい内容は、かえって話題を呼び、日曜日ゴールデンタイムという超激戦区のなか、裏番組の巨人戦や大河ドラマと互角に戦い、視聴率で抜くときもあった。

書き下ろしのためにテリー伊藤に取材していると、過激なお笑い企画が掘り起こされた。

なかでも印象的だったのは、素っ裸の林家ペーが十字架に磔にされる企画だった。

「たぶん（林家）ペーさんかな。それともう一人お笑い芸人、だれだったかな。ペーさんともう一人を十字架に磔にしておくんですよ。素っ裸で。それでチンチンが勃って先に鈴が鳴ったほうが負けとかさ。アハハハハハハ。バカだよ、大バカ。大バカ野郎だよ！　くっだらねえなあ。こんな企画がよく通ったよな。ワハハハハハハ！　くだらなすぎる！」

林家ペーの鈴が先に鳴った。

テリー伊藤が「くだらなすぎる」というときは、最上級の褒め言葉である。

こんなコーナーがよく地上波でオンエアされたものだ。

私たちは夜の歌舞伎町をそぞろ歩き、あるビルの地下二階をのぞいてみた。

コロナ禍の最中であるが、いくつかスナックが営業中である。

歌舞伎町の地下スナックにはじめて足を踏み入れるときほど、緊張するものはない。

ぼったくりならそれはそれでネタになる。

さあ、どこに入るか。

ふとドアを見ると、懐かしい人の懐かしいポーズの貼り紙がある。

『オレたちひょうきん族』のひょうきん懺悔室（ざんげしつ）で毎回登場したあの小太りの神様ではないか。

「女無（メンバー）BAR」会員制。

ひょうきん懺悔室の神様がドアになかったら、入る勇気はなかっただろう。

ぼったくり店への突撃は回避して、『オレたちひょうきん族』に登場していたあの神様に会ってみるか。

『オレたちひょうきん族』は一九八一年五月十六日から一九八九年十月十四日までフジテレビで放送

され、同局が八〇年代放送業界のトップに躍り出る原動力となった歴史的番組だった。

ビートたけしがタケちゃんマンという正義の味方に扮し、敵役ブラックデビルは明石家さんまが扮した。

ラストにひょうきん懺悔室というコーナーがあった。

ビートたけし、明石家さんま、山田邦子、片岡鶴太郎、島田紳助といった日の出の勢いの芸人が番組でしでかしたミスを懺悔する。

十字架に磔になった小太りの男の前にかしづき懺悔するのだ。イエス・キリストを連想させようとしたのだが、あまり似すぎると、教会側からクレームがくるおそれがあるので、似ても似つかぬ小太りの男にしたのだろう。

磔の神様が顔を怒らせて腕を×の字に交差させると、上から水が懺悔人にぶっかけられる。時には小太りの男が微笑み、両手で〇マークをつくると、上から紙吹雪が舞い祝福される。

今夜は、水が降るのか、それとも紙吹雪か。

番組の山場だった。

私たちが訪れたスナック「女無ＢＡＲ」の店主はあのときの小太りの神様、芸名ブッチー武者（むしゃ）だった。

番組放送から約四十年が経過しているが、ひょうきん懺悔室の強烈な印象は世紀をまたぎ人々の記憶に刻まれ、歌舞伎町地下に出店しても店の信用度を高める効果をあげているのだ。

女無ＢＡＲのマスターは短髪で人なつっこい笑顔をたたえていた。

懺悔室の神様は変装していたので、いま目の前で見る女無ＢＡＲのマスターがすぐにあのときの神様とは判別しにくいが、目と口はたしかに同一人だろう。

歌舞伎町はスナックが咲き乱れる街だった。

それが今回のコロナ禍で閉店・休店を余儀なくされていた。

「歌舞伎町はプロの人たちが多いから、三カ月やってダメだったら見切りをつけて店を畳んでいく。でないと元は取れないですね。基本的に水商売はそういう風に考えてますよね。三カ月・六カ月・一年と。一年つづけば三年つづく。あとは力次第」

女無BARの営業は夜八時から朝の五時まで。早い時間帯はサラリーマン、深夜十二時くらいから水商売系が中心になる。

ブッチー武者が懺悔室に登場していたときは、役者・お笑いタレントだったが、いまも現役で舞台に立ち、劇団を運営している。

多くの役者が収入が不安定なので、飲食業などを兼業しているように、ブッチー武者の歌舞伎町のバーは生活基盤を保つためにやっているのだが、芝居のためのアンテナショップともなっている。

「うちもおかげさまで二十六年やりました。しかも地下ですからね。この店はほとんど宣伝が効かないですね。SNSとかそういうのでボツボツやったとしても。歌舞伎町の地下二階ってだけで、入るの大丈夫か？ってなるじゃないですか。一見(いちげん)の客なんてまずきません。きてくれた人の口コミでなんとかやってます。ここに貼ってある会員制っていうのはね、実はヤクザ除けなんです。会員制といっても金なんか取りませんよ。俺、昔ひょうきん族で懺悔をやってるじゃないですか。ヤクザにも懺悔のファンっているんですよ。そういう人を断るのに、〝申し訳ない、会員制なんですよ〟っていうんです。

女無BARオーナー、お笑いタレント、俳優・ブッチー武者

歌舞伎町はそういう人がうじゃうじゃいるんで戦いですよね」

ヤクザにひょうきん懺悔室のファンが多かったのと同じく、警察にもファンが多かった。

「うちの店、マル暴が多いんですよ。たしかに外見はお互い似てます」

マル暴とは警察の暴力団対策課を意味する。

女無BARという店名は新宿二丁目を連想させるが、そうではなく、女性店員も働いている。

「女無しバーなんで、飲み物を運ぶだけで横にはついたりしないので、反社の人から見たら、ぜんぜん面白くない店なんですよ。だからこないですよ。女の子がいっぱいいるところだったら、みかじめ料だなんだかんだいってくるじゃないですか」

かつて飲食店が支払うみかじめ料はヤクザのシノギ（稼ぎ）の大きな部分を占めていたが、暴排条例などによって固く禁じられるようになった。ちなみに女無BARも払っていない。

「警察官だってやばい人がいるっていうじゃないですか。警察官がヤクザみたいに、ここ守ってやってるんだから安くしろとかって。うちは一切ないです。きちんとお金払っていきます。逆におごってくれますよ。うちが二十六年つづいた理由はそこにあるんですよ。店、全部警察官で埋まったときがあるんですよ。皆さん部署が違うんです。新宿だけじゃなくて高島平だとかいろんなところからくる。お互い知らない者同士だから、『俺たちと同じ会社かなぁ？』とかいうんで、〝そうなんですよ〟っていうと、『ああやっぱりなぁ』って。アハハハ」

ブッチー武者。一九五二年長野県生まれ。

高校を卒業後上京、建築設計事務所に勤務する。

演劇をやっている友人から、人手が足りないから、休日に芝居の手伝いをしてくれないかと誘われ、通行人くらいならできるだろうと駆り出された。

最初にやったのは、小中学校の生徒たちの情操教育のための芝居だった。

いろいろな学校を巡回していくたびに、学校の先生から「あんたって出てくるだけでおかしいから、喜劇でもやれば」と勧められた。

本人もその気になりだしたころ、NHKで『お笑いオンステージ』という番組があり、そこで若手喜劇人を育てるためのオーディションがあったので、ブッチー武者青年も挑戦した。

オーディション会場には約二百名が詰めかけた。

著名コメディアンの弟子やこれから売り出そうという若手たちが混じるなか、お笑いの知識も経験もないブッチー武者青年は、半ば諦めの境地でオーディションを受けたところ、合格者の十名に入ってしまった。喜劇人としての存在感が体から溢れていたのだろうか。それに福相なのだ。

NHKの『たけしくんハイ!』『コメディ公園通り』に出演、『お笑いオンステージ』では主役が面白いことといったらみんなでコケるうちの一人になった。

そのころ、演芸場で面白いと噂されていた「ラッキーパンチ」のコントを観に行った。

「いい加減にしろ」というオチが定番のお笑い界で、ラッキーパンチのレオナルド熊は、流れのなかで突然、幕切れにする。

すごい人だ。

「弟子にしてください」と楽屋に押しかけた。

レオナルド熊は「きみは社会の常識は知ってるんだろ?」というので、〝知ってるつもりです!〟と答えたら、「常識を知ってるやつは俺は扱えないわ」と断ってきた。

「弟子になるんだったら、師匠がカラスは白だっていったら、『はい! 白です!』というやつじゃないと駄目なんだよ」といった。

常識が通じない、理不尽な芸の世界をレオナルド熊はさし示したのだろう。

ブッチー武者は、しまったと思った。

だが、そのあとも何度も舞台を観に行くたびに、楽屋に押しかけ弟子志願を訴えた。

「『お前もしつこいな』っていわれて『いいよわかった、お前はどうなるかわからないから、あまりひどいようだったら追い返すけど』って、弟子にしてくれたんです。最初は師匠の家で住み込みです。朝、師匠が起きるときには必ずコーヒーを沸かして、洗濯して、稽古して、風呂を掃除したり沸かしたりとか。それを二年間くらいやりましたね」

その後、水島敏(みずしまびん)と「アッパー8」を結成。都内で知り合った女性が高校時代に合唱部に所属していたということで親近感を持ち、交際が始まり結婚もした。ブッチー武者も顔に似合わず合唱部にいたのだ。

一九八二年、日本テレビ『お笑いスター誕生!!』で六週勝ち抜いて銀賞を獲得する。

そのとき知り合ったお笑いスター誕生の制作部担当者が、フジテレビの『オレたちひょうきん族』で武者を使いたいといっていると伝えてきた。また、いつものようなエキストラの話かなと思いながらフジテレビに行ってみた。

「実は、こういうコーナーを仮でつくるんだけど」

荻野繁（おぎのしげる）というディレクターが切り出した。

「○か×を出す審判の役なんだけど、とにかく、表情豊かにやってもらいたい」

ブッチー武者の前で番組出演者が懺悔するから、それが、いいと思ったら○。よくないと思ったら×、という説明だった。

台本もないのに、自分で○か×を出す、そんなにすごいことを俺がやるのか。

神父に扮した番組プロデューサー横澤彪（よこざわたけし）が、「罪深き、迷える子羊よ、入りなさい」とNGを出した出演者を呼び、神父が「心ゆくまで懺悔をなさい」と促す。出演者がひざまずき手を合わせ神妙に懺悔する。神父が「祈りなさい。祈りなさい」と促し、いよいよ判定へ。
○か×かはディレクターの演出で決めるのかと思っていたが、ブッチー武者本人の判断だった。やり甲斐もあるが、責任重大でもある。
最初のジャッジは番組にゲスト出演した俳優の荻島眞一（おぎしましんいち）だった。

たいしたミスでもないので、ブッチー武者は○を出した。

以来、番組出演者が懺悔するたびに、ブッチー武者の○か×かが下された。

ひょうきん懺悔室は人気を呼び、レギュラー出演者のほかにゲストも懺悔室に呼ばれ、ほとんどが上から水をかけられた。

コーナー開始後三回目を終えたころ、教会関係者からクレームがきた。

十字架が問題になったのだ。

ディレクターの三宅恵介と何かいい案がないか思案した。

「これでいいじゃないですか」

ブッチー武者は磔の十字架をはずして、みずから磔のポーズをしてみせた。

時計の八時十分の針の位置に似ている。

私の前でブッチー武者が実演してみせると、数十年ぶりのひょうきん懺悔室が甦った。

かくしてブッチー武者の左手を斜め上に、右手を斜め下に向けた、エアー磔が誕生した。

「それでいくか」

そうそう、このポーズだった。

毎週毎週、懺悔室をやっていると、視聴者もマンネリを感じてくる。

そこでブッチー武者はフェイントをかけて○のポーズをしたと思ったら×を出してみたり、その逆をやったりした。

ある回で山田邦子が懺悔するとき、このあと、ほかの番組に出ないといけないので、水をかけないで○を出すように、とディレクターからいわれ、本番でそのとおりにしたら、いきなり山田邦子に水がかかった。

呆然とするブッチー武者。

いったいどういうことだと、ブッチー武者が引きずり下ろされて、代わりに山田邦子がジャッジに回り、×を出してブッチー武者に水がかかった。

スタッフがブッチー武者を騙してドッキリを仕掛けたのだ。

ブッチー武者が◯か×かを出すときの、顔のアップは毎回本人が考えたものだった。

口を大きく開けて、×を出すアップは迫力があった。

コーナーは人気を集め、外に出て一般人に懺悔させる出張懺悔という新企画も生まれた。

番組では九対一の割合で×が出るので、一般人の場合も遠慮なく×を出した。

＊

「俺、たけしさんに軍団に入らないかって誘われてたんですよ、ひょうきん族のときに」

ひょうきん懺悔室は収録の最後なので、いつも夜中に一人、ブッチー武者はフジテレビの浴場に入り、白塗りメイクを落としていた。

ある夜、だれかが浴場の扉を開けて顔をのぞかせてきた。

ビートたけしだった。

「〝お疲れさまです〟っていったら『近所の居酒屋で飲んでるから、ちょっと顔出してよ』って。

横澤さんとかお偉方がいそうだから、俺にはつらいかなと思ったんです。でも、誘われたから行ったんです。そうしたら、たけしさんと太田プロの磯野さんだけがいて、『実は、俺これから若い人を集めていろいろコントとか集団のお笑いをやりたいんだけどさ。入らないか』っていわれたんです」

まだたけし軍団ができる前だった。

ブッチー武者はレオナルド熊の弟子だったので、たけし軍団入りは丁重に辞退した。

「いろいろ世間話をしてるなかで、たけしさん、お笑いってなんなんでしょうね?って聞いたんですよ。いつも頭のなかにあったもんだから。そしたらたけしさん、『お笑いっていうのはさ、ガンジーだよ。無抵抗の抵抗だよ』っていうんですよ。どういう意味ですか?って聞いたら、『ガンジーはインド独立のときも、非暴力で勝ち取った。俺たちも無抵抗の抵抗なんだよね』って。抵抗してないように見えて抵抗してるっていう。たけしさん覚えてるかな。もっとすごいことといってて、『アメリカは民主主義だどうのこうのっていっても、一番兵器を売ってるのはアメリカだぜ。平和をどうのこうのといってるけどさ』とか」

番組プロデューサーの横澤彪がフジテレビを退社して吉本興業に移籍するとき、送別会でブッチー武者が招待された。

神様役で登場する。

「横澤さんが『神様、私はフジテレビでここまでやってきたんですけど、退社してこれからほかに移るんです。今日きた皆さんにお詫びします。お許しください』って懺悔しました。そのとき、水かけました。アハハハハ」

横澤彪は二〇〇七年に悪性リンパ腫を告白、二〇一一年一月八日、闘病の末肺炎で東京都内の病院にて死去。享年七十三。

告別式前夜。

ブッチー武者は悩んでいた。

最後を見送るのは、懺悔室の神様の格好しかない。

だが告別式にあの格好で参列するのは、無理があるのではないか。

神様の格好はすぐにできないので、告別式会場の池上本門寺に向かう前に変身しなければならない。

だがその格好で電車に乗るわけにもいかない。

女無BARで悩んでいると、客たちが声をかけた。

「俺が車出すよ」

客たちは警察官だった。

当日。

覆面パトカーに乗った懺悔の神様は一路、池上本門寺に向かった。

告別式は参列者とマスコミで埋め尽くされていた。

そこに白塗りメイクの神様が登場した。

『オレたちひょうきん族』から三十年近くが過ぎ、懺悔の神様が復活したのだ。

カメラマン、記者、レポーターが懺悔の神様に殺到した。

いつも笑いで溢れる番組スタッフたちも、今日だけは皆、沈痛な面持ちでいる。

そこに懺悔の神様が登場したので、番組関係者たちは笑っていいのか複雑な顔をしていた。

しかし万感の思いを込めて、この姿をして見送りたかった。

「横澤さんの奥さんやご家族から何かいわれるかなって思ったら、『ありがとうございました。うちの主人は本当にお笑いが好きでしたから、こういう格好をしてもらえて喜んでると思います』って」

懺悔コーナーで売れた一方で、足かせになったこともあった。

ドラマに出ようとしたとき、露骨に「お笑い系の○×の人だよね、どこまで芝居できるの？　役者をなめるな」といわれた。

「俺、途中からあまり（テレビに）出なくなったじゃないですか。ゆーとぴあのホープさんたちと仕事するようになったんです。ホープさんが、『俺たちお笑いやるんだったら、平和で生ぬるいところでやるより、明日の命がわからない兵隊を笑わしたほうが本当のお笑いじゃないか』っていうんです。そりゃ、刑務所に慰問で行ったらたしかに笑うけど、兵隊はそれとは違うし」

ホープと組んで戦火のアフガニスタンで戦士たちを笑わせてみようと旅立った。

*

現地にたどり着いた。

延々と車に乗って戦士たちのいる地域をめざす。

やっとアフガン戦士たちの陣地にたどり着いた。

ここでお笑いを見せるのだ。

アフガン戦士の指揮官が「お前たちは何者なんだ？」と聞いてきた。

「日本でお笑いをやってますけど、兵隊さんの前でやって、兵隊さんに癒しの時間を与えたいと思って」

すると指揮官が「ぜひやってもらいたい」といってきた。

広場に行くと百人近くの戦士が機関銃カラシニコフを携えて集まっている。

兵士たちと共通するものでまずはコミュニケーションを取ろうと、馬に乗って走るジェスチャーをしたりしているうちに、戦士たちもブッチー武者たちに食いついてきた。

そこでゴムパッチンをやるのだ。

兵隊を舞台にあげて、相方のホープとブッチー武者がゴムをくわえて離す。相手の顔にバチンと跳ねる、お決まりのギャグである。

日本では大ウケするが、なにしろここはアフガニスタンである。

ブッチー武者と髭モジャの戦士がゴムをくわえた。

ブッチー武者の嚙み方が浅くて、ついゴムを口からはなしてしまった。

勢いよく戦士の顔にゴムが跳ね飛んで、戦士がうめき声を漏らした。

反射的にカラシニコフをブッチー武者に向けた。

まずい。

ブッチー武者は必死になって、「これはお笑いだから」と日本語と英語を交えて詫びた。

すると、舞台のアフガン戦士が笑った。彼もジョークで応じたのだ
同時に広場を埋め尽くしたアフガン戦士たちから爆笑が巻き起こった。

アフガンでも笑いのツボは同じだった。

「その笑いが山間(やまあい)の要塞(ようさい)みたいなところだったから、山びこになって返ってくるんです。俺、こんな

にウケたことないよなっていうくらい。山びこで返ってくるから、いつ終わるかわからないほど笑いがつづきました」

戦火をくぐり抜けてきたアフガン戦士たちが心の底から笑う。

ブッチー武者は思った。

笑いは無抵抗の抵抗だ、平和の武器だ。

笑いこそ戦争からもっとも遠い存在、反戦だった。

「通訳が『皆、喜んでます』っていうんで、みんなと握手したら、一人の兵士がゆで卵を僕にくれたんですよ。通訳が僕のところにきて『戦士たちにとって、ゆで卵は本当に貴重なんです。めったに食べられないものをあなたにくれたということ、その気持ちを大事にしてあげてください』っていうんですよ。ほかの戦士たちも、俺も俺もって僕ら二人にゆで卵をくれるもんだから、だんだん収まりきらなくなって亀の産卵みたいになっちゃった」

帰り道、ホープがリンゴ売りに声をかけてリンゴを買い求めた。

わずかなカネだったが、山のようなリンゴがきてしまった。

いつの間にか地元の子どもたちが集まってきた。

食べきれないので、子どもたちに一個ずつあげたら「くれ！」と小学生くらいの子どもたちが群がった。

もらったらすぐかぶりつくのかと思ったら、ほかの場所に移動してリンゴを売りに行くのだった。

通訳がいった。

「わずかな金だけど現金を家に持って帰って渡すんだよ」

ブッチー武者が回想する。

「日本は食べ物なんか、いやになるほど揃ってるけど、向こうの人たちは、食べ物がない。日本は弁当だって、二、三時間おけば捨てちゃう。これを向こうに持っていったら、喜ぶだろうなって思うけど、距離が遠すぎる。

あの子どもたちのこと、難民ってテレビではひとくくりにされちゃうけど、一人ひとりにみんな人生があるわけじゃないですか。難民なんて言葉でくくっちゃったら失礼だよなと思います。生きるため必死で、一人ひとり名前をいえよって。そんなことを感じます」

*

現在、ブッチー武者は劇団ZANGEを発足させ、認知症の高齢者介護をテーマにした旗揚げ公演『生きる』をみずからが座長となって上演している。

「歌舞伎町は清濁併せ呑む街。そこから文化が生まれるんですよ。多様性じゃないですか。お金がなくて仕方がなく性風俗で働いてる人が、やっと稼いでも結局はホストクラブに行って金取られちゃうみたいなね。ヤクザもいればそうじゃない人もいる。お客さんに気に入られるためにお寿司屋さんでもなんでも切磋琢磨してるわけですよ。だから、小池（百合子）さんとか石原（慎太郎）さんのようななんとか育ちの人は、そんなことわからないで、お膝元にこんな汚れた街があっていいのかみたいなくくりでやってきてる。歌舞伎町っていうのは、人間の原点です。人間の心のなかにあるじゃないですか、いい心と悪い心が。いい人間と悪い人間が。そのいい人間もたまに悪いことしますよね。そういうの考えたら面白いんですよ、人間模様が。舞台だってわざわざ悪者作ったりするじゃないですか。一つの作品をつくっていくわけだから。歌舞伎町っていうのは、だれでも受け入れるところです」

コロナ禍で女無BARも苦境がつづく。

取材を終えるころ、テリー伊藤の名前が出てきた。

ブッチー武者もテリー伊藤演出番組に出演したときがあったという。

「テリーさんって奇抜なことばかりやってたじゃないですか。僕らも若いから、番組でいろんなことさせられましたよ」

「どんなことですか?」

「冬眠してる蛇を裸になった自分の体温で暖めて目覚めさせる、とか」

「もしかして、『いじわる大挑戦』ですか?」

「そうそう! その番組。蛇が動き始めて、うわぁ!みたいな。それから蛇の夢を何回も見ちゃった。あと、なんだ……。ノーパン喫茶のイヴちゃん。イヴちゃんが出てきて、俺と林家ペーさんが素っ裸になって……」

何かが頭のなかで交錯した。

待てよ。

林家ペーと素っ裸になって。

もしや。

「あーっ！　ブッチーさんだったんですか！　いまね、テリー伊藤さんの伝記を書き上げて本屋に出てるんですけど。そのなかで、『いじわる大挑戦』で林家ペーさんともう一人を素っ裸にさせて、あそこに鈴をつけてというエピソードを書いたんですよ」

「そう！　俺、その一人ですもん」

奇跡だ。

あの本のなかで唯一、具体的な人名が出てこないまま相手役をボカして書いた。

ずっと気がかりになっていたのだが、まさか今日、歌舞伎町地下二階のスナックで相手役が当の本人によって判明するとは。

「実は林家ペーさんと対決したもう一人のお名前が出てこなかったんですよ」

「けっきょく俺が売れてないってことだな」

「いや、それは違いますよ」

林家ペーと対決したときの貴重な証言がさらに飛び出す。

「鈴が鳴ったとか、物差しかなんかで測ったのかな」

「ペーさんの鈴が先に鳴ったって聞きましたけど、それは合ってますか？」

「合ってる！　俺のほうがダメだったなあ。アハハハ」

「先に鳴ったほうが負けなんですよ」

「俺、カメラを意識しすぎたかな。イヴちゃんが目の前を通って、俺たちに妖艶な姿を見せて。俺たちはそれを見て反応するわけ。テリーさん、俺の名前、覚えてるわけないよね」

「増刷したあかつきには、ちゃんとお名前入れさせてもらいます」

林家ペーとブッチー武者の対決で、目の前を歩いた水着美女は当時、歌舞伎町のノーパン喫茶の女王と呼ばれたイヴだということも判明した。

「思い出した。あとね、魚屋に行って素っ裸になってハエ取り紙用の薬をいっぱい塗られて、天井から吊るされて一時間でハエが何匹捕まるかっていうくだらないことやったんですよ」

ブッチー武者は笑った。

歌舞伎町の人の渦は、不思議な縁を導き出す。私たちは礼を述べて店のドアを開けると、ブッチー武者が声をかけた。

「テリーさんに、俺は元気でやってますって伝えてください」

第六章　キャバクラ嬢、半生を打ち明ける

「歌舞伎町のキャバクラはいまやまったくの異次元です。一回飲みに行ってサラリーマンの月収くらい使わないと、人気のキャバ嬢は席についてくれないでしょう」

私の著作にもたびたび登場した、キャバクラに詳しい人物の発言である。

「シャンパンを数本は入れてくれない細客（それほどカネを使わない客）はお断りの雰囲気です」

歌舞伎町「華灯（はなび）」は区役所通りの人気キャバクラで、和を基調とした豪華な店内である。

在籍する女性たちも華やかで、なかでも黒宮ちはやは、キャバ嬢の教科書ともいわれる『小悪魔アゲハ』のモデルでもあり、連続指名第一位を維持している。

「殺害予告三回受けたことあります。おカネをいっぱい使ってくれたお客様がいて、わたしと一緒に帰れると勝手に思ったんでしょうね。『このあと、ホテルだ！』みたいにいわれたから、〝そんな約束してなくない？〟って返したら、『こんなに使ったんだからいいだろ！』って。〝考えておくわ〟となって。で、そのお客様は帰ったんですよ。そのあとにまた、アフターはまだ？みたいな電話きたから、〝約

束なんてしてないし〟と返して。『あっそ、わかった』で終わったと思ったら……LINEで、お前のこと殺してやる、九月中に歌舞伎を歩けなくさせてやるとか、夜道に気をつけてねって脅しの言葉を送ってきて」

LINEで「お前、殺されたくなければ一分後に電話してこい!」と威圧的なものもあれば、店がはねて客とアフターしていたら、ホテルに連れ込まれそうになったときもあった。

超人気キャバクラ嬢につきものの、熱くなった男たち列伝である。

「酔っぱらったらしく、力づくでホテルでレイプしようとしたのか、アフター先のバーから無理矢理ホテルに連れ込まれそうになったんです。わたしがコケて、めっちゃ怪我して。エルメスのバッグもずるむけ。やだーって叫んだら、お客様も我に返ったのか、『もう、いいよ』って、その場に置いてけぼり。(歌舞伎町の)ホテルのなかには入らなくてすんだんですけど」

「男性不信になりませんか?」

「そうですね。キャバクラのお客様たちって、『お前だけだよ』っていってるけど、ほかにも指名してる女の子はいっぱいいるし。口説いてる女の子もいっぱいいる。わたしだけじゃないっていうのが、すごくわかる世界。わたしを口説いてるこの人も、妻がいる娘もいると思うと、〝男って怖(こわ)〟ってなりますね」

色恋をテーマにした仮想空間で、現実と空想の境目がわからなくなる場合もある。

「知り合いのキャバ嬢が、めちゃくちゃおカネを使ってくれてたお客様に婚姻届けを持ってこられて、店で強制的に書かされそうになったんです。提出されたら終わりだから、書けないじゃないですか。

そうしたら、刺された。夜道で、『なんでこんなに（おカネを）使ってるのに、お前は結婚してくれないの？』って腕をグサっとやられたらしい、事件にはなってないみたいですけど」

黒宮ちはやは二十四年前、千葉県で生まれ育った。

「初恋は、ハヤトくんっていう男の子。好きすぎて、ブランコこぎながら〝ハヤトぉ、ハヤトぉ！〟って、めっちゃアピールしてた。サエちゃんと保育園でバッチバチになりました。サエちゃんもハヤトくんのことが好きで。わたしがハヤトくんにおんぶしてもらってたら、引きずりおろされて、お腹のところバン！ってやられて。それで泣いた記憶がある」

小中学校の成績はほぼ、オール5だった。

試験前日、徹夜で勉強したら、だいたいできた。テストが終わるとすぐ忘れてしまったというのは、それだけ集中力があるのだろう。

小学校のころから常に一番を取ろうとしていた。

「無意識に目ざしてたんです。だれよりもうまくなりたい、だれよりも注目されたいみたいな。小学校のバスケの試合のとき、他校の一番強い子がわたしのマークにつくと嬉しかったりしました。承認欲求がすごいんです。だれかに認められたかったり、自分をすごいと見せたかったのが昔からあって。キャバクラは数字を売れば自分が目立つし輝くじゃないですか。努力次第だし、自分の欲求を満たしてくれる場でもあるから。

小学校のときに、自分のいけない行動とかが原因で仲間はずれになったり、こんなことで怒るの？っていうワードで友だちがキレてしまって除外されたりとか。一人ぼっちになったことがけっこうあって。そのときの寂しかったという気持ちがいまも忘れられないから、一人ぼっちになりたくないんだと思います。だれかにわたしの存在を認めてほしい」

人間にとってもっとも辛い体験は、ほかでもない、自分の存在を無視されることである。

一九八六年二月、中野区の中学二年生男子が父の故郷岩手県盛岡市の駅ビルトイレでみずから命を絶った。

男子は周囲の同級生たちから執拗ないじめにあっており、すでに死亡したものとして、机に花を飾られ、寄せ書きで追悼される嫌がらせも受けた。担任教師も加害少年たちから「ドッキリだから」といいくるめられ、寄せ書きに加わってしまった。

男子は父の故郷を最期の地に選んだ。

事件は「葬式ごっこ」という呼称で衝撃的に報道され、加害少年たちは書類送検された。

葬式という形式を押しつけられ、無視をされた男子は、自分の存在を消され、絶望のあまり最悪の手段を選んだ。

自己存在の確認ができなくなった悲劇だった。

＊

「わたし、けっこう性格が変わってるんですよね。こうじゃなきゃいやだと思ったら、周りの意見を聞かなかったり。そういうのが小学生のころからあって。〝わたしがこういってるから、こうなの！

華灯・黒宮ちはや

あんたたちは黙ってわたしのいうことを聞けばいいでしょ?〟みたいな感じ、ジャイアンみたいな」

「学級委員とか生徒会長とかもやったんですか?」

「そこはめんどくさくて」

黒宮ちはやは明るく笑った。

「小学生のとき、挨拶ができなくて、友だちが『おはよう!』っていってくれても、仲がいいのに、挨拶が返せなかったんですよ。ほんと、クズな人です。それで、ちゃんと人間形成をしなければと思って、その子たちとは違う中学校に行って、一から自分を見詰め直したんです。そうしたら友だちがちゃんとできたんです! そのときは、みんなについてきてもらえるようにしつつも、トップになりたいというのはあったと思います」

高校を卒業すると、郊外の大学に入学する。

女六人、男六人の仲良しグループができて、いつも一緒に遊ぶようになった。

「当時、ぜんぜんお金を持ってなくて。お昼休みに、『アイス買いに行くけど一緒に行く?』って聞かれたから、〝わたしはお金ないからいいや。いいなぁ買えて〟って何気なくいった一言で嫌われたんですよ。当時もいい方は変わらないんですけど、相手には〝わたしは買えないのに、あんたたちは買えていいわよね〟って嫌味に聞こえたらしくて」

「デリケートですね」

「ですよね。昼の子たちって、なんであんなにデリケートなんだろう。そこで、かかわるのがめんどくさくなっちゃって。夜職のキャバ嬢をやりはじめたとき、キャバクラでできた友だちのほうが、ズバズバいってもわかってくれる子が多かったんです。キャバクラで働いてる子のほうが合うんですよ」

「昼の子というのは、独自の世界があるんですか?」

「ありますね。キャバクラよりも昼働いてる子たち、学生の子たち、OLさんのほうがいじめとかありそうでヤバいイメージだし。上司が部下をいじめたり、なんかネチネチしてるのが昼のイメージなんですよね。夜よりも。そんなのばっかりだからかかわりたくない」

黒宮ちはやは二十歳になる前、横浜のキャバクラから歌舞伎町のキャバクラに移籍した。

「さっきいったように、グループから除外されて行き場がなくなって、キャバクラに週六で出るようにしたんです。そうしたら、売り上げが急に伸びて、キャバクラ楽しいなってハマって。全力でやるようになったら、昼と夜の両立ができなくなって。朝が起きれなくなり、大学にも行けなくなって。もともと、わたしは経営者になりたかったんです。そうなると大学に行って、経営者になるメリットはないと思えてきて、(大学に)行く意味ないんじゃね?となって、それでやめました。いまはキャバクラで、もっともっと売れて、知名度をあげる。そのあとに、いろんな事業をしたいです。昼の事業をしたいですね」

歌舞伎町で働き出したとき、交際していたホストがいた。

そのホストと女性客が肉交している動画をその女性客がちはやのスマホに送りつけてきた。

ちはやはホストを問い詰めたが、これはあくまでも枕営業(仕事)だと開き直ってきた。

枕営業とは、客をつなぎ止めるために、客と寝ることをさす。

「ちなみに、そういう動画を撮ることはよくあるんですか?」

「多いんじゃないですか。（苦笑しながら）ハメ撮り好きな人多い気がします。男だったら見て興奮するじゃないですか」

「黒宮さんは？」

「いやぁ……彼氏に裏切られた感が強かったから、興奮しなかったけど。普通だったらするんじゃないですか。いや、どうなんだろう……」

「彼氏のだったら、複雑だよなあ。それは、消去したんですか？」

「しちゃいました。消去っていうか、保存できなくて、しなかったんですよ。ショックすぎて。全部見ましたけど。いま思えば面白いけど、そのときはじめて浮気というものに触れたんで。心臓が止まるくらい……」

「寝取られたわけですよね」

「そうですね。当時、ピュアだったから枕営業とかも意味がわからなくて。枕営業してないよっていわれたら、してないのに、こんなに売れてスゴイねって思ってたから。いまは、枕営業してないなんて、嘘だろ！って思いますけど。してる人のほうが圧倒的に多いから。みんないわないだけ」

そしていま、こんな結論に達した。

「枕以外でも売れる方法はいっぱいあるから、それを探していけるか、それを探していける子が、将来的に勝っていくんですよね」

＊

歌舞伎町に出てきたときは、頼れるものもなくゼロからの出発だった。

「彼氏もいない。友だちもいない。わたしにできることって、仕事でがんばることしかない！って。そこで、一からがんばろうと思って、働いてたお店をやめて、けっこう有名なお店に移籍して、そこからがんばっていまがあるって感じですね。ハメ撮り送ってくれてよかったかもしれないです、アハハ」

指名数でちはやと競っていた同僚が、ありもしないちはやの悪口を客に吹き込んでいた。

「それって黒宮さんが嫌っていた昼の世界の嫌がらせに近いのでは」

「夜は売り上げさえ出してれば、何もいわれなくなるんですよ。だからキャバクラでは数字をつくることがポジション的にも大事で。あのころは中途半端な売り上げだったから、ネチネチいわれたのかもしれない。いまはいわれなくなりました」

踏ん切りがつくと、金持ちの客を増やそうと努力した。

服装もかわいい系よりも綺麗系を着るようにした。

お金がなくても身につけるアクセサリー、バッグは高級品にした。

ちなみに取材時、黒宮ちはやが身につけている宝飾品はハリー・ウィンストンほか、合計数百万円以上。

「キャバクラにくるお客様って、ホストクラブに行く女の子たちと違って、遊びでくるから、自分の持て余したおカネでくるから。ガチ恋みたいのはいるけど、そんなにいない」

「ガチ恋ってなんですか？」

「本気で付き合う。絶対に付き合いたい、どうしても結婚したいみたいなのでくるお客様とかもけっこういますけど。そういう人は、だいたい破産していっちゃいます。街金とか行って、ちょっとがんばってお店にくるけど。もともと稼いでないし、借金もそんなにできないから。そのうちおカネがなくなって、こなくなっちゃう」

黒宮ちはやの細い右腕に薔薇のタトゥーが描かれている。反対側には蝶のタトゥー。

「蝶って女性美の象徴なんですよ。いつまでも美しくあるとか、そういう意味があるから入れました。よくいわれるんですよね。元カレとあんたでしょみたいに。そういうわけじゃなくて。二つだったらかわいいなみたいな」

「いま、キャバ嬢でタトゥーって流行ってるんですか？」

「入れてる子は多いですね。ガッツリよりは、こうやってワンポイント系で。オシャレ感覚で入れてますね」

「右腕の青い薔薇の下には、なんて書いてあるんですか？」

「Goddess of fortune is smiling at me です。めっちゃどん底のときに入れたんですよ。彼氏と別れて、友だちもいない。お金もない、わたし、いまどん底だ。お母さんにもキャバ嬢やるって啖呵を切って大学をやめて。親にも心配させて。親のところにももどれなくて、何もない、ヤバイってときに入れたんです。そのときに、幸運の女神はわたしに笑いかけてるよというのをここに入れました。めっちゃ恥ずかしいんですけど」

「文面は黒宮さんが考えたんですか？」

「そうです。自分で考えました」

「それと、青い薔薇ですよね」

「青薔薇は奇跡とか、不可能なことを成し遂げるとか、そういう意味があるから。そのときの自分からしたら成りあがるのは、きつそうだなぁと思ったんですよ。けど、努力次第でどうにでもがんばれると思って。どん底だったときの気持ちを忘れないという意味もあるし。なんでこんなの入れちゃうの?っていう心ない人たちもいますけど、どっちも意味があって入れました」

「常にトップを走っていて、疲れませんか?」

「疲れます。疲れるし、病んだりもするけど」

「どう病むんですか?」

「全部、数字です。売り上げ、今月ヤバイ……みたいな。一位じゃなくなる、抜かされるってなると、しんどくなって店に出たくなくなっちゃうんですけど。しんどいときこそがんばらないと負けちゃうじゃないですか。勝つためにはしんどくてもがんばらないと」

歌舞伎町のキャバクラの客筋に、そのときの社会が透けて見える。

暴排条例等の影響もあってヤクザは減り、世の中を騒がせている詐欺犯が目立つ。

「ITの社長っていってたけど詐欺だったとか。二年前のお客様、一番(お金を)使ってくださったんですけど、フィットネスの社長とかいってたけど、ガッチガチの詐欺でした。一番使ってるときで月に一千万くらい。普通のときでも月に二百、三百は使ってくれました。そのうち、詐欺もうまくいかない状況に陥ったのか、いつの間にか消えましたね」

非日常の空間であり、男女がかぶくキャバクラでは、客の仕事をキャバクラ嬢が尋ねることはない。もっともみずから仕事のことを吹聴してくる場合は別だが。

投資詐欺、オレオレ詐欺、架空請求詐欺。

詐欺犯たちが店内で、これ見よがしに羽振りのよさを競い合う。

「歌舞伎（町）っていつになっても詐欺が多くないですか、お客様で。ほんとにまっとうな方もいらっしゃいますけど。まっとうに自分の会社一本でめっちゃ使う人は、いないかもしれないですね。過去に捕まったことあるというお客様はいっぱいいます。『これ、俺』みたいな、逮捕されたときの映像とか見せてきて。投資詐欺が多いかもですね。詐欺やってる人って、ノリノリ系とかイキってる系が多いんですすよ。仕事の内容は話さないけど、なんかイキってる感じ。調子乗ってる感ってていうんですか。ちゃんとした会社の経営者は、オーラが違います。接客してるとよくわかるんです、まっとうにちゃんとしてる本物の社長さんだなっていう人は……ちょっとやそっとじゃ振り向かないっていうんでしょうか。ほんとのお金持ちって、キラキラした高いものを身につけてるイメージないです。底なしレベルの大金持ちとかは、ユニクロ着てますもん。キャバ嬢もホストもそうですけど、お金持っちゃった人ってキラキラしたがるから、ブランドの服もいっぱい買っちゃったりするし。成金の人たちも外見がまず違うっていうか、汚いっていうかほんと、オーラが違うんです」

「黒宮さんにとって歌舞伎町ってどういう街ですか？」

「うーん（しばらく熟考）……幸せをつかむのも、不幸になるのも自分次第の街」

「幸せはつかめそうですか？」

「つかむための努力はしてます。ネガティブになったら終わりな街だから、いやなことがあってもポジティブに生きていかないと負けちゃう街。自分を持っているということがすごく大事な街だと思います」

*

「本が好きなんで、こうして携われるのが嬉しいです。雑誌とかの取材は何度かあるんですけど、書籍はなくて。嬉しいです」

歌舞伎町「キングダムクイーン」の人気キャバクラ嬢、もえパラは、このインタビューと同時期に二十二歳になった。

「今日も本屋さん行って本を買いました」

「何を買ったんですか」

「今日は、エドワード・ゴーリーっていう人の、なんていうんだろ、オカルト的な絵本作家の本を買いました」

前日は『星の王子さま』とサリンジャーの『ライ麦畑でつかまえて』の村上春樹翻訳版を買っていた。

「星の王子さまを読んで感動しちゃって。キャバクラバージョンに変えて、お話をずっと書いてました」

「どうキャバクラバージョンに変えるんですか？」

「星の王子さまって純粋無垢なんです。わたしもずっとキャバクラにいて、大人たちはみんな数字が好きだ。数字が書いてある紙が好きだ……わたしにはわからない、みたいなお話」

「数字ってお金？」

「お金とか、売り上げとかもだし、小切手も領収書も、全部を含めて数字の紙切れっていう感じ」

常に成績が数字で出てくるキャバクラ嬢の宿命だろうか。

「パパはもともと鈴鹿サーキットでホンダのテストライダーやったりしてたんです」

渡米して向こうでもテストライダーをやっていたころ、日本人女性と出会い、誕生したのがもえパラだった。

「わたしがまだ小さいころ、パパはこっちに一度もどってまたアメリカに行ったらしいんですけど。もどってきてから（ママが）消えちゃった。大人の事情があるっぽいです。わたしは聞けない。籍は入れてなくて認知だけみたい」

「お父さんがもえパラさんを引き取ったんですね」

「はい」

「もえパラさんの一番古い記憶ってなんですか？」

しばらく考えてから、「赤ちゃんのときかな」と返ってきた。

「生まれてすぐくらい。洗面台で体を洗われてるときだから」

「そのときのこと覚えてるんですか？」

「はい。親戚のおばちゃんと、その息子さんとひいお婆ちゃんの三人がいて。わたし、ぼけぇーっと

キングダムクイーン・もえパラ

しながら、ああ、体あったかいーって感じてた」

「あとづけの記憶じゃなくて？」

「そのときの記憶です。あとから写真見て、あ！　これは生まれたての記憶だ！って。洗面台に入るサイズだから、一歳になってないくらい」

幼稚園のときから水泳、ダンス、ピアノを学び、小学校では剣道を、ソフトボール部をへて、サッカー部、野球部とやってきた。

「では、人生最大のトラブルはいつでした？」

「毎日が小さいトラブルの連続だから。大きいトラブルがない」

といいつつ、今日、口座の残高がゼロになっていてあせったという。

記帳すればいいだけの話なのだが。

「えー⁉　なんでないんだろうって。そしたら家賃三カ月滞納してたらしくて」

テストライダーの父の遺伝なのだろう、小学生のときから車が好きで、都立校で唯一の自動車科がある高校に進学した。

就職率九十九パーセント、トヨタ、日産、ホンダに就職できる高校である。

明るい未来が待っている、はずだった。

ところが、もえパラに幼いころからの持病があり、肝心の運転免許証が取れないことがわかった。

十代で直面した若すぎる挫折。高校はやめた。

「今後はもっと長い人生があるわけだから早めに見切りをつけて、切り替えるのが一番合理的な判断だと思いました」

そのころ同級生と付き合いはじめていた。

するとあちらの両親にいたく気に入られ、彼氏の実家で暮らすことになった。この辺、タフである。

生活費を稼ぐために、もえパラは居酒屋でアルバイトをはじめた。

アルバイトといっても実はキャバクラで働いていたのだ。

それがバレて、彼氏とも別れると、十八歳で歌舞伎町デビューを果たす。

「十代の目に映った歌舞伎町はどうでした？」

「歌舞伎町はキャバクラのメッカじゃないですか。ピリピリして、なんでも二つ返事で〝はい！〟。挨拶と二つ返事。そうしたらかわいがってもらえるようになりました。ほかの子ができてないからっていうのもあるかも。キャバクラは個人事業主の集まりだから、個人戦になっちゃうんで。ぶっちゃけ、利益のない付き合いなんかもあるわけなんですよ、ヘルプとか。お店の『箱』という名目があるから、いちおうみんなで仲良くやってるけど。取り合いもあるし」

「キャバ嬢はプロ野球選手と同じ、個人事業主なんですよね」

「そうです。だから、ほんとに実力。いっちゃえば接客のプロ。メジャーリーグみたいな感じですかね、歌舞伎町・六本木は。戦力外通告されたら終わり」

「歌舞伎町のキャバクラでやってみて、どうですか？　大変なこととか」

「最初は、大変というのがなくて、これが当たり前なんだと。価値観も礼儀作法も接客も仕事も全部吸収して、先輩を見て覚えました。入りたてのころにナンバー2の人のバースデーがあったんですよ。

飲むのがヘルプのわたしの仕事だと思って、ビクビクしながらもとりあえず飲みました。シャンパンタワーがあったんです。〝これがタワーなんだ！〟って。『もえ、飲める？』〝はい！〟ってグラスを二つ渡されて飲んで。（タワーのグラスを）どんどん飲むんですけど、どれから取っていいかわからなくて」

「上から取るんじゃないですか？」

「わたし、身分が下すぎたんで、下から取ろうとしたら、『もえ！　崩れちゃうから！』って。何も知らない時期でしたね」

「何杯くらい飲んだんですか？」

「ぜんぜんわからない。あるだけ飲んだ感じです」

「お酒は強いんですか？」

「どうだろう。持病が怖くて酔えないし。先輩に飲まされても、先輩が酔っちゃうから介抱しないとだめだから酔えない。気を張りっぱなしです」

「大変ですよね」

「いや、そんなに。大変だと思ったことは……」

「ない？」

「はい」

「じゃあ向いてるのかな」

「そうなんですかね」

＊

コロナ禍の初年は、歌舞伎町のキャバクラは閉鎖に追い込まれた。

「去年（二〇二一年）の四月は全部閉まっちゃって、びっくりして。三月の最終日にお店の代表から連絡がきて、『もえちゃん、明日からお休みだから』って。え?みたいな。いろんな噂を聞いてたんですけど、まさか（閉鎖に）ならないでしょと思ってたけど、いきなりきて。『再開までなんとか食いつないでおいて!』っていわれて。そんな……貯金もないしどうしよう。やばい。支払いもあるから」

ガスが止まった。携帯も止まった。

風呂に入ろうとしたら水風呂だった。

友だちの携帯でお客に「仕事ないですか?」と連絡しまくった。

すると「うちの会社の掃除やる?」と声がかかった。

「お客様から現金でもらう子、多いんですけど。わたしのお客様は、仕事を紹介してくれるんです。皿洗いとか。あと、ハワイにいるお客様が、ウーバーイーツ頼んでくれたりして。おいしかったあ。そんなギリギリの生活でした。基本、わたし切羽詰まってるんで。貯金できなくて、使っちゃうんですよね。楽しいことならなんでも。誕生日だと、高いもの買ってあげたり。お祝いごとだったら、仲のいい女の子とか、同業さんとかにも。やばい!　どうしよう!ってなっても意外と生きていける」

人気のキャバ嬢でも板子一枚下はギリギリの生活だった。

「今年の目標は貯金!　先月誕生日だったから、余裕持って分けて使おうかな」

「キャバ嬢のお給料っていうのは週払いなんですか？」

「私の経験上、歌舞伎町だと売り上げの集計が一カ月の前半後半の二週間ずつに分かれてる。だから、十五日と最終日が給料日。六本木だと、月一の二十五日支払いのスタイル。ほかのお店では十日に一度というのもありましたね」

右腕に十字架（クロス）のタトゥーが入っている。

「これは若気の至り、恥ずかしい」

「いつ入れたんですか？」

「十五歳ですね」

「何か意味があるんですか？」

「意味はほんとになくて。なんもないから恥ずかしい。なんの面白味もないただの若気の至りなんですよ。ツッコまれても、なんの返しもできないから。失敗ですね。人生のバツイチみたいな。（形を見て）バツっていわれるんですよね、ほんとは十字架なんですけど」

「毎晩、お酒飲んで接客して、同伴してアフターして。体、壊しませんか？」

「前のお店のときに壊して、円形脱毛症が十三個できました。あとは不眠症。鬱にもなったし、強迫性障害とかにもなったし」

「原因はなんですか？」

「原因はストレスです。何がストレスかわからない。病院行ったらそういう診断されるじゃないですか。鬱は自分で治しました、自力で」

「どうやって治したんですか？」

「気分が落ちてるのわかるんですよ。これヤバイと思って。とりえず動けば脳が活性化されるから、動いたらもどりました。走ったり、散歩したり。毎朝九時に起きて、本読んで。お昼どきは散歩してご飯食べに行って、帰ってきて出勤」

「キャバ嬢って心身にくるんですね」

「ひどい子は、眠剤飲んで、違法な薬物やったり、ホストにハマったり」

今回、多くのキャバクラ嬢から話を聞いたが、二昔前と様変わりしたのは、以前ならタブーだった枕営業と整形手術があけすけに語られていたことだった。後ろめたさがない。

もえパラがキャバクラにおける整形事情を「(整形手術) してない子のほうがいない。けっこうオープン。特にそんな (隠すことがない)」と打ち明ける。

「わたしは目頭と目尻を切って、二重(ふたえ)を糸で埋没で止めて。あとは美容室感覚の注射」

枕営業について。

「なんかね、入りたてのころは、(枕営業は) 噂なんだなぁって思ってたけど、年々、すぐわかるようになっちゃった。なんだろう、勘っていうか。いってる女の子とか。お客様とか。そこが合致して、枕の信憑性が高いなぁみたいな判断になっちゃった。なるほどって。わたしはそんなにないけど。いちおう経験として、どんなものかということで。

わたしの客層はよくて、お医者さまとか税理士さんとか。お医者さまと枕をしたときは、なんか高学歴な人って性癖がすごいっていうか。叫びながらイクんですよ。びっくりしちゃって。何が起こってるんだろうみたいな。洗濯機がグワングワンってなるときないですか？　あんな感じで。故障かなみたいな。やばい大丈夫かな？みたいな感じ」

コロナ禍で出勤を制限されたキャバ嬢が指名を獲得するために、枕営業に走りがちになったという。どんな世界でも食べていくのは大変なのだ。

「夢……ないなぁ。できることしかやってこなかった人生だから。やりたいことあったら、するぐらいですかね。いまはこの仕事をやって、どんどん上に行ったら見える風景も変わってくるのかなぁ」

「もえパラさんにとって歌舞伎町とはなんですか？」

「うーん……弱肉強食。でも、弱肉強食って世の常じゃないですか。どの国行っても何しても、たぶん」

店の営業がはじまり、もえパラが席につくと、そこだけ華やかなライトが当たったような錯覚に陥る。

「有益な人間でありたい。かかわったすべての人に」

二〇二三年春。

マスクがはずれ、キャバクラに華やかさがもどった。

第七章　ホストの群れ

大型トレーラーが真っ昼間から歌舞伎町を回遊する。

ボディには歌舞伎町で働くホストクラブの若者たちの顔写真が飾られている。

歌舞伎町はいま、ホストクラブが支配しているといっても過言ではない。

私がホストを取材しだした一九八〇年代前半、歌舞伎町のホストクラブは「愛本店」を含めて七軒だった。

それがいまでは二百軒以上に増え、コロナ禍の逆風にもめげず増殖中である。

大型トレーラーに顔写真がディスプレイされるホストは指名数上位のごく限られた者であり、歌舞伎町ホストにとって大型トレーラーでのお披露目は最高のステイタスなのである。

「物心つく前から両親に強制的に水泳をやらされてたんです。〝やめたいやめたい〟っていって自分の腕をへし折ってでも、ほんとにやめたかったんです。腕は折らなかったんですけど。何回も木にぶつけたりとかしてました」

新宿歌舞伎町のホストクラブ七店を傘下に収めるニュージェネレーショングループ「マジェスティ」で二年連続年間売り上げグループナンバー1になった人気ホスト、Ｈｉｋａｒｕが回想する。

少年時代、大嫌いな水泳だったが、泳がざるを得なかった。水泳の時間になると頭痛と吐き気が襲いかかった。

仕方なく両親は水泳はいいからほかの競技をやるように勧め、Ｈｉｋａｒｕは陸上競技部に移籍した。

百八十センチ近い身長、顔が小さい分、さらに高く感じる。

浅黒い肌と長い脚、甘いマスク。

水泳から陸上まで幅広くこなす男子生徒は女子から常に熱視線を浴びる存在だった。

「正直、モテましたね」

そのころの夢は体育教師だった。

Ｈｉｋａｒｕは千葉県館山市出身、二十五歳、母がフィリピン人、父が日本人のハーフである。母は日本のほうが長く住んでいる。

Ｈｉｋａｒｕはフィリピンには四回渡航したことがあるが、タガログ語は「マハルキタ（愛してる）」くらいしかわからない。

Ｈｉｋａｒｕは体育教師を目ざしたが実家に経済的な余裕もなく、大学に行くことも許されなかった。そのころ通っていた接骨院の先生に憧れて柔道整復師の資格を取り、接骨院で働こうと専門学校に入った。巷では〝ほねつぎ〟と呼ばれる資格である。

十八歳で上京すると板橋区成増の家賃四万円のアパートに住み、朝六時に起きて八時から昼十二時まで接骨院で働き、昼間に半額になった五十円のパンを買って食べ、学校に行って夕方五時まで授業を受け六時から接骨院にもどり夜十時まで働く。

毎日が修業のつもりで働いた。

師と仰ぐマッサージ師は、内臓をマッサージすることで肩凝りでもなんでも治癒するといい切り、実践してみせると同僚たちは感嘆の声を発する。どこか狂信的な空気を感じた。

ストレスで免疫機能が弱まり、十数キロ体重が落ちた。

深く呼吸ができなくなる、肺気胸(はいききょう)になった。

接骨院をやめようと思った。

何か仕事を探さなければ路頭に迷う。今度は居酒屋で働こうかと新宿を歩いていると、スカウトマンから声がかかった。ホストクラブの勧誘だった。

Hikaruにとってホストクラブの男たちは、女をたぶらかして金を巻きあげるイメージしかなく、だれがホストなんかやるかと断った。

だがスカウトマンは久々に見る将来の大型新人をそう簡単に諦めるわけがなかった。

Hikaruが十九歳だと年齢をいうと、スカウトマンは「この前スカウトした同い年の子が五カ月後に給料六百万円になったよ」と明かした。

毎日タイムセールで五十円になったパンを昼時に食べてきたHikaruは、ちょっと夢があるかな、と思い直し、まずはやってみようと軽い気持ちでホストをやりだした。

「そのとき新宿を歩いてなかったら、いまごろ、居酒屋かほねつぎやってるかもしれないですね」

Ｈｉｋａｒｕは歌舞伎町の夜に飛び込んだ。

女と男が織りなす、情欲の世界が待っていた。

「ホテルで女の子とイチャコラしてるときに、口論になって『じゃあ帰るわ！』って女の子が出て行っちゃったんです。まあいいかなと思ったら、『どこどこホテルの何号室だよね？』ってＬＩＮＥがきて、どうしたの？って聞いたら、『いまから殺しにいくから』って、包丁を買ってる写真を送ってくるんです。ダッシュで部屋を出た思い出があります」

最近でもホストが指名客から刺され血まみれの重傷を負った事件があったように、命がけの職場なのである。

＊

二〇二〇年春、コロナ禍がここ歌舞伎町を襲った。

密な店内でホストがボトルを回し飲み、女性客と密着して会話に熱中するうちに、クラスターが発生、ホストクラブは休業を余儀なくされた。

一時はホストクラブとホストがコロナの元凶といったイメージを持たれてしまった。

だがこれに挫けるホストたちではなかった。

営業再開したときは、徹底した消毒をはじめ、密を避け、イメージ回復に努めてきた。

マジェスティ・Hikaru

手塚マキというホスト出身の実業家も率先してコロナ対策に動いた。

メディアでも積極的に発言する手塚マキは中央大学理工学部中退、川越高校卒（私の後輩）、ホストクラブ六店舗経営、バー・飲食店・美容サロン、デイサービスなどを多角経営している人物で、歌舞伎町商店街振興組合常任理事という肩書きも持っている。

内閣官房新型コロナウイルス等感染症対策推進室に出席し、ときの新型コロナウイルス感染症対策担当大臣西村康稔（にしむらやすとし）、新宿区長吉住健一（よしずみけんいち）とコロナ対策について率直に語り、ホストたちのＰＣＲ検査を促進させ、ホストとホストクラブのマイナスイメージを払拭させた。

コロナ禍はホスト業界へ様々な影響をおよぼした。

六本木、銀座のクラブが相次ぎ休業になり、ソープをはじめとした風俗店も休業、富裕層の男たちは余った時間とカネをパパ活女子に向けて注ぎ込んだ。

食事やデート、性交渉と様々なコースで男と付き合うことをパパ活と呼ぶ。

裕福なパパたちは一回の食事で女性に数万から五十万円渡す場合もあれば、一夜をともにしただけで五百万円渡す場合もある。

パパ活で得たカネで彼女たちはホストクラブに足繁く通うので、コロナ禍はむしろホストクラブにとって上げ潮になっている。

Ｈｉｋａｒｕを指名する二十一歳女性客の本業もパパ活である。

キャバクラ勤めのあと、ソープ嬢をやったものの自分に合わないとパパ活に専念すると、見事に花開いた。

「その子、愛嬌があるんですよ。愛嬌が一番ですよね。すごく食べる子で、ステーキを三枚四枚いけちゃう。一日五件、パパを回って、毎回たらふく食べる。それが男性からしたら、かわいいんですね。毎日うちの店にきてましたね。毎日きては、高額使っていただいて、とどめはシャンパンタワー。誕生日だとかなんかのお祝いとかでやるんです」

店内にはＨｉｋａｒｕに贈られた世界で百六十本、日本国内で数十本しか存在しないといわれる超高額のリシャールが飾られている。

＊

ホストも売り方がある。

女性と恋愛するような関係にもっていく〝色恋（営業）〟。これはあくまでも擬似恋愛である。

〝本営〟は実際に付き合いながら「きみのこと愛してるし、あと一年がんばってくれたら結婚しよう」と本気で甘くささやく。露骨にやりすぎて、結婚詐欺で捕まったホストもいる。

〝友営〟は友だち感覚の営業で、体の関係がある場合もあるが、友だちとして飲む感覚で接客する。「かわいいねとかじゃなくて、ウエーイ、みたいにふざけながら楽しそうな感じでやります」とＨｉｋａｒｕが解説する。

〝病み営〟は「実は俺さぁ、ナンバー1になりたかったけど無理そうだよ……」と落ち込んでいる姿を臆面もなく見せて、母性本能を刺激し、「このシャンパンおろしたら、ナンバー1なれるの？」と客にいわせる。

〝オラ営〟は一昔前に大流行した接客術で、女性客を「お前」呼ばわりしてなおかつ乱暴に扱う。優しくされるよりも刺激的で、ホストが本気で自分に接してくれていると思い込みやすい。

ホストのカリスマになったＲＯＬＡＮＤも昔はオラ営だった。

当時、オラ営のホストたちは営業中でも女性客の髪を引っ張ったり、階段から突き落としたりしたものだ。

Ｈｉｋａｒｕが女心を解読する。

「オラオラされて、虜になっちゃう女の子もいますから。指名しているホストに殴られることに興奮するんです。わたしが必要なんだ、相手にされてるって思うんですね」

ＲＯＬＡＮＤのようにメディアに頻繁に登場して芸能人化したホストは、〝アイ営〟（アイドル営業）といわれている。

髪を盛ったヘアスタイルで一時期ホスト業界でスター化された渚光もそうだった。

アイ営は、自分のホスト論を熱く語り、豪勢なシャンパンタワーのシーンをＳＮＳで発信したり、歌舞伎町の広告看板に巨大な写真を載せてアイドル化して、指名してくれた客と色恋や本営で落とす。

ＳＮＳも武器になる。

ＴｉｋＴｏｋの利用層はホストクラブにくる客層と一致するので、マジェスティではＴｉｋＴｏｋを活用して集客につなげている。

ＴｉｋＴｏｋで「『シャンパンタワーしたら何してくれるの？』といわれたときのホストの反応」

というお題に、ホストたちがどう答えるか。

「小学生のころから大切にしているセミの抜け殻あげるよ」

「毎週金曜日の海上自衛隊カレーを毎日ごちそうします」

「実家からお歳暮贈ります」

「内緒で寮に入れてあげるよ」

ひねりを利かせてホストが答える。

Ｈｉｋａｒｕはフィリピン人二世というキャラクターを活かし、あえて癖のある日本語で自己紹介する。

ホスト版笑点の大喜利がウケて、前年比三倍の集客につながった。

＊

私がマジェスティを訪ねた夕刻、店内では新人ホストや指名のかからないホストが掃除をしていた。

売れてくると夜八時、九時から出勤して深夜一時の閉店まで客と夜を過ごすのだ。

ホストにとってはその間だけが仕事ではない。

Ｈｉｋａｒｕが語る。

「二十四時間がお仕事です。営業が終わって夜中一時から三時までＬＩＮＥしなかったら、『何してたの？　どこかの女といたの？』『ホテルにいるんじゃないの？』っていわれてしまうんで、ほんとに気を張って連絡しないと。精神削ってやっていかないと。あとはお金の問題、掛けというツケですよね。〝どうしてもナンバー1になりたいから百万円使ってよ〟ってホストがいうと、『わたし、五十万しか持ってない』、〝じゃあ五十万立て替えておくから、今日百万使ってよ〟ってなる。〝いつまでに払ってね〟って書類を書いてもらっても、そのまいなくなってしまう。僕、それで数千万円持っていかれたんですよ。本来は女の子に一筆書いてもらうんです。だけど僕は女の子を信頼しきってたので、大丈夫だと思っていたら、連絡がつかなくなってしまいました。向こうが弁護士を雇って、『この子にはもう連絡しないでください』っていわれてしまったんです。僕も弁護士と相談したんですけど、ホスト関連だと警察に相談しても、『こんなのよくあることだし。そんなことには向き合えないよ』ってことになってしまいました。どんだけの額を持っていかれたとしても窃盗罪にはならない。証拠がない限りは。毎回そのお客様の直筆のサイン、ハンコがないと、諦めざるを得ない」

客がいう「大丈夫」は大丈夫ではないのだ。

客に書いてもらったツケの念書があったが、これ以上相手にしていると仕事ができなくなるから回収を諦めた。

ツケを払わずに飲み逃げする女性客も多い。

毎日、人の海を泳いでいるホストたちは、神経が休まるときがない。

ホストクラブは初回は割引価格の数千円で遊べる。二、三回店に通っているうちに高額を使ってもらう関係になる。

ホストが「俺はこの百万のシャンパンを入れたいんだ」と客の前でいいふらすのは、嫌われるケースなのだが、意外と客が次きたときに百万円をポーンとテーブルに置くときがある。

困っているホストを自分の力でなんとかしてあげたい、という女心なのだ。

現在のホストクラブで、優しくスマートに客と接するのは、ウケない。

「そうですね。女性って、ちょっとダメな男性に心を惹かれますよね。例えばカップルがいて、彼氏がすごくまじめでも、ちょっとチャラくてダメそうな別の男性に心を惹かれるという心理があるんですよ。『この人、ちょっとだらしないな。でも、わたしのだらしないところもしっかり叱ってくれる』って。ニコニコして、ねーってやってても女の子からしたら退屈なんですよね。飽きてしまう。この人に数万使うなら、正直に〝もっと俺にお金使ってよ〟っていうわがままなホストがいいなって思うんです」

若者が車に乗らなくなったという。

ホスト業界も同じで、昔は売れると必ずポルシェやベンツに乗っていたが、いまはあまり見かけない。それよりも服、アクセサリー、バッグといった身の回りの品を買い求めたり、大きな買い物になるとタワーマンションに住むことになる。

Ｈｉｋａｒｕが証言する。

「貯金はしないです。お金って使わないと入ってこない気がして。貯めてると、自分がナンバー1じゃなくても、お金もあるしいいかなっていう安心感になっちゃうので、僕はもう使って使って、ですね」

ホストと酒は切り離せない。

「僕もお酒が好きなんで飲んじゃいます。売り上げを伸ばさないといけないので、飲んで飲んで飲んで吐いて、胃と食道が荒れてしまったり、肝臓を痛めたりしますね。毎日下してます。体調の面でいうと動悸もあるし。この前病院で診てもらったら、自律神経失調症だっていわれてしまいました。息切れもするようになってきて。運動は犬飼ってるので、一緒にジョギングしたりとかはするんですけど」

ホストの持病といえば、胃腸炎、喉の炎症、双極性障害である。

「ホストはプライドと意地と闘争心ですよね。負けてもいいやって男に、女性って魅力を感じないと思うんです。何がなんでも勝ちたいって心の底から思わない限りは、女性もついてこないし、お金を使わないです。生活費のためにやってるというホストと、どうしてもあいつをぶっ倒したいから協力してほしいってホストの二択になったら、百人中百人が後者を選ぶと思います。闘争心です。僕も接骨院のとき学校に通いながらアルバイトで、遊び程度でホストをやってたので、これじゃまずいと思ったきっかけも闘争心でした。ライバルが突発的に売れて、それが悔しすぎて負けたくなかった。売れる気なかったときに先輩たちに、『あの子（客）にはナンバー1になりたいことを訴えつづけな』っていわれました。心の底からナンバー1になりたいって思ってなかったんですね。本気でなりたいってときに、この人をナンバー1にさせたいっていう女性がついてきてくれたんです。だから自分自身の考え方が大事です」

太い(金払いのいい)客がついたのはいいのだが、「わたし百万使ったのにいままでと同じ対応なの？わがままをいってもいいでしょ」とホストへの要求がエスカレートしてくる場合もよくある。

歌舞伎町にホストクラブは二百店舗以上営業中であり、ホストも五千人以上働いているともいわれている。

ライバルは常に生まれてくる。

＊

Ｈｉｋａｒｕの上司、マジェスティ代表の石川鋼牙が着席して、シビアな世界の内実を打ち明ける。

「Ｈｉｋａｒｕ君がいったように、いきなり六百万とか八百万とか稼げるホストもいるけど、大半は何カ月もかかってあがっていくので、理想と現実のギャップにやられちゃうんですよ。どんなに女性との会話が得意でチャラチャラ遊んできた男でも、お金がからんだ世界に飛び込んで、ほんの数分で自分を気に入ってもらえなきゃいけないときに、この仕事向いてないって現実を知らされるんです。飛ぶ（やめてしまう）理由はそこですかね」

ホストというと、根っからの女好きというイメージが思い浮かぶが、いざホストになると、「女の子が苦手になっちゃうかもしれない」という。

「（女性の）感情の部分が見えちゃうんですよ。僕たちが若いときって、女の子のかわいい部分しか見てこなかったけど、この世界ではお酒飲んで乱れてるところも見ますから。感情的になると女の子も暴力振るいますし。ぶん殴られたの何度もあります。僕は（暴力）しない派なんですけど」

石川は三十三歳、東京都出身、十歳のときに新潟県に引っ越し、高校を卒業してヤマダ電機で働いていた。

「ももいろクローバーZが駆け出しのときで、すごく応援してたんです。全国を飛び回ってライブに行ってたんですけど。お金がなくなったんです。だったら、東京に行ってそのまま東京でライブに行こうみたいな感じで。東京に住み込みでどこか働くところないか調べたらホストが出てきただけなんです。そこからホストの仕事が忙しくなって、ライブに行けなくなって。それと同時に向こうは売れて人気者になっちゃって。最初は青色、早見あかりちゃんていう、六人だったときの子が好きだったんですけど、やめちゃったんです。あの子ががんばってるんだから、僕もがんばらなきゃっていうのもありましたね」

石川も女性客で勢いのある職種はパパ活女子だと証言する。

「どんなにソープランドでがんばって稼いで、すごいといわれたソープ嬢でも一カ月で三百万、最高に稼いでも四百万ぐらい。五百万はいかない。でもパパ活女子なら一カ月間頼み通して五百万はパパから引き出しますから」

パパ活女子に数百万与えてしまうパパとはいったいどんな男なのか。

「お医者さんとか、自分で会社経営している社長とか年商も何十億でけっこう余裕がある人ですね。大企業の上の人とかはあまり聞かないですね」

パパ活で得たカネは歌舞伎町ホストクラブで消えていく。これも経済サイクルの一つなのだ。

店内は営業開始に向けて、ホストたちが続々出勤してきた。

顔にうっすら化粧をほどこす中性的なホストが多い。

石川が語る。

マジェスティ代表・
石川鋼牙

「メイクをしてるんですよ。僕がホストをやってるときは、お化粧してる人なんていなかったんです。いまのホストは最低でもファンデーションは塗る。美意識はあがりました。以前は中身で売ってたホストが多かったんですけど、いまはまずは見た目。見た目がよくないと中身を知ってもらえないから、ちゃんとしてます」

マジェスティに入ってくるホスト志願者たちは大半がホスト未経験者である。そのほうが知識がない分、仕事に入れ込みやすい。

ホスト志願者には体験入店費として五千円が支払われる。

十人体験入店するとしたら実際に入店するのは半分。一カ月後に残るのは二人。一年後には一人。

「人の感情を動かすので大変なんです。うちは女の子は座って最低が一時間一万円なんですよ。新人ホストは女の子に一万円を使わせてしまうのが申し訳ないという感情になってやめていくのが多いです。一万円を払うのに、自分にそんな価値はないのにって、そこに自信がなくなっちゃって」

「謙虚というか」

「そうなんです。優しすぎるのはなかなか定着しません」

「そういう人はけっこう多いんですか？」

「めちゃめちゃ多いです。そこから変わる場合もたくさんありますし。そこは自信を持たないと。なので、最初は洋服とか髪型から変えさせて自信をつけるんですね。ドラマ、映画、漫画とかでホストクラブを見て、華やかな世界でカッコいいからシャンパン入れるわって思われがちですけど、意外と、お願い！（入れて）みたいなホストが多いんです。十万円のシャンパンがあって、それをお客様に入れてくれるようにお願いできない。そこをあと先考えずに、自分の価値とか考えないで、さらっとお願いできるホストってすぐに売れますね。このお客様は大学生だからとかＯＬだからと背景を考えちゃうホストは、売れるまで時間がかかります。背景とか考えずに『シャンパン入れて』っていえるホストじゃないと」

「そこは割り切りというか、クールにならないとダメなんですね」

「そうなんですよ」

ターゲットが送ってきた人生など考えない、ゴルゴ13のような無情さを持たないとダメなのか。

「石川さんはそこまでクールになるのにどれくらいかかりました？」

「僕は半年くらいですね。ノリでシャンパンを入れてくれたりするとき、受け身にならずに次は自分からいえるホストは強いです。Ｈｉｋａｒｕ君も本気になるのに八カ月かかった」

女を踏み台にする無慈悲なホスト、というイメージとは別にこんな一面もある。

「僕は結婚してるんですけど、お客様とですから。ハハハハ。八年か九年の付き合いで、結婚したのは去年なんです。向こうがまだ大学生のとき、就職が決まって遊ぶ時期にふらっと店にきて意気投合して」

「ホストと客の結婚ってあるんですね」

「けっこう多いです。そのまま自分もホスト業界にいるっていうのは、数える程度だと思いますけど。結婚してホスト以外の仕事をするって人も多いです」

店内がざわついてきた。

そろそろ客が入る時間だ。

取締役という役職に就いたHikaruも出番である。

マジェスティはビル五階にある。

行きも帰りもエレベーターの世話になる。

話のなかに〝エレチュウ〟という言葉が何度か出てきた。

察するように、エレベーターでチュ、という隠語だ。

歌舞伎町の夜はエレチュウからはじまる。

*

「僕は膵炎を三回、肝硬変一回、急性アルコール中毒で救急車に乗ったこと二回ですね。僕は少ないほうですよ。先輩たちは血尿出してがんばってましたよ。ちょっとおかしい話ですよね」

歌舞伎町某有名店のホスト神崎晃が語り出した。

夜の歌舞伎町で多くの伝説を残してきた有名ホストだ。四十五歳、ベテランである。

本来は有名なホスト名があるのだが、ここではほんの一時期使ったホスト名にしておく。

「僕はずっと、ミュージシャンになりたかったんですよ」

東京西部、立川市生まれ。

両親と妹、四人家族の長男として生まれる。

「中学二年生の音楽の授業で、先生から『歌がうまいからみんなの前で歌いなさい』っていわれて、先生と合唱したことで、僕には音楽の才能があるんだって勘違いしちゃって、そこから音楽の道を目ざすんですけど、あんなことがなければ、もっとちゃんとしていたかなって思います」

自虐の笑みを浮かべる。

高校を卒業すると渋谷区の音楽学校に入学した。

「入学式の初日に認められなければ、意味がないんです。クラスを六クラスにして、上位三クラス、下位三クラスに分けて、上位に入れなければボイストレーニングやって終わりみたいな。僕、こっち（下位）に入っちゃって。歌うまい人がいっぱいいて愕然としました」

それでも夢を追って、バンドを組み、ボーカルとして参加した。

デモテープをあちこちに送ってみたがなしのつぶて。

「その間はずっとバイトしてて、この先どうしようかなってときにホストクラブに出会っちゃうんです」

何度目かのバンドを組んだものの、相次ぎメンバーがやめていき、ピザの配達、ガソリンスタンドの従業員、いくつものアルバイトをしてきた。

地元の立川で、ペットショップからの委託で犬の散歩というアルバイトもやった。

その日もだいぶ歩いたので、犬のリードをガードレールにくくりつけ、一服していた。

すると雑居ビルから赤いスーツを着た田原俊彦みたいな若者が、毛皮を肩にかけたマダムをエスコートして出てきた。

「タクシーを長い間待たせて、その二人はずっとハグしてるんですよ。耳元で何か話しながら。犬を撫でながら見てたら、最後に七、八万くらいですかね、マダムが男のジャケットの胸元にねじ込んだんです。何やってるのかとジロジロ見てたら、タクシーを乗せたあとの、赤いスーツの人と目が合ったんで逸らしたんです。そしたら次は上下黄色のスーツの人が出てきたんです。その人は、小太りの女の人を連れて、またタクシーを止めて、しばらくハグしてるんですよ。同じことやってるなあと思いながら……」

三人目の男が出てきた。

「白いスーツをダブダブに着た人が『キミ、何してるの?』って話しかけてきたんで〝休憩です〟って答えたら『うちに興味あるんじゃないの?』って聞かれたんです。『ちょっと入っていきなよ』っていわれて、犬は店の外にくくりつけて入ってみたんです」

テーブル席が六席、カウンターに四席の小さなホストクラブだった。

カラオケをしている男女と客が四、五組いた。

肩を抱く男。

恍惚の熟女。

薄暗がりにムード歌謡が流れる。

「何かできる?」

店のチーフらしき男が尋ねてきた。

「僕、バーテンダーのバイトやってたんですけど、カクテルならつくれます」

「よし、三角のグラスにピンク色でつくってくれ」

神崎青年はシャカシャカとシェーカーを振り、店内にいる男女の分をつくった。

店のチーフが満足そうにうなずくと、青年に一万円札四枚のチップをくれた。

そのとき神崎青年のポケットには二百五十円しかなかったので、予想外の収入になった。

喜んでいると、犬の散歩時間がとっくに過ぎていることに気づいた。

慌ててチーフに挨拶すると、アルバイト先のペットショップに引き返した。

ショップの前には犬の飼い主が怒って立っていた。

神崎青年はその場でクビ。

明日からまたバイトを探さなければと思うと、なかなか寝つけなかった。

翌日、ホストクラブのことが思い出され、また店の前に行ってみた。

すると店のチーフが予期していたかのような顔で現れて、「これ着て」と紫色に袖が黒のジャケットを渡してきた。

青年はいわれるがまま着替えると、トイレ掃除、店内掃除、ボーイの仕事をこなした。

新人ホストの誕生だった。

「僕はホストとして働いたつもりはないんですけど。ちょっと夜のお仕事みたいな気持ちでした。女の人の指名がどうのとか、お相手するとかじゃなくて、なんとなくバーテンダー的なノリの延長線上で入ったんです」

「ホストクラブの前で犬と一緒に休んでいなかったら、運命が違ったかもしれないですね」

「そうですね」

＊

神崎青年はナンバー1ホストのヘルプについた。

あくまでもナンバー1ホストの補助要員として客と話をするだけの存在であり、けっしてナンバー1を差し置いて目立ったりしてはいけない。

吉原ソープ嬢の客が入ってきた。

ナンバー1ホストの指名客だった。

酔ったせいか、ソープ嬢がシャンパンをスカートにこぼしてしまった。

ナンバー1ホストがすかさず「おしぼり！」と神崎青年に命じた。

神崎青年はとっさに自分のポケットからハンカチを取り出して客に渡した。

「そのお客様はホストに邪険に扱われてたんです。私物のハンカチをくれるなんて、なんて優しい人なの、みたいに映ったんでしょうね。お客様の目がハートになってるのは、ナンバー1ホストだけあって、やっぱりわかるんですよ」

その日の営業が終わって神崎青年が掃除していたら、頭に何かがゴンと当たった。

靴だった。

「磨いておけよ」

ナンバー1ホストの靴だった。

怒りが収まってくれたらいいなと思いながら靴を磨いた。

翌日、あのナンバー1ホストの指名客であるソープ嬢が来店した。

指名替えはなし、というルールがなかったので、客は神崎青年を指名した。

営業が終わると、神崎青年は裏に呼び出され、ナンバー1ホストから殴る蹴るの暴力を浴びた。

店の代表は神崎青年の実力を認め、会計から面接、店の切り盛りまですべて任せた。

いつの間にかナンバー1ホストはいなくなっていた。

「昔は本当にホスト同士のバチバチはよくありましたよ。喧嘩が強かったり、とっぽくなかったら、ホストってやれない職業ですよね。やっぱり、勝ち気じゃないと。自分で守って自分で奪っていかなければいけない職業ですから」

ある日、神崎青年を指名した女性客がいた。

どこか立川のホストクラブを軽んじている様子だった。

「やっぱりホストクラブは歌舞伎町でしょ。あんた一回、見にいったほうがいいわよ。なんなら社会科見学でわたしが連れていってあげる」

神崎青年のファッションは先輩のホストが好むマオカラーのジャケットを素肌に着て、三重の金の喜平ネックレス、金無垢のロレックスだった。

ところが歌舞伎町のホストクラブに行ったら、ホストはダークスーツにネクタイ、至ってシンプルだった。

神崎青年は恥ずかしくなって慌ててトイレに駆け込み全部外した。洗練された立ち居振る舞い、客の心をつかむ話術、ファッションセンス、どれを取っても歌舞伎町ホストは違っていた。

そのころ、立川の店は経営不振に陥っていた。

神崎青年は指名替えして自分についてくれた吉原のソープ嬢から「わたしの家にこない？」と誘われたので、店をやめてヒモになった。

ヒモという隠語も最近あまり聞かなくなったが、女性に恋人や亭主がいることを〝紐つき〟〝紐がついている〟といっていたように、そこから派生した隠語である。

ソープ嬢やヘルス嬢といった風俗嬢と付き合うことで、生活費から遊興費まですべて出させ、みずからはまったく働かない男をさす。昼間はパチンコ、麻雀。ソープ嬢が出勤する際、買ってもらったポルシェやレクサスで送り迎えするくらいが日課だ。もちろん夜のつとめは欠かせない。

ソープ嬢から吸いあげるカネは彼女が稼ぐ額の七割から九割、なかには全額という場合もある。なんでこんな無慈悲に搾り取るのかというと、これだけ尽くしている、と献身的な体感を女性側が得たいからだ。さらに被虐(ひぎゃく)的な快感にまでつながっていくのだからきわめて麻薬的である。

ヒモも全存在をかけて女の歓心を買わなければならないのだから、楽ではない。

ヒモをしていた神崎青年のもとに、客と行ったホストクラブの人事担当者から電話がかかってくるようになった。

毎週メールや電話で入店を誘ってくるようになり、四週目になって「ちょっと話していい？」と歌舞伎町の喫茶店パリジェンヌに連れていかれた。

「もうそろそろまじめにホストやらない？」

神崎青年は新戦力として店から着目されていたのだ。

正式に入店した。

*

神崎晃は売り上げを伸ばしていく。

指名客のなかには有名なＡＶ女優もいた。

「昔に比べるとホストは無料で発信できる術（すべ）がいっぱいできたので、勝手に自分の好きなようにブランディングして、不特定多数の人に自分を知ってもらう機会が多くなったんです。その宣伝効果はホストには大きかったですよね。以前は風俗求人誌の後ろ十ページくらいにホストクラブのページがあったんです。そこに載るために必死なんですよ。ナンバー１しか載れないんで。自分を一ページ特集してもらうのに、お店が五十万円払ってる時代です。もう争奪戦ですよ。風俗求人誌の後ろにホストページをつけるのは、マーケティングとしては正解でした。風俗関係の女性がお客様のほとんどだったんで」

上位ホストになるため、神崎晃は体を張る。

「お客様が指名してるホスト席になんでもないグラスが一個あるんです。割ってない割り箸が逆さまに入ってて、そこにお金が挟まってるんです。その中身を全部飲んだらそのお金をチップとしてもらえるという、指名がないヘルプホスト用のチャンスグラスです。中身が何かは聞いちゃいけなくて。たいていグラスのなかは黒いんです。まともなものは入ってません。焼酎をブランデーで割ったとか、どこからか持ってきたウォッカが入ってるとかだったらまだいいんですけど、醤油だったりもしますから。過激なものほど単価が高いみたいな。アハハハ」

「ちなみにチップはいくらですか?」

「一万円から三万円くらい挟まってました。気合いの入ってるホストとか酔っ払ってよくわかってないホスト、稼ぎがほしいやつはどんどんいくんですけど。醤油のときはキツかったですね」

「チャンスグラス、飲まれたことあるんですか?」

「僕は何回もやりましたよ。中身は何だったんですかね。僕は酔っぱらっても記憶をなくさないんですけど、いろんなことがありすぎて覚えてないっていうか。チャンスグラスのほかに、チャンスボトルというのがあるんです。ボトルにあと一杯分のお酒しか残っていないものをチャンスボトルといって、これを空けてもう一本入れるきっかけをつくりましたという名誉がもらえるものです。

あるとき、ルイ13世というブランデーをナンバー1のホストにお客様が入れたんです。お客様の分をつくったら少し減るじゃないですか。すると『飲める人!』ってお客様がいうんですよ。手を挙げないと怒られるんです。プロ野球の乱闘で、ベンチから出ていかないと罰金ってあるじゃないですか。あの感覚です。いやなんですけど手を挙げなきゃいけなくて。運悪く当たったら、ボトルごといくんですけど、一回の息継ぎはOKなんです。ただ、瓶を口から外しちゃいけなくて、飲み切らなければいけないんです。ヤバイなぁと思ったときに横目でナンバー1の顔が見えるんですけど、死んでも飲めっていう目をしてるんです。当然ですよね、六十万のニューボトルがもう一本入るんですから。死ぬほど気合い入れて飲んで、鼻から逆流しても飲み干して。シャンパンコールが終わるまで我慢して、終わったらすぐにトイレに行って吐く。僕はお酒が強くなかったので、苦労しましたね」

「それは、体を壊しますね」

「そうですね。みんな壊してましたね」

「私は下戸なんですよ。下戸のホストはいないですよね?」

「いますよ」

「どうやって身の処し方というか、かわすんですか?」

「何か一つ長けていればいけるんですよね。超絶カッコイイとか、超絶話が面白いとか。お酒が飲めないというのは、すごくハンデなんですけど、それを補って余りあるくらいだと、あの人は飲めないから飲ませないでっていう風にいけるんです。先輩で一人いました、最高に面白い人が。下戸なんだけどナンバー1を張ってる」

「神崎さんは、何で売ってたんですか?」

「僕、なんでしょうね。先輩に気に入られて、『俺がかわいがってるやつだから客つけてやれ』っていうのがうまかったです」

「品がありますよ」

「そうですか。普通の家庭の一般の育ちなんだけど。アハハハ。」

「神崎さんから見て、こいつは伸びるなぁとか、人気出そうだなぁっていうホストってどこが違うんですか？」

「昔と違って、いまは威圧感ないほうが第一印象がよかったりして。昔って指名がないお客様がきたら、みんなで争奪戦なんです。これって、無秩序なんですよ、俺が先だ！みたいな感じで。いまは、一人十五分って決められて、お客様の前にホストを一人ずつぐるぐる回していくんですよ。チャンスは十五分です。この十五分で爪痕を残したり、好印象を残さないとダメなんですよ。速攻で人と仲良くなる能力って大事かもしれないですね。明るくて面白くて。顔がタイプっていうと、それだけで勝っちゃうんですすけど」

「ホストってルックスもよくなくちゃダメだけど、話芸もうまいですよね。気を逸らさないというか」

ここで神崎が意外な言葉を漏らした。

「僕、ヤクルトの配達のおばちゃんがきても、まともに『お母さんはいま仕事でいません』といえないくらい、対人恐怖症、女性恐怖症だったんですよ。あがり症で緊張しいだったんです。ホストはじめてもしばらく。それでも、社交的になりたい気持ちが強くて、努力して話せるようになりました」

「それは私も同じですよ」

「そうですか。前よりだいぶましだと思うんですよね。初対面の人と話すことも、一生懸命やることで緊張しなくなりましたし」

「ある意味、ホストになるには、最悪な条件でしたね」

「そこでコミュニケーションの大事さに気づくんですよ。自分を知ってもらったり、相手を知ることがすごく大事だってことが、わかったんです。あと、人を好きになるってことが、どういうことかわからないうちにホストをやったんで……」

神崎晃は二十五歳のとき、恋に落ちた。

色恋に私情を挟まないのがホストなのに、本気で惚れてしまったのだ。

歌舞伎町のデリヘルに在籍する人気のデリ嬢だった。

店にきたときは強面の男たちと一緒だった。

金持ちの男がお目当ての女性を連れて、ホストクラブにやってくる場合がある。

ホストに任せておけば、へたに手を出すこともないので、安心できる。

ところがこのとき、デリ嬢は飛び込みで入ってきたのだ。

彼女をしつこく口説くヤクザがいて、断ろうとして、自分はいま、付き合っているホストがいる、と嘘をついた。

するとヤクザが「そいつに会いに行く」といい出して、断り切れず店に入ったのだった。

指名したのが初見の神崎晃だった。

「僕はそのヤクザにしてみれば恋敵(こいがたき)なんですよ。自分の好きな女の子の男に会いに行くなんて、お金を払うなんて面白くないじゃないですか。だけど僕は一生懸命接客しなきゃいけない。席についてざっと見渡すと……ヤクザ・ヤクザ・好きな人・ヤクザ・ヤクザ・好きな人の友だち・ヤクザ・ヤクザだったんですよ。キツイ。〝今日は何をされてきたんですか？　寒いですね、暑いですね〟なんていってたら、機嫌が悪くなっちゃうから、もう会話は無理だと思って」

神崎は接客で身につけた一発芸をここぞとばかりに炸裂させた。

まずはアントニオ猪木。

思いっきりアゴを突き出して、拳を握るあの形態模写だ。

目の前でふんぞり返るヤクザたち六人は、ちっとも笑わなかったが、ただ一人、自分を指名してくれたデリ嬢が大爆笑した。

いけると踏んだ神崎はトドメとばかりに必殺技を披露した。

長い髪を何かのへたのように形づくった。

「ナス！」

デリ嬢大爆笑。

ヤクザたち、苦笑。

神崎は大きな口を開けて笑ってくれるデリ嬢に惚れてしまった。

おそらく彼は吊り橋理論に陥ったのだろう。

不安定な吊り橋を渡るときに男女が出会うと、平地で出会うよりもはるかに相手に好意を示す。恐怖を同時体験すると、窮地に陥った者同士が連帯しがちになる。

「彼女の大爆笑した顔に一目惚れしちゃったんです。そのときはヤクザがいるんで連絡先は交換できなかったんですけど、僕の後輩のお客様が、その子のお店で働いてるということを聞いて、どうにか頼むっていったら連絡くれて、それでつながりました」

二人は同棲をはじめた。

神崎の彼女への熱愛は燃えさかる一方だった。

歌舞伎町のホストたちは年に一回の社員旅行をすごく楽しみにしている。

ほとんどのホストクラブがホストたちの親睦と団結を深めるために社員旅行をする。

神崎も毎年楽しみにしていた。

ところが同棲をはじめると、彼女も神崎と同様に一緒にいたいというので、あれだけ楽しみにしていた社員旅行に行かないと宣言した。

さすがに店の幹部が社員旅行に行かないとまずい。彼女のこともよく知る上司が、「僕が見張るし保証するから、今回だけ行かせてくれ」と彼女を説得してやっと社員旅行に行ったのだった。

はじめて恋人のいない一週間を過ごした彼女は寂しさから酒浸りになり、神崎が帰ってきたときにはともに暮らせる状態ではなかった。

二人は大喧嘩になった。

彼女は部屋を出ていってもどってこなかった。

神崎が店に出勤するとき、見知らぬホストのバイクの後ろに彼女が乗っていたのを目撃してしまう。

抑えてきた感情が爆発し、部屋にもどると、どうなってもいいと風邪薬を大量に飲み、倒れた。

意識が遠ざかる。

いったいどれくらい時が過ぎたのだろう。

暗闇から自分を揺り起こす声が聞こえた。

頭はぼんやりしたままだった。

死ねなかった。

ふらつきながら立ちあがった。

カーテンを開けたら、雲一つない青空が広がっていた。

心に染みる青だ。

いったいこんな空は何年ぶりに見ただろう。

不動産屋に行くと、部屋を解約した。

そして実家に帰った。

男女の別れはある日突然やってくる。

変化の波は本人にもわからないうちに静かに押し寄せていたのだ。

「しばらくしたら、彼女は結婚したっていう話を聞きました。子どもできたよみたいな感じで。いまでもたまにＬＩＮＥはしますけどね」

女と男の荒野を彷徨ってきた神崎晃はいま、こんなことを感じている。

「人を好きになるとこういう気持ちになるっていうのを学びました。それではじめて、自分に好意を持ってくれてる女性のことを、ちゃんと考えるようになりました。それまでは『好きだ』といわれても、だから何？みたいな感覚だったんですよね。いまは、『好き』っていわれて、その気持ちを大事にするようになりました。こういう客商売でうまくいく一番大事なことを学んだんです。そんな初歩的なことに気づかないでホストをやってたのかって話ですけど」

最後にこう結んだ。

「人を好きになる勘違いって多いですよね」

*

〝ホストクラブの父〟と呼ばれた男がいる。

歌舞伎町「愛」グループ創業者の愛田武（あいだたけし）である。

私もたびたび話を聞いたり、店の裏側を取材させてもらった。

愛田武も、人の気を逸らさない、サービス精神旺盛の男だった。

一九四〇（昭和十五）年七月一日、新潟県北蒲原郡中条町（きたかんばらぐんなかじょうまち）生まれ。九人兄弟の六番目として誕生。

中学を卒業すると、子どもに恵まれなかった地元名家の養子になるが、農業が肌に合わず、家出同然で上京した。童貞喪失は、中学一年生、プロの女性が相手だった。

上京するとフランスベッドに入社。人妻たちを相手にベッドを売る際に、持ち前の話芸が光り、全国二百五十店舗の営業成績で、ナンバー1の売り上げを記録する。独立して防犯器具会社を設立するも、運転手つきの仕事ぶりや派手な暮らしでつまずき、倒産。

一九六八年、黎明期のホスト業界に飛び込んだ。

三年後独立し、新宿二丁目にクラブ「愛」をオープン。ホストとボーイが分業していたシステムを廃し、ホストに最低賃金の保証をして、ホスト業界の近代化に成功する。

以後、歌舞伎町で「愛本店」「ニュー愛」、おなべクラブ「ニューマリリン」、パブ「ダイアナ」を開業、従業員三百名を率いる、夜の帝王となった。

「昔はホストが店に場代を払って、接客してたの。水割りつくったりするのはボーイさんがやってた。ホストも生活不安定で、三年ホストやったとき、これじゃやめるよなと思った。よし、わたしが店やるときは、ホストが場代払わないでじっくり接客できるように、保証してやろうというシステムをつくったの。そしたらどこも保証してやるようになったんです。

ホストはみんなナンバー1になりたいんですよ。表彰状もらうとき、気分いいもん。ナンバー2とは比べものにならない。わたしはボーイに必ずチップあげたの。お客を回してくれるのがボーイだったから、チップを裏であげると、いいお客を回してくれるんですよ。ほとんどのボーイに渡していたからね。チップ五百円の時代に一万渡してたから。チップをやらないとだめ。ボーイたちも生活ギリギリだから、食事に連れていったりしたんです。みんなから売り上げもらってナンバー1になったりもしたし。だから実力じゃないナンバー1。その代わり、友だちに売り上げをゆずったときもありますよ」

気配りは愛田武のもっとも得意とするところだ。

売れてるホストはみんな気配りの達人である。

危機もあった。

新宿で念願の店を出す前日。

深夜、店から出火した。そのころ、渋谷・新宿・池袋界隈で放火が頻発していた。店は丸焼け。

開店は延期。愛田武は出資者を拝み倒し、「一年で返してみせます」と訴えてカネを借りた。

だが焼死者の出た店は、「あそこは幽霊が出る」と噂され、オープンしたものの客足は鈍かった。傷口に塩を塗るかのように、夕刊紙、スポーツ紙が、幽霊の出る噂をかぎつけ取材に駆けつけた。人の不幸を記事にすることに、愛田武は憤った。

ところが噂を聞いた野次馬気分の客が店に押し寄せ、ホストクラブという未知の世界を敬遠していた女性たちも、記事になった店なら安心とばかり、来店した。たちまち店は繁盛、借金は十カ月で完済した。

以後、愛田武はメディアと二人三脚を組み、ホストの帝王とも呼ばれるようになる。

「昔のお客は人妻が多かった。ほとんどですよ。資産家の奥さん、社長夫人、未亡人。店には秘密の裏口があって、ダンナから見られないように入るんです。お客さんにもゆとりがあったし品もあった」

揉め事はしょっちゅうあった。ヤクザの人口密度が日本一の歌舞伎町である。

「生意気だ」「俺の女に手を出した」と、ヤクザが脅しにくる。それだけではない。

「特攻服着たヤクザ九人が店に入ってきてわたしが持っていかれそうになりましたよ。車に押し込まれそうになったの。隣の店から知り合いのヤクザが助けにきてくれて、危うく命びろいしたけど。『店つぶすぞ！』なんて、しょっちゅう。でもね、わたしは運が強い。埋められたホスト、行方不明のホスト、いますよ。近くの焼き肉屋から出てきたところ、ヤクザとすれ違って、肩が触れた、仲直りの握手するところ、違う手でズドン！　みるみるうちに腹が膨れていく。ヤクザの女に手を出したホストがいて、山奥まで持っていかれて埋められて、穴から這いあがってきたところ、眉間にズドン！　白骨で発見されましたよ。飲むと気が大きくなるホストもいるからね。女でヤクザと揉めて、ある日パンチパーマが二人、店にきてホスト連れてった。そのまま三十年出てこないですよ。でも、女ってわからないね。拳銃で撃たれたホストに抱きついて泣いてた女が、しばらくすると別のホストに行くんだから。和服が似合うすごいいい女がいたの。布団のなかでも脱がないから、おかしいなあと思ってよく見たら全身入れ墨。親分の姐さんだった。親分から、『ちょっとこい』って電話が入ったの。バレたなと思って、覚悟決めて組事務所まで行きましたよ。若い衆ズラッと並んでる。姐さん、殴られて顔腫れているの。わたしをチラッと見て、合図するから、ああ、これは私たちの関係話してないなと思って、否定したんです。おしっこ漏れそうだったけど、断固として認めなかった。無事に帰ってきましたよ。運がいいんだ、ウワーハハハハ」

身につけているアクセサリーを尋ねてみた。

「ピアジェ。なーに、安いもんだよ。二百五十万円。ウワッハッハッハッハッハッハ。見せるときは見せないと。ワーッハッハッハッハッハッハ！　ブレスレット、こんなものたいしたことない。五、六百万。ダイヤのリング、八百万。たいしたことないない」

夫人は、東大卒の銀行員を夫に持つ裕福な家庭の妻だったが、愛田武の魅力に引かれて、一緒になった。

愛田武がナンバー1ホストの条件を明かす。

「まずは容姿端麗。優しくてまじめでおとなしい、これは常識だけど、売り上げも中間までしかいかない。とっぽい、ときには暴力振るう、向こうっ気が強い、そういうホストが必ずトップにきますね。売れっ子ホストになると月収五、六百万になりますから」

愛田武は脳梗塞から復帰後、しばらくして認知症を発症、身内の覇権争いが起き財産の大半を失う。老人ホームに入所するが、二〇一八年十月二十五日、体調が急変し、死亡。享年七十八。

ホストの帝王の最期は孤独だった。

*

「親父はヤクザでした。指定暴力団の二次団体で舎弟頭してました。俺が小学校三年くらいじゃないですか堅気になったのは」

山口仁。

千葉真一が主宰したジャパンアクションクラブ（ＪＡＣ）にかつて所属し、仮面ライダーシリーズ、スーパー戦隊シリーズ、宇宙刑事シリーズなどのスーツアクターとして出演する。身長百八十六センチ、アクションシーンに定評があった。

八〇年代からは歌舞伎町のホストクラブにも在籍し、人気を得る。

「仁さん、お生まれは」

「昭和三十二年十月十五日です」

「ああ。私が三十一年四月四日ですから、同世代ですね」

「嬉しいですねえ」

山口仁が青春時代を振り返る。

「自分、歌舞伎町で育ったんです」

「歌舞伎町はどんな街ですか?」

「最高で最低の街ですよ。こんな面白い街ないですよ。簡単に潰されます。ホストやっててもヤクザやってても、遊んでても簡単に潰される。でも簡単に這いあがれますよ。俺は、傷害とシャブ(覚醒剤)と逮捕監禁と前科は……あまりいいたくないんですけど前科十一犯です。喧嘩ばっかりですね。少年院入れたら十年以上(刑務所に)行ってます」

歌舞伎町は酒とホストの街だ。

だからこんな悲劇もよく起きる。

「ホストのヘルプやっている男が、仕事が終わって、〝じゃあ、気をつけて帰れよ〟って俺がいったら、そのあとに二人轢き殺しちゃって二十年(刑務所)行ってるんです。もう一人、仲の良かったホストがいて。そいつの女房が吉原のソープで働いてたんですよ。『女をあがらせて(引退させて)、田舎でやり直しますから。俺、金貯まったんで』って、挨拶にきたんですよ。〝おう、がんばれよ〟っていってから一週間ぐらいしてからかな、そいつの女房をストーカーしてたタクシー運転手がいたんですよ。ホストが仕事に行ったあと、ピンポンって鳴ったから、何か忘れ物でもしたのかと思って女房がドアを開けたら、タクシー運転手が入ってきてレイプされて殺されたんです。即捕まりました。なんともいえない事件ですね。いきなり撃ち殺されたやつもいます。撃ち殺したやつもいます。紙一重ですよ。明日幸せになるはずが、撃ち殺されちゃうんですから。じゃーなっていったやつが、人殺しちゃうんですから。なんともいえない街ですよ。でも、まじめにやれば、のしあがれます。そういう街です」

役者・山口仁

山口仁の歌舞伎町初体験は十四歳だった。

「ロフトってライブハウスに行ったとき、高野フルーツパーラーの前で恐喝してたんです。そこにダブルのスーツ着て開襟シャツの男が『おい、少年！』って声かけてきたんです。やばい、本物だ……。肩をつかまれて、『いまのお金を出しなさい。そんなに悪いことしたらダメだろう』って。それから『じゃあこれ半分』って、半分取られたんですよ。『ここは僕たちの街だからね、ダメだよ』っていわれて。そのときから俺の兄いです。いまは堅気になっちゃったんですけど」

父親は懲役が長く、社会に不在となり、母と兄、仁の三人は現金収入を得るために工事現場を回った。

高度経済成長期だったから、あちこちで道路建設がはじまっていた。

「昔は飯場（はんば）がいっぱいあったじゃないですか。飯場でお袋は飯炊き（めした）きやってて。それで都内をぐるぐる回ってたんです。飯場のドラム缶風呂に小学校あがる前まで入ってましたよ。最後は親父が出所して、世田谷の烏山（からすやま）に住み始めたんです」

「美輪明宏（みわあきひろ）のヨイトマケの唄みたいじゃないですか」

父をはじめ、周りにはヤクザが珍しくなかったから、学校を出たら自分もヤクザになるのだろうと思っていた。

若い衆が飯場の仕事が終わると、山口仁を銭湯に連れていってくれる。若い衆はみんな入れ墨が入っていた。そこだけ湯船ががら空きになった。

区立烏山中学から都立の工業高校を受験した。

「入試問題に、九州、本州、とほかの島が出てきて、〝この島はなんでしょう？〟って試験が出たんです。

アハハハ。簡単なんだけど、俺わからなかったんです。それでも受かったんです」

一九七〇年代前半、男子高校生はボンタンにリーゼント、女子高生はロングスカートにチリチリパーマ。俗にいうツッパリが幅を利かせていた。

街や駅のホームでいつも喧嘩が勃発した。

「その当時のワルはいま、何をやってるんですか？」

「ほぼヤクザです。あとは怪しい商売です。交通事故で早死にしたやつの葬式にも行ったんですけど、ろくなやついないです。まじめなサラリーマンはゼロですね。あ！　一人いた。調布の友だちがトラック運転手やってます。そいつの兄貴は暴走族のルート20をつくったやつですよ」

「山口さんは高校をやめて就職したんですか？」

「会社に勤めたことは一度もないです。傷害で捕まったり、恐喝で捕まったりで少年院行って。十七から大工やって。その辺でブラブラして恐喝ばっかりしてるんです。強盗もやったし。ガキですからね。殴って物を取るっていうのは、親父見てるとそうだったから。『コソコソ取るんじゃねーよ』っていうのは、親父にいっつもいわれてたんです。ぶん殴って取れって。じゃなかったら、しっかり勉強して高給取りになって稼げって。ダメだったら取っちゃえばいいっていう親父だったんです。間違ってるっていえば間違ってるんですけど」

二十一歳のとき、アルバイトでアクションシーンのスタントをやっていたら、殺陣師(たてし)から「お前、そんなに大きな体で動けるんだからＪＡＣに入れよ」と声をかけられた。

ジャパンアクションクラブ（ＪＡＣ）は、世界で通用するアクションスター・スタントマンを育成するため、千葉真一が一九七〇年東京都中野区に創設した。志穂美悦子・真田広之をはじめ、アクションの演じられる実力派の役者を輩出した。

山口仁のように、変身物でコスチュームのなかに入るスーツアクターも育成した。

「俺、格闘技はキックボクシングやってたんです。この体でバク転バク宙とか普通にできたんですよ。スタントもけっこうこき使われたんです」

一九八二年〜八三年、テレビ朝日系列放送『宇宙刑事ギャバン』で、山口仁はスーツアクターとして出演する。

「蒸着（じょうちゃく）！」のかけ声とともに変身するシーンが印象的で、いまでも人気が高い。

山口仁は叔母にホストクラブに連れていかれた。

ジゴロと名乗る伏見直樹（ふしみなおき）が山口仁の前に登場した。

八〇年代前半、歌舞伎町のホスト業界で異彩を放っていたのが伏見直樹だった。

レコードデビューを果たし、『実録色事師（じつろくいろごとし） ザ・ジゴロ』（日活）ではみずから主演を務め、テレビから雑誌まで何かというと伏見直樹が登場したものだ。

私も週刊誌のネタで何かないかというとき、伏見直樹にちょくちょく取材したものだ。

サービス精神旺盛なジゴロの帝王は、歌舞伎町のネオンをバックに白のスーツでカメラに収まった。

伏見直樹も愛田武の愛本店出身である。

「伏見社長にはいろいろとお世話になりましたよ。俺も社長にスーツもらいました」

昼は役者の仕事をこなし、夜は歌舞伎町のホストクラブでホストに変身した。

「朝、そのまま撮影に行って、夕方部屋に帰ってきて寝て、夜ホストクラブ。すごく売り上げがあったんで、店に出るのは夜中二時、三時でいいわけです。酒飲んで昼間スタントやって、その生活が十年くらいです。若いときしかできないです。スタントマンとホスト同時は。俺、子ども番組とかいっぱいやってるんですよ。JACに入っていたから、子どものヒーロー物で、昼間、撮影で東映に行って、夜は女のヒーローになってました」

そういうと豪快な笑い声を発する。

男の色気と野太い声質、百八十六センチの格闘家のような体型。

ホストとして、山口仁は売れに売れていた。

収入は役者よりホストのほうがはるかに上回っていたので、いっそホスト一本でいこうかと思った。

そのころ関西テレビの月曜サスペンスシリーズに、犯人役で出た。

犯人役を思いっきりやって潔く芸能界を引退しよう。

ところがドラマも山口仁も大好評となり、引退どころか次々と出演依頼が押し寄せた。

人生、こんなときが稀にある。

三十歳になったころ、風間杜夫(かざまもりお)のプロダクションから声をかけられた。

大物から声をかけられたことで山口仁は思い残すことはないと、礼を述べて去ろうとしたが、風間杜夫が「面白い！」とその場で所属が決まった。

昼の連続ドラマ『ぽっかぽか』のレギュラーに抜てきされた。

サラリーマン家族のホームコメディであり、山口仁は気の強い女房を持つ気弱な亭主役を好演した。

「そしたら奥様連中に人気になって、仕事も途切れることなくて。三十代四十代はほんとに忙しかったですよ。日本で一番最初に信用金庫関連のCM出たの俺ですから。世界一のビッグバンクっていってCMやりました。信用金庫は俺を使ったのが痛恨の汚点でしょうね。いろんなCMやらせてもらった。いっぱいありますよ。調子に乗っちゃったんですね」

その後担当マネージャーが独立して、内藤剛志(ないとうたかし)と酒井敏也(さかいとしや)と三人が所属する事務所を設立した。

出演依頼が殺到し、高額のCM出演も相次ぎ決まり、年収数千万円を突破した。

順調な人生を不吉な影が覆ってくる。順調だからこそ、気づかない。

歌舞伎町で遊んでいると、「仁さん、あるよ」と売人が寄ってきた。

忘れていた誘惑が頭をもたげた。

十代のころの覚醒剤乱用が再発してしまった。

生活が荒み、遂に逮捕。

東京拘置所、横須賀刑務所、前橋刑務所と鉄格子のなかに七年間居つづけた。

異変が起きたのは横須賀刑務所に収監されていた五十二歳のときだった。

「五月二日です。忘れもしない。毎日、横須賀刑務所の二百メートルトラックを十周してたんです」

走っている最中、突然目の前が真っ暗になった。

脳内出血だった。脳圧を下げて出血を止めた。

死の淵を彷徨いながら、二週間で退院した。

命は助かったが、左半身麻痺になった。

山口仁は医療施設のある八王子医療刑務所（当時）に送られた。

過酷なリハビリがはじまる。

歩行訓練、筋力トレーニング、全身運動。

収監中、脳出血で二名が亡くなった。

自分も同じ道をたどりたくない。必死になってリハビリをつづけた。

歩けるようになるまで一年八カ月かかった。一番大変だったのは滑舌（かつぜつ）を回復させることだった。

倒れた当初はまったく話せず、まともに話せるようになるまで三年かかった。

「（八王子医療刑務所の）なかでオウム真理教の麻原（あさはら）（彰晃（しょうこう））とも会いましたよ。俺、まだ車椅子だったんだけど、同じように車椅子で座禅のポーズをした麻原がいたんです。ずーっとブツブツいってるから、〝何いってるの？〟って周りに聞いたら『I can fly』だって。

あそこ（八王子）は面白い刑務所ですよ。普通の刑務所とぜんぜん違う。八王子は半分くらいが無期囚なんですよ。しかも、受刑者のかなりの数が死にかけてるんです。ずっと拝んでる人に、〝何やってるんですか？〟って聞いたら、『四人殺めたんで、申し訳ないと思って』って。無期懲役になって二十年で仮釈放になったんだけど、外に出たらまた二人殺して、〝なんで死刑にならないんですか？〟って尋ねたら、『うーん……俺、頭がおかしいんだ』っていうんですよ」

過酷なリハビリを経て、晴れて出所した。

ドラッグとも縁が切れて、周りの支援者たちの後押しもあって役者として復帰した。

障害等級は二級であるが、傍から見ると、後遺症はほとんど感じられない。

歌舞伎町は昔もいまも覚醒剤が蔓延している。

*

山口仁が打ち明ける。

「シャブの話では、すごい女がいたんですよ。打った直後捕まって、股広げてパンツ脱いで、ビーカー当てられて、『おしっこ出せ』っていわれて。出したんです。シャブを体にすごく入れてるのに、検査では普通のおしっこ。どうしてかというと、知り合いの赤ちゃんのおしっこをコンドームに入れて、あそこに仕込んでおいて、おしっこ出せとなったとき、先っちょをビッと破いてなかに入れてたのを出して、ごまかした。ぜひ紹介したかったんだけど、死んじゃったんですよ。歌舞伎町の伝説の女ですよ」

彼女は一、二を争う歌舞伎町の人気キャバクラ店のナンバー1だった。

「そっから狂っちゃって一切働かずに、ずっと高級マンションに住んで、博打とシャブ。男たぶらかしてあらゆるところに住んでました。あんな女見たことないです。十何年間、歌舞伎町のゲーム屋で遊んでいて、俺に『どうせ死ぬときは一人、脳卒中で死んじゃうんだから』っていってたら、その通りにゲーム屋でゲーム中にあの世に行ったんです。一昨年かな。すごくかわいい子なんですよ。歌舞伎町の金持ってる男は、ほとんどたぶらかされてます」

押し出しの利く山口仁は、多くのホストたちから慕われてきた。

沢田亜矢子のマネージャーを務め、結婚するもほどなく別れた松野行秀(まつのゆきひで)は、再起を期してゴージャス松野の名前で歌舞伎町「愛本店」のホストとしてデビューを果たす。

なんの経験もなくいきなりホストとして特別枠のように入ってきたゴージャス松野はいじめにもあった。

このとき守ってやったのが山口仁だった。

ホストから芸能界に飛び込んだ元「愛本店」の城咲仁(しろさきじん)も名前を山口仁から取った。

山口仁は三十歳のとき、ナンバー1ホステスと結婚したが、懲役に行ってるときに離婚した。

何度か結婚離婚を繰り返した。

「前の女房との間に子どもは二人います。いまは奥さんはいなくて、心底惚れている女がいるんです」

「仕事は何を？」

「弁護士事務所に勤めていたパラリーガルです。有名大卒の」

「なんと！　どうやって知り合ったんですか？」

山口仁と向かい合って座っている喫茶店パリジェンヌは、コロナ対策でテーブルにアクリル板が設置されている。

山口仁は、アクリル板を指さした。

「これ越しです。六、七年前にパクられてから懇意にしてた年配の弁護士がいるんです。そこのパラリーガルという立場です」

「仁さんの弁護を通じて知り合った？」

「そうです」

何故に山口仁は囚われ人になったのか。

山口仁が知り合いのヤクザの兄弟分から、ホテルを予約してくれ、と頼まれた。暴力団新法によって、ヤクザは宿泊施設を利用できない。困っているヤクザに手を差しのべたはずが、借りた人物がホテルで覚醒剤取り引きをしていたのだった。

当事者は逮捕され、予約した山口仁も共謀共同正犯で逮捕。

「俺のところにガサがきてパクられたんだけど、何もしてないからふざけんなってことになって。弁護士も調べたら、俺が何もしてないってわかったから、それはおかしいって一生懸命に弁護をやってくれました。だけど一年六カ月ほとんどだれにも会えないんですよ。そうしたらアシスタンでしかないのに親身になってくれるんです。しかもシングルマザーなのに。ホロっとくるじゃないですか。好きになったんですよ」

二十四歳差、アクリル板越しの恋だった。

裁判では検察が求刑四年を山口仁に突きつけた。

ホテルを予約しただけなのに、理不尽な求刑に怒ったら、退廷させられた。

「そのヤクザは実刑で何年か入ったんです。俺は部屋を予約したことで共謀共同正犯だというわけです。裁判官もうまいことというんですよ。『原審破棄してやったんだから、これ以上文句いうんじゃない』って。たしかに、原審破棄したら、未決が全部もらえるわけですよ」

ここで法律用語について、山口仁を私に紹介しれくくれた元ぼったくりの帝王・影野臣直が補足してくれた。

「一審判決後、二審の判決で原審破棄したら一審の判決がなくなっちゃうんです」

山口仁の場合はこうだった。

「原審破棄されて控訴審でもう一度審議したら、覚醒剤が体からも出てないし。俺は部屋を予約した事実だけの共謀共同正犯だけ。それで一年九カ月の刑を打たれたんですよ。それまでに俺は一年六カ月勾留されてるから、(刑期は)残り三カ月ですよ。弁護士が『上告しましょう』っていうんだけど、上告したら半年かかるじゃないですか。〝あと残り三カ月だよ。俺、(刑務所に)行ってくるからいいよ〟っていったんです。すると弁護士と一緒にいたパラリーガルが、『山口さん、そうしたら前科がまた増えるんですよ』って真剣な顔して泣いてくれるんです」

山口仁の未来を心底心配してくれたのだ。

すると前科十犯の山口仁がこういった。

「若先生、俺の履歴見て」

過去の前科をパラリーガルが確認した。

「前科十犯ですね……」

「(前科が)一個増えても関係ないでしょ」

「はい」

この辺、純愛にコント風味が加わる。

「じゃ、行ってきます」

「元気に行ってきてください」

山口仁と年配の弁護士は苦笑いした。

「それで俺、赤落ちしたんです」

〝赤落ち〟とは刑に服すること。

江戸時代に島流しの罪人が赤い着物を着せられたことからきているといわれる。

*

「今日は、脳内出血の後遺症の定期検診です。一カ月に一回行かないと」

「だいぶ体はよくなったんですか？」

「それが彼女のおかげなんですよ。彼女が歩け歩けってうるさいんで、四年で六千キロ歩いたんですよ。毎日十キロ歩くのが普通になったんですよ。歩くのは全身運動だからすごくいいんです。今日は、チャリンコで八王子まで行って四十キロ近く。それで、歌舞伎町に帰ってきました」

パリジェンヌで長い時間、山口仁の半生をたどってきた私たちは大勢の人々でごった返す花園神社に向かった。

今日は酉の市が開催される日だ。

熊手を売るテキ屋たちが一つ売れるたびに拍子木にかけ声、手拍子で景気づける。

境内には入場制限がかかり、人混みが膨れあがっている。

不夜城歌舞伎町は最近、不景気風が吹きすさぶが、ここだけは煌々(こうこう)と灯りが輝き、光の渦ができている。

山口仁が歩くと、顔なじみのテキ屋たちが寄ってきた。肩を組み、互いの健康をたたえる。

そこに影野臣直も加わると、歌舞伎町の濃度がいっそう高まるのだ。

「こんなクソみたいな街はないですけどね。だいたいね、この街で知り合ったやつで、昔、ポン中だった仲間は一心同体なんですよ、助け合うんですよ。顔でわかります。ネタ(覚醒剤)食ってたり、懲役行ったりしてるのは汚い顔が多いから。でもね、こっちが堅気で向こうはヤクザでも一生懸命助けてくれるんです。ただ、みんなシノギがなくてヒイヒイいってる。知り合いのヤクザも三人くらい堅気になってますよ、出てきて。『兄弟、なんか紹介してくれー』って頼るから、〝お前、汗流す仕事やれ!〟っていってやったの。生きていかないと」

第八章　稼業の男たち

「そのときの抗争はトカレフ持っていきました。二丁」

ヒットマンと会ったのははじめてだった。

五十代後半にしては若く見える。

五分刈りにセーター、中肉中背、ヤクザに共通する他者を寄せつけない眼光。左小指の欠損。手首まで入った入れ墨がかすかにのぞく。

「(組織が) 分かれて、よその組織に鞍替えしたっていう、そういう脱会派のトップを狙うっていうことなんだけど、殺るのは脱会派ならだれでもよかったんです。行けるとこなら。ただもう、すでに音が出てるんで(銃撃している)、行くしかない。向こうは狭い町だから組幹部のところには(警察が)張りついてますし、撃てるところは限られてくる」

ヒットマンと遭遇したのは、元ぼったくりの帝王・影野臣直の紹介だった。

いったいこの男、どれだけ闇社会の紳士録に精通しているのか。

影野が紹介したヒットマンは現役ヤクザゆえ、本名を出すことはできない。

紹介者影野の親しい人物ということで、ここは火野とでも呼称しよう。

ヤクザの抗争は、同じ組織だったものとの戦いがもっとも激しい。

同じシノギ（収入を得る手段）だったことから現場でかち合うことが多く、近親憎悪も加わり、行き着くところまでいってしまう。

戦後最大のヤクザ抗争、山口組・一和会の山一抗争は死者二十五人という最悪の結果になった。

日本最大の暴力団山口組も他組織との抗争より、身内同士のほうが激烈になる。

六代目山口組と神戸山口組との抗争も、六代目中枢にいた組幹部が脱会したことが発端になっている。

火野の組織も関東において有数の規模を誇り、大組織にありがちな分派活動が発生した。

先に銃撃されているので、早急に反撃しなければならない。

そこで火野がヒットマンになった。

昔はヒットマンという呼称ではなく鉄砲玉と呼ばれていた。

ヒットマンが普及したのは、元山口組顧問弁護士山之内幸夫が書いた小説『悲しきヒットマン』（徳間書店）によるものだろう。

山之内幸夫元弁護士は五代目時代の宅見勝若頭の信頼あつく、長年顧問弁護士を務め、山口組が戦火を交えた大阪戦争、山一抗争、宅見組長暗殺報復等々、数々のヒットマンたちの弁護をしてきた。

『山口組顧問弁護士』（角川新書）を刊行したとき、山之内元弁護士が私に語っていた。

「ヒットマンの弁護したの僕が一番多いと思いますよ。山健組の健心会、盛力会、それから宅見組……。いまは抗争は駄目ですね。発射で十年いっちゃいますよ。ガラス割りでも五、六年ですよ」

火野はどうやってヒットマンになったのか。

みずから志願して死地におもむくのか、上からの指令で飛ぶのか。

「その辺のところは微妙なところなんで、あれなんですけど、察するというかね、人間というのは察して動いてナンボじゃないですか。いちいち、ああしろこうしろと指示をされなくても、雰囲気とかでわかるというか。基本的には微妙ないい回しの空気を読んで、自分で察しなきゃやれませんよね。今度はお前だから行ってこいなんていうのでは、おしまいです。ここは、俺が行かなきゃしょうがない、いまだなチャンスは、と自分で感じ取って動かなければ、出世の目はないですね。いわれたことだけやるのは、だれでもできますからね。自分のほうから行ってこそ価値があるんじゃないですか」

「自分から手を挙げざるを得ないような空気が支配してるのでは？」

「空気というか、それを自分で察しないといけないと思いますね。だって、どこの親分にしろ、おい、あれ気に入らないから殺ってこいなんて馬鹿はいませんよ。目の色を読んだり、顔色読んだり、雰囲気で動くわけですから。それで動けなかったら、もうヤクザはやってられないです」

「拳銃はどのへんが用意するんですか？」

「組でどうのこうのっていうのではなく個人個人ですね。歳もある程度いって、そういう気持ちがある人間ならだれでも」

「拳銃の武器庫があるんですか？」

「それは……」

火野がこれ以上はいえない顔つきになった。

「（拳銃は）個人個人の管理のほうがいいんじゃないですか、いまの時代なんか特に。その辺は微妙なんで……」

火野がヒットマンになって携行した拳銃は、旧ソ連製トカレフ、正式名称トカレフＴＴ‐33。設計者フョードル・トカレフにちなみ、「トカレフ」の名で知られている。

現在闇に出回っているトカレフは、中国をはじめとした共産圏諸国がライセンス生産したものが主流だ。

拳銃のなかでもさほど高性能、重武装というわけでもないこの旧式拳銃がいまも重宝がられるのは、武器というリアルな工業製品の特質によるものだ。

トカレフは共産国家特有のデザイン、コストをシンプル化しているので、組み立て部品も少なく、安全装置すら省略した徹底的に単純設計された銃器だ。扱いやすく、故障も少ないのでいまだに現役である。

火野が銃器について証言をする。

「抗争がはじまれば値段は高くなりますよ。重さは軽い物もあれば重い物もあるし。道具（拳銃）を向けられるよりも、狙うほうが恐怖心がありますけど」

＊

火野がヒットマンとなって潜伏したのは東北地方のある県だった。

火野のいる組織と脱会派との抗争を予期した東北の県警は、三百人体制で警戒していた。

火野は行動を起こす前に、車の手配をしなければならなかった。

レンタカーでは足がつきやすい。

たまたま地元で付き合っていた女性がいた。火野は結婚していたので、彼女は愛人という存在になる。

愛人が運転するフェアレディZがあったではないか。

速度が出るから襲撃や逃亡にもってこいだ。

愛人に持ってこさせると、ボディの色が鮮やかな赤だった。襲撃や逃亡には一番似合わない色だったが、仕方がない。

愛人を助手席に乗せて、火野みずから運転し、ターゲットのいる目的地へと向かった。

三月、残雪の道を走る。

「どこに行ってもガードがついてました。どうしようかなあと思ったけど、車は必要だから走るしかない。そんななか行けるところが一カ所見つかったんですよ。殺れるところがね。そこだけは警察のガードもゆるかった。だけど、現場を見たら、そこには小さな子どもが大人に混じって五、六人遊んでたんですよ。さすがにそこは、自分も狙えなかったですね。大人に当たるのはしょうがないにしても、家族とかはまったく関係ないんで。自分の刑期が云々じゃなくて、間違って当たって巻き添えにするのは自分の道とは違うから。そこはやめて次に行ったところは、下にパトカーが何台もついてて、できなくて。まいったなあと思いながら、市内を赤いフェアレディで回っていたら、途中で職質にかかりました。『荷物を見せてくれ』っていうから、いいですよって。後ろのバッグにトカレフ入れてあったんですけど、それを見えないように置いていたんです。『どこへ帰るんですか?』って尋ねてくるから、女が〝実家に帰るんです〟って地元の方言でいってくれたんですよ。そしたら『そうですか、ご苦労様です』で終わっちゃったけど」

ヒットマンの条件は地元に強いことである。

翌日。

ターゲットは雀荘にいるという情報をつかんだ。

ヤクザは、朝九時から夕方六時までの平均的な労働時間とは無関係に生きている。基本無職なので、平日の昼間、雀荘で麻雀を打ったりしている。

「相手方の利用してる雀荘、そこしかないなと思って近くまで行って、様子をうかがっていたんです。警戒中のパトカーがいなかったんで、女を乗っけたまんま、背もたれだけ倒させて、女は寝てるふりをさせておけばわからないから、このままやろうかと」

女の顔半分をハンカチで覆って、寝ているふりをさせ、自分は引き金を引く覚悟を決めた。

「実弾訓練っていうよりも、ちょっとセンスがあればだれでも撃てますよ。あと度胸。自分も実弾の訓練なんてやってないですけど、そのときになれば自分で行けます。男の子だから子どものときからモデルガンとか触ったことがあるんで、だいたいわかるじゃないですか。銃口が下に向けば弾は下に行くってのはわかるし」

実際の襲撃は、ゴルゴ13のようにはるか彼方のターゲットを射貫くのではなく、目の前のターゲットを撃つ、その距離ほんの数メートルである。

敵にぶつかるように銃口を向けて連射するほうが確実に殺せる。

射撃の腕よりも、度胸が大事になる。

「撃った感触は好きですよ、あの音は」と元ヒットマンが語る。

「私もグアム旅行に行ったとき、地元で射撃できる店があって撃ったことがあるんですが」と私が射撃体験を語ると、影野臣直がつけ加えた。

「あれは火薬少なくしてるんです。もったいないから火薬抜いてますよ。マグナムなんて、へたしたら肩が脱臼するとかいうじゃないですか」

ヒットマン火野がみずからの体験を語る。

「ああいうのはね、引き金を引けるか引けないかですよ。その引き金を引くと、もう（懲役）何年って確定するわけじゃないですか。頭のなかをよぎるわけです。引き金引いて、当たれば何年、当たらなくても何年って。そこまで行ったときに、いろいろカッコいいという人もいるけど、やっぱり人間だから頭にいろいろよぎるわけですよ。子どもがいる人もいるだろうし、女がいる人もいるだろうし。そういう思いの一切を断ち切って殺らなきゃいけないわけだから。そこの踏ん切りさえつけば、あんなの真っすぐ飛んでいきます」

雑居ビルの一階にターゲットのいる雀荘があった。

警戒中の警察官もパトカーも見当たらない。

敵の組事務所に警察が張りついているのだろう。

絶好の狙撃チャンスだ。

車を降りて歩いて、塀に囲まれた一角にある雀荘の近くまで向かった。

心臓の鼓動が自分でもわかる。

雀荘から牌をかき回す音がしてくる。そこめがけて撃てばいい。

ここで男になるんだ。

自分にいい聞かせて、ポケットのトカレフを確認した。

火野は塀を乗り越えていった。

体内にアドレナリンが駆けめぐり、耳の奥でキーンという音が鳴った。

一階に窓があった。

そこめがけトカレフの引き金に指をかけた。

一気に全弾撃った。

悲鳴と罵声、雀卓がひっくり返る派手な音。

撃ち終わると、すぐに立ち去った。

「見届け役はいるんですか?」

私が質問した。

「そんなのいないですよ。結果でわかるんで。見届けなんてつけられるってことは、信用されてないってことですから。全弾撃ちました」

赤いフェアレディZが猛スピードで走り去る。

頭上からヘリコプターの飛ぶ音がしてきた。

「ヘリの音がしてるのはわかったんだけど、まさか自分が追われてるとは思ってないから。ほんとは、もう一カ所、撃ちに行こうかと思ってたんだけど。河川敷を走っていたら、雪解けでぬかるんでて。こっちは四駆でもない（フェアレディ）Zなんで、タイヤ取られて動けなくなっちゃったんで、着てた服を脱いで、河原のところではたいて、硝煙反応を消したんです。道具（トカレフ）も捨てて。車をどうしようかとなったとき、たまたまトラックが通りかかったので止めて、〝ちょっと悪いけど、車がぬかっちゃったから引っ張ってくれ〟ってお願いして、あげてもらって」

上空に警察のヘリが飛び交い、火野の行方を追っていた。

上空から見えない場所はないか。

走っているうちに山のなかに迷い込んだ。

ヘリがフェアレディZを見失ったようだ。

「もういいかなと思ってそのまま走ってたんですよ。こっちの身元は割れてないだろうから、大丈夫だと思って。そしたら幹線道路に出て、左を見たら赤灯がクルクル回ってるわけです、パトカーが。いやぁー！　振り切ろうと思って右に行ったら、そっちもパトカー。車のバリケードで封鎖ですよ。反対側車線は渋滞。追ってこられてバックしてもう一回振り切ろうと思ったけど、無理」

火野の車は手配されていた。

真っ赤なフェアレディだから、追跡するには格好の色だ。

逮捕された。

愛人も逮捕された。

火野が雀荘に撃ち込んだ弾は、あたりを恐怖のどん底に突き落としたが、不幸中の幸いというか、相手側の組員にも雀荘従業員にもほかの客にも当たらなかった。

愛人は襲撃を知らされず、付き合っただけということで釈放された。

火野は火薬取締法違反と銃刀法違反で起訴された。

懲役五年で下獄する。

「当たらなくてよかったですね」と私。

「当たるの覚悟で狙ってるんですけどね。自分がそういう風に、体を懸けたというのを励みに思ってくれた人間がいて、刑務所でね、『火野さんの事件を聞いて』って人もいるんでね。それはそれでよかったとは思ってますけども。先輩先輩ってみんなが慕ってくれるんで。いまはもう一回がんばろうと思ってます」

福島刑務所に収監された。

そこには対立する組織の構成員もいた。

「刑務所のなかの時間の流れというのは、外にいるときと違いますか？」

「早いです。もう、あっという間です。刑務所のなかは独特の時間の流れがあるんです。毎日同じテンポでいきますよね。はじめのうちは、長く感じるんですよ。慣れてきちゃうと、ご飯を食べて何時、何をやって何時とスケジュールがあるから早いです。だから二年ぐらいの刑なら、あっという間ですよね。長期でも、自分は六年が最高だけど、三年過ぎたらあっという間です。気がつくと、ああ、もう娑婆だみたいな」

「意外ですね。すごく長く感じるかと思いましたが」

「早く感じるんですよ」

元ぼったくりの帝王も刑務所の時間の流れの早さを証言する。

「あっという間で物足りないくらいですよ」

影野臣直は刑務所ダイエットと称して、太りすぎた肉体を減量するために、あえて罰金を支払わずに刑務所で一カ月間の労役について、痩せて娑婆にもどるほどだ。

火野が語る。

「特に時間が早いのが独居なんですよ。何もやることなくて、考える時間がいっぱいあるんですけど、早いんですよ。ヒットマンのときとは別件で六年入っていたときがあって、自分は一年十カ月独居房に入ってました。独居房がかまぼこ型なんです。雪深いところにあるんで普通の独居より窓が高いんですよ。ぜんぜん届かないところにあるんで、蔵のなかに入れられたような状態でね。表なんて見えなくて、暗いんですよ。そこにいたときは、女房と子どもが毎日のように面会にきてましたよ。人とほとんど話すことができなくなって言語障害に近い状態にまでなったけど、時間のたつのはものすごく早かった。本も読んでたけど、一日に一冊とか一冊半とか読んで、あっという間の時間でしたね。刑務所は時計がないから、少し太陽の光が入るので、角度でもって時間がわかるんですよ。ちょっと鉛筆で印をつけておくと、いま何時ってわかりますからね」

火野の獄中体験は通算十回におよぶ。

入獄した刑務所をすべてそらんじている。

「十九歳から二十歳にかけてはじめて入って。水戸（刑務所）に二回でしょ。水戸水戸、甲府、福島、横浜。札幌。こっちに帰ってきて。甲府、網走、福島、名古屋」

ヒットマンの事件は満期で出所した。

五年ぶりに吸う娑婆の空気だ。

不義理をしたということで、左手小指を詰めた。

階段に小指を乗せてドスを重ね、知り合いに頼み、真上からレンガで思いっきり叩いた。

バチンという音とともに小指が飛び、血が噴射した。

「みんな、落としたあとは痛いっていうけども、自分は瞬間のほうが痛かったですね。（指が）飛んだあとよりは、叩くほうが刺激はありますよね。傷口を縫う前に骨を出して削るんですよ、そのとき が痛いっていうけども、自分はぜんぜん。それで皮を引っ張って縫いました。そのあと、車に乗って シフトレバーにぶつけると、ちょっと痛かったりしましたけど」

「指は保管してるんですか？」

「川に流したと思いますよ。水に流すっていう意味合いで。なかには食べちゃう人もいましたね。要するに、腹に収めるってことです」

＊

第三章に登場した歌舞伎町の少年ヤクザであるが、火野もその一人だった。

昭和三十年代半ば、神奈川県生まれ。

中学を出てから大手自動車メーカーの高専（高等専門学校）に進学した。

「世田谷とか新宿の連中と仲良くなってきて。それからですね、新宿のディスコに通い出したのは。『サタデー・ナイト・フィーバー』が流行りだしたときに、入りびたりのディスコがあって。そのころから少年ヤクザの名前が出てきたんですね。髪型はニグロでしたから」

ニグロというのはパンチパーマと同意語で、七〇年代後半の歌舞伎町で大量発生した。

ニグロが黒人の蔑称になるので、使用が控えられ、パンチパーマに吸収された。

「当時は自動車メーカーや国鉄にも専属の高校があって、働きながら学べたんです。一年半くらいたったときに専務と喧嘩になってやめて厚生年金会館の裏にあるアパートで暮らしだしたんです。夜な夜な歌舞伎町に出て、少年ヤクザと喧嘩したり、どっかで恐喝したりそんな生活でした。生活費はトルエン売ったりシンナー売ったり、恐喝だったり、歩いてる人間を捕まえてゆすったりしてました。恐喝する相手は不良だけですよ。普通の人にはやったことはないです。自分の縄張りだと思ってるところによそ者が大きな顔して歩いてると、むかっ腹が立ってくるんで。当時は若かったから」

元ボッタクリの帝王が証言した。

「うちの元ヤクザの従業員が火野さんに殴られてるんですよ。目が合ったというだけで」

すると火野が「殴った覚えはないですけどね」と苦笑混じりで返した。

「あるんですよ、火野さんは狂暴で有名なんだから」

火野が回想する。

「自分が歌舞伎町にきたときには、少年ヤクザって言葉はもうすでに出てましたね。その当時、正業に就いてるのがいないわけですよ。そんななかで、いいカッコしていい女連れて遊ぶには、自分を磨いていかないと。当時、自分は、薄い服だったらジョーゼットの織物で真っ赤な薔薇の刺繍で黒のズボンをはいたりしてね」

組から支給されるツナギのような戦闘服を着る場合もあった。

出はじめたポケットベルを持つことがステイタスだった。

当時は十八歳にならないと組に入れなかったため、未成年の少年ヤクザは自分たちで収入(シノギ)を得る必要に迫られた。

もっぱら、路上でのユスリ・タカリ(恐喝)だったり、新宿駅周辺でのトルエン密売だったり、変わったところでは、原宿の竹の子族、ローラー族のケツ持ちだったりした。

*

「一九八二年夏、女子中学生がディスコで遊んでいたあと、ゲームセンターで声をかけられ車に連れられて殺害された事件がありましたが、何か記憶ありますか?」

私は歌舞伎町ディスコ殺人事件について、火野に尋ねてみた。

「ありますよ。靖国通りのところに新華月(しんかげつ)って中華料理屋があったんです。一階がゲームセンターで。そこのところに、事件の犯人像を描いた看板が立ってたんですよ。〝この車を見たら110番してください〟みたいな。あのゲームセンターは、覚醒剤の売で有名なところだったから、そこにいたら、警察官に声をかけられて、犯人に間違えられたことはありましたよ。なんか車が似てるっていうんで。止められて、その件を聞かれましたよ。それで記憶にあるんですけど。こういう事件があって、こういう車に乗ってるんだよねみたいなことはいわれたことはあります」

「犯人にまつわる噂はありましたか？」

「噂はないんですけど。そのときたまたま乗ってた知り合いの車、それが、車種がなにしろ一緒で、色が似たような色だったんですよね。イラストが出てて、その車に似てるっていうんで」

あの未解決事件は記憶の片隅に住み着いている。

「いま現役でヤクザやってる少年ヤクザは、周りでは自分を入れて三人くらいじゃないですか。同じ組もいれば違う組もいますけど。いつの間にかいなくなった人間もいれば、カタギになったのも多いですけどね。そんななかでも、新宿出てきて仲良くなった友だちは、まじめにはなってるけど、それなりに会社やって子ども育てて大きくなってるんで。でも何かあれば必ず相談にくるしね」

火野の体には十六歳のときに入れた代紋の入れ墨がある。

十六歳で渡世人になる覚悟とはいかなる心境だったのか。

「ぜんぜん平気でしたよ。胸のところ、ちょっと開けてチラっと見えるくらいでね。ボタンも全部上までかけないじゃないですか。それで少し入れ墨が見えるわけです。そうすれば少年ヤクザってわかるんですよ。棺桶に入るまでにはとりあえず全身仕あげておこうかなと思って、いまも入れてますけど。中途半端で棺桶に入りたくないんでね、入ったときに仕あがってないなんていわれたらいやだから、とは思ってます」

終戦後、わずか組員三十三人だった山口組を日本最大のヤクザ組織に築きあげた田岡一雄三代目組長は、常に組員たちに正業を持て、といってきた。

逆にいえば、ヤクザは正業を持たないのが当たり前ということになる。

ヤクザの主な仕事は、賭博、ノミ行為、覚醒剤密売、手配師、ダフ屋、占有屋、総会屋、取り立て、恐喝、みかじめ料徴収、といった法律的に禁止されたものであり、常に逮捕されるリスクがつきまとう。

ヤクザにとって仕事とは、労少なく、益多いものであり、法律に抵触しようが、儲けが大きければためらうことなく手を出す。

彼らの価値観として、汗水流して働くことを忌み嫌う。

ヤクザといえば手に何も持たず、ズボンのポケットに手を突っ込み、徘徊するイメージが浮かぶ。例外的にバブル時代に地上げが活発になり、関係書類、通帳を持ち歩くためにルイ・ヴィトンのセカンドバッグを小脇に抱えたヤクザをよく見かけたことはあるが。それ以外は手ぶらである。

電車やバスにも乗らず、バブル時代はベンツ、いまはアルファードのような大型車で移動する。

飲食店や風俗店のケツ持ちをしたり、客として顔を出し、深夜まで起きている。必然的に朝は遅い。

サラリーマンのようにタイムカードがあるわけでもなく、時間に縛られることがない。

自由に使える時間がほとんどなので、好みのキャバクラ嬢を落とすためなら、毎夜、指名する。そしてあるとき、ぷつりとこなくなる。どうしたのだろう、と相手が気になってしばらくしてから、再び顔を出す。一度距離を取って冷却期間を置いて通い出すのは、ヤクザだけではなく、夜の世界で女を落とすテクニックだ。ヤクザは時間が自由に使える分、有利になる。

正業を持たない理由はもう一つ、抗争になると、いつ呼び出しがかかるかわからないからだ。

火野が語る。

「いざというときに、行けるか行けないかですよね、(ヤクザの)値打ちが決まるのは。ふだん、いくら口でいってても、いざというときに行けない人間もいますからね」

抗争がないときは、遊んでばかりいる。

昔、駅前のあるパチンコ店に午前中、入ったら、一列まるごと席が空いていた。

ほかの席は半分以上埋まっているのに、その列だけ横十席が空席なのだ。

よく見ると、パチンコのダイヤル部分に十円玉を挟んで人間の手を使わず、玉を弾いている。しかも十席すべて。

いまなら暴力団新法でこんな暴挙は取り締まりの対象になるだろうが、昔はヤクザのこんな打ち方がまかり通っていた。豪快かつはた迷惑である。

だが女の目から見たら、こんな破天荒な遊び方がまたヤクザらしく、惹かれてしまう。

火野が回想する。

「十台は自分はないですけど、五台くらいはありましたけどね。ハハハハ。普通は怒られますけど、見て見ぬふりですよ」

＊

「火野さんがパクられました！」

元ボッタクリの帝王・影野臣直が衝撃情報を持ってきた。

喫茶店のパリジェンヌで長い時間、話を聞いたあの日から三カ月後、元ヒットマンは傷害事件で逮捕・収監された。余罪も追及されているという。

影野臣直はさっそく面会に行く予定だ。

梅雨の曇り空のもと、担当編集者勝浦基明、影野、私の三名は東京拘置所を訪ねた。

実はバブル期に私もここの面会室で収容されていた被疑者とアクリル板越しの対面を果たしたことがある。

三里塚空港阻止闘争でゲリラ事件を先導し、懲役四年六カ月の刑を受け下獄した高校時代の旧友だった。

あのときと比べ、現在の東京拘置所はオリンピック会場のような巨大施設に変貌した。

午前中の拘置所で面会の予約を入れ、しばらく待機所で待つ。

売店には雑誌や座布団、菓子といった差入れ品がずらりと並ぶ。

アルファードが連なり、到着するとなかから明らかにその筋と思われる男たちが降りてきた。

丸坊主、五分刈り、細身のジーンズ、最近のヤクザはジムで鍛えているせいか、上半身がしっかりしている。

ノーネクタイに黒いスーツ姿も混じっている。

きびきびした動きは一見すると体育会系に見えるが、表情のどこかに放埓な影が宿っている。

彼らにとってここはなじみの場所だが、建て替えられたために、なかなかわからなかった、とぼやく声が聞こえる。

三十分ほどで私たちの順番となった。

荷物を預け、金属探知機のチェックを受けて、面会室へ。

私が以前、面会したときのうら寂しい部屋とは異なり、明るく清潔な部屋である。

待っているとドアが開き、見覚えのある男が刑務官と一緒に入ってきた。

着席して会釈する。

しばらくぶりに見る火野は痩せていた。

規則正しい生活と、低カロリーの食事は贅肉を削ぎ落とすのだ。

裁判中ということもあって、事件のことはほとんど触れず、話題は拘置所での暮らしぶりになる。

東京拘置所には架空請求詐欺グループが多く収監されているという。

オレオレ詐欺で被害者が振り込んでしまったカネを口座から引き落としたり、家まで訪ね、カネを騙し取る役を受け子という。

逮捕される危険性がもっとも高く、その上の指示役、指揮者まで手がおよぶことは少ない。

騙し取った現金をいったん手にすると、受け子はそのまま横取りして逃げようとするケースがある。

それを防ぐために、横取りしようとして捕まった受け子をリンチするシーンを動画に撮り、見せしいう。

めとして仲間に配信する。

リンチが過激になって、殺してしまうケースもそのまま配信するという。殺人動画である。

リンチする男の腕に刻まれたタトゥーが同じ絵柄なので、同一人物同一組織がやっているものだという。

かつてのヒットマンは闇の彼方に埋もれる情報を持っていた。

何度も拘置所に入っているので、さほど落ち込んでいるようには見えない。

硬い床と布団のせいか、「腰が痛くて」とこぼす。

「歌舞伎町の本、楽しみにしてます」と火野。

「ありがとうございます」と私たち。

時間がきた。

拘置所真正面を歩いていると、差入れ屋に商品を卸す業者が影野に挨拶をした。

差入れ屋に影野が立ち寄ると、店のなかから関係者が出てきて挨拶を交わす。

歌舞伎町だけではなく東京拘置所でも影野に人が寄ってきた。

「おばちゃん、これちょうだい」

差入れ屋で影野はたらば蟹の缶詰を十缶購入し、火野への差入れにした。

獄中の人物がいかに大物か周囲に誇示するために、蟹の缶詰が差入れされるという。

なぜ蟹なのかというと、差入れ屋の棚に並ぶ缶詰のなかでもっとも高額だからだ。

東京拘置所における裏社会の慣例である。

差入れ屋のママによると、面会で死刑囚の親族が訪れることがよくあるという。

差入れで死刑囚かわかるとも。

せめてうまいものを食べさせてあげたいということか。

朝早くから面会に行ったので、昼になると空腹を感じた。

私たちは喫茶店でピラフを注文した。

外では黒塗りのアルファードが行き交い、ヤクザの出入りが頻繁になった。

影野を見かけて会釈する組員たち。

若いころは一食で三合は食べていた影野は、ピラフ以外にサンドイッチを追加する。

テーブルにピラフが置かれると、さっそく塩を振りかける。

「ちょっとかけすぎじゃない？」と私が心配すると、「しょっぱいのが好き。塩分好きなんですよ」

となおも塩を振る。

店のママに「ピラフ、ネギ抜きでね」と影野が注文した。

「俺、ネギが駄目なんですよ」

怖い物知らずの男が、ぽつりとこぼした。

＊

歌舞伎町には数多くの拳銃が確実に存在している。

「二、三丁どころじゃない。二十丁くらいすぐに集めてこれる」

二昔前、関西の組織から東京に身を移し、関東のある組織の構成員になった男だ。

こちらに移ったときの稼業名がいくつかあったが、ここではその一つ、武藤という名にしておこう。

現在は組を抜けて、歌舞伎町でスナックをやっている。

武藤は私より数歳上で、ある取材で出会った。

左小指欠損はこの稼業経験者によく見られる特徴である。

「暴対法からあと、発射罪もできたし、昔のように短期刑ってわけにはいかなくなったから。拳銃でやる事件と刃物でやる事件は刑が違う。いまは拳銃所持だけで二年以上の刑期にはなるでしょ。引き金を引くと発射罪がつく。合わせると最低でも五年という刑期が待っている。引き金引けば五年はしょうがない。そうなるとヤクザも頭は利口になってくるから、わからないようにやる。法律が厳しくなるほど、警察には捕まらないようにするよ。昔みたいに法律がゆるければ、自首するんだろうけどね。いまは自首したら損だと考えるから」

山口組から分裂した一和会との抗争、世にいう山一抗争のときには拳銃の値段が跳ねあがり、八十万円以上の値がついた。抗争事件が減った現在は一丁五十万円にまで下がったという。

武藤が現役のころは拳銃と実弾二十発がセットになって闇で売られていた。

買った拳銃は試し打ちをやる。場所は海。

船で沖合まで行って、空き缶を海上に投げ浮かべたところを射撃する。

実戦で撃ちやすい拳銃は、リボルバーだという。

「狙う場所の少し下を狙うんだよ。だいたい真ん中に、こう……」

右手でリボルバーを持つポーズをしてみせた。

狙いを定め、弾倉を回す仕草は、朝の歯みがきをするかのように日常化した動作になっている。

「(拳銃に）慣れないと危ないから。安全装置かけるのを忘れるやつもいるから。はじめて撃つやつは反動があるのを知らないけど、慣れたやつはわかってる。（撃った）反動があるから、反動を計算して撃つのが大事。まっすぐ撃ったからって、まっすぐ飛んでいくもんじゃないんだよ」

武藤は拳銃の細部にわたる操作を事細かに再現する。

「拳銃っていうのは、きちんと腕を伸ばすこと。（射撃のポーズを取る）ピンと伸ばして、片手を添えてあげて」

私は喫茶店パリジェンヌに呼び出され、大柄なヤクザ数名に脅されたことがある。一度ならず数回。時間に遅れてはいけないと、十分前に到着したら、すでに向こうはきていた。

二度目に呼び出されたとき、今度は三十分早く店に着こうとしたら、向こうはもっと早くからきていた。

ヤクザの習性の一つは時間厳守である。

早くからきて、相手を待ち、威圧するのだ。

宮本武蔵のようにわざと遅れて相手をいらつかせる戦術などではない。

だからヤクザは正業を持たない。

ふだんはぶらぶらしている（ように見える)。

武藤が語る。

「時間がルーズなヤクザは一番ダメ」

組員になると、事務所の当番制に組み込まれる。

当番の日がくると丸一日、事務所での雑用が待っている。礼儀作法もこのとき学ぶ。

ある組の若いヤクザが事務所当番に行く途中に交通事故を起こしてしまい、このままだと当番に間に合わないからと、現場から逃げて事務所に向かった。

交通事故のあと始末も大事だが、事務所当番に遅れることは絶対にあり得なかった。

事務所当番をすませると、当て逃げ犯を探していた警察に自首したのだった。

ヤクザの決まり事はそれくらい厳しいということだ。

ヤクザが生きる術を学ぶ部屋住みはおよそ三年におよぶ。

ヤクザ同士だと拳銃を使うよりも腕力で勝ち負けを決めることが多い。

喧嘩の必勝法は、武藤曰く、「早く手を出すこと」だという。

「先に殴る。相手は驚くから。そのあと、やっちゃえばいい。とにかく先に手を出したほうが勝ち。相手に圧をかける。やられたあとにのしあがってくることはない。もう気合いで負けてるから。しゃべってたらやられちゃうんだよ。しゃべるんだったら喧嘩する必要がないんだよ。喧嘩になる雰囲気をつかんだら、早く倒すこと。足で踏んづけてやればいい」

暴対法によってヤクザはがんじがらめにされ、みかじめ料は徴収できず、ローンも組めなければ、代紋を表にかざすこともできない。

さらに地方自治体の条例である『暴力団排除条例』によって、宿泊施設の利用も厳しく制限されている。

本職のヤクザが厳しい環境に置かれている一方、半グレと呼ばれる、組織の決まり事がゆるい反社会的グループが繁華街に進出してきた。

歌舞伎町にも半グレが目立つ。

ヤクザが法律上、身動きが取れない部分を民間暴力組織として半グレが請け負っている側面もある。

歌舞伎町の喫茶店で、昼間からこの手の若者たちが集団で密談している光景をよく見かける。

娑婆にいるころ、少年時代、ちっとも本を読まず、漢字もろくに知らないヤクザは多い。

三代目山口組田岡一雄組長の夫人文子姐が、子分たちが漢字を知らないので、小学生用の漢字ドリルを用いて学習させた話もある。

刑務所に入ったヤクザは一転して読書家になると武藤はいう。

「やることないから本を読むしかない。刑務所の日曜なんか、みんな本ばっかり読んでるから。字を書けない人も書けるようになる。刑務所は学校みたいなもんだったね」

暴力団新法ができて、ヤクザは生きにくい時代になった。

「暴対法ができてから、ヤクザは警察に自首なんてしないよね。前はカッコつけて自首してたけど。いまは捕まらないように頭を使うから。証拠なんか、まず出てこない」

武藤はいい時期に引退したのかもしれない。

*

「俺は虚の部分をあまりにも見てきたから、人間に怖さを感じないわけ。怖い人、親分、権力者っていったって、ただの人。みんな幻を見てるんだよ。田中角栄だって捕まって病気したら、もうただの人。だから、ハッタリを最後まで通せるやつが一番強いってなっちゃうわけ。そのいい例が俺なんだよ。俺はどうすれば人にウケる、どうすれば好かれる、嫌われる、それが見えちゃう。いま思えば色濃い人生だったよ」

江藤カズオ。

一九七〇年代から八〇年代の歌舞伎町は、この男抜きでは語れない。

水先案内人としてメディアにしばしば登場した、不夜城の生き証人である。

若いころはヤクザ顔負けのイケイケで、複数回の逮捕歴と刑務所暮らしを経てきた歌舞伎町の騒動師でもあり仕掛人でもあった。

その一方で、クラブやキャバクラ、性風俗店の経営を手がけるとともに歌舞伎町ダイアリーというオリジナル手帳を制作し、店舗情報やホステスの日記を網羅し、よく売れた。

自身も夕刊紙や週刊誌に歌舞伎町をテーマにした連載をいくつも持ち、映画『ブレイクタウン物語』では原作・脚本家として尽力した。

山本晋也監督が深夜番組『トゥナイト』で歌舞伎町をレポートするとき、江藤カズオがよく案内人となった。

はいずり写真師の異名を持つ写真家・渡辺克巳の撮ったモノクロームの歌舞伎町の街と人は、江藤カズオがよく案内人となった。

駆け出し時代の私は、ネタを求めて毎週のように歌舞伎町を訪れると、たいてい江藤カズオに行き当たった。

百鬼夜行（ひゃっきやぎょう）の行き交う歌舞伎町で、ロケをしたり、撮影をしたりすると、しばしば厄介なことになるものだ。

そういうとき、歌舞伎町の隅々まで顔の利く江藤カズオがいると、うまく交通整理をしてくれるのだ。アンダーグラウンドの世界にまだ不慣れだった私は、この男からずいぶんと情報を仕入れたものだ。

江藤カズオとは三十年ぶりの再会だった。

「俺は昔から若い連中を育ててきたから。みんなビッグになっちゃって。いまでも俺にカネをくれる。仕事やめたって食っていけるんだよ。一番かわいがった男なんか、億万長者。バブル時代に親が保証人になって、何億円かやられて家も取られそうになったとき、俺が相手をやっつけてさ、助けてやった。そしたら二十年以上、毎月カネをくれるんだよ。普通さ、五、六年もしたら『もう、顧問料をそろそろ……』ってなるのにならないんだ。その代わり、後輩や仲間は絶対に守ってやる。俺はどうしても自分がてっぺんにいないと気がすまないからさ。ブレたり弱いところを見せたりしちゃダメなんだよ。人間はいつか死ぬんだぐらいの気持ちは昔から持ってるからさ。前も話したと思うけど、この首の傷も十六歳のときに喧嘩で刺されたんだよ。暗がりで覚えてないけど、たぶんナイフ、喧嘩だよ。若者同士の。喧嘩になって、そんなもの持ってると思わないから」

江藤カズオ

勢いよく血が噴き出した。

見たこともない量の真っ赤な血だ。

死を覚悟した。

意識が遠ざかる。

タクシーが通りかかった。

運転手が素早く降りてきて、応急処置として傷にタオルを巻いてくれた。

「五ミリずれてたら、動脈切れて死んでた。相手は逃げちゃったけど。たまたま通りかかったタクシーが助けてくれたんだよ。その場でお礼をいったけど、だれかはわからずじまい。感謝だよ。医者から、『アンタ運がいい』って。十日で退院だよ。世話になっていたテキ屋の親分が一升ビンを医者に持っていって、この事件は警察に届けないでくれって頼み込んだ。昔はそういう融通が利いた時代だったんだよ」

江藤カズオの母は長野県松本市出身で、東京のどこで父と知り合ったかわからない。

明治生まれの父は郵政省の逓信新聞という官製のタブロイド紙を戦前から発行していた。

胸に「粛清」というバッジをつけた父の姿を見ると、職員たちは上も下も逃げ腰になった。

なぜ父がこれだけの権力を持ち得たのかというと、郵政省の組合が強いという職場環境も背景にあったのだろう。それに加えて独特の正義感を振り回す姿勢が、恐れられたのではないか。

当時は新聞広告も入り、羽振りがよくなったおかげで、父は東京に別宅を持ち、カズオの母を愛人にした。

太平洋戦争がはじまり、次第に東京にも戦火が迫ってくる。

カズオが生まれたのは戦時中の芝愛宕町だった。

カズオは母の出身地である長野県に疎開した。

終戦後、父は東京に残ったままでろくに仕送りもしてくれないから、母親が昼夜働き、四人の子どもたちを育てた。

カズオの童貞喪失は中学二年生だった。

相手は同級生のお袋、戦争未亡人だった。

カズオ少年は自慰という行為すらまだ知らないとき、寝ているうちに同級生のお袋に乗っかられてしまったのだ。

同級生は引っ込み思案でおとなしかったが、カズオ少年は真逆、負けず嫌いでハッタリが利いたから、オスの匂いを嗅ぎ取ったのだろう。

「世の中にこんなに気持ちいいことがあるのかって、そう思っちゃったんだよ」

仲のいい三年上の先輩がいた。

素行不良で、恐喝や暴力行為を犯し、カズオ少年とともに警察から手配されていた。

先輩と仲間たちが暮らす部屋に真夜中、音がした。

警察の一斉捜査だった。

「動くな、そのまま」

先輩が最初に取り押さえられた。

不良少年たちが一人ずつ、名前と生年月日、職業を聞かれる。

警察は首実検して追い詰めようとしていた。

カズオ少年の前に警察官が立った。

尋問になると、カズオ少年はとっさにでたらめの名前と生年月日をいった。

「お前、まさか、江藤じゃないのか？」

警察官たちは、カズオ少年を囲んだ。

悪運尽きたか。

「江藤はさっき、お袋の具合が悪いっていって、帰りました」

箒屋（ほうき）のせがれが機転を利かせた。

第三者からの証言は重かった。

難を逃れたカズオ少年は、地元の不良少年たちのところを回ってカンパを集めた。

三千円集まった。東京に逃げるつもりだった。

「当時（一九六二年）、松本から新宿までが鈍行で九百円。松本駅から乗ると警察が張ってるからって、タクシーで隣の南松本駅まで行ってそこから新宿に向かった。新宿には同じ長野県出身の先輩が大きな組織で活躍してたんだよ。その先輩は俺の人生を変えた人だな。いまでも付き合ってるんだけど。その先輩が『おい、俺とタメでいいぞ。さんづけで呼ぶなよ、そうすればお前の価値もあがるから』っていうわけ」

序列の厳しい不良の世界で、先に名を成していた男と同列でいい、ということはカズオ少年にとっても有利な出発になった。

「先輩と同等ということで周りの連中も一目置いてくれた。それと俺は、空気を読んで、先輩の好きなタバコがあれば、先にそれを買っておいて、なくなったらすぐに渡す。そういうのは得意だったから」

先輩を頼って新宿に漂着した。

わずか三年ではあるが裏社会を経験する。

「当時のヤクザは何で飯を食ってたんですか？」

「女だよ。上の人はカネをくれるわけではないから、自分で稼ぐしかない」

「ヤクザは正業を持たないとよくいうじゃないですか」

「持っちゃいけないっていうか、決まった仕事なんかしたら恥ずかしい時代だったから」

「正業を持つのが恥ずかしい？」

「そう。博打や店のかすり（用心棒代）、ノミ屋（私設の馬券屋）が多かったな。あとは女で食ってたね。俺も女。ヒモだな」

「トルコ嬢ですね」

「そうそう。ほかにもキャッチガールやホステスなんかいたな。当時の俺はそのすべての女と付き合ってたよ」

「というと、ヤクザは女にモテないとはじまらないですね」

「ヤクザは女にモテたから。ヤクザで女いないなんてのは、シャレにならないよ。歌舞伎町には女が掃いて捨てるほどいるんだから」

江藤カズオは一時期、新宿駅西口でバナナの叩き売りをしていた。

「売れた売れた。バナナが珍しい時代だから。貿易自由化になってもしばらくは売れたんだよ」

「口上はいまでも覚えてますか」

「覚えてる。ほとんど自分でつくったから。正田美智子さん（現上皇后）のミッチーブームのときだから。『昨日もね、宮内庁がきて、トントンドアを叩くから、だれかと思ったら、美智子さんがバナナ食べたいっていうので、夜中だけどしょうがねぇ売ってやったよ。はい！　宮内庁御用達のバナナ！』なんてデタラメいって、またそういうのがウケるんだよ。ミッチーブームから二、三年後だけど、まだそのころは美智子さんの話でいくらでも引っ張れたから」

＊

「俺はなにかと自慢してるんだから中卒を。中学で十分だよ。高校と大学行った分を地元と歌舞伎町で遊びながら学んだ。しかも反面教師ばっかりだから。こうなっちゃいけませんって人ばっかりだろ」

長野県にいた小学生時代、たまたま隣に高校の校長先生一家が引っ越してきた。その一家には中高生の兄弟がいた。

「学校の先生だから本なんて山ほどあるわけだ。お兄ちゃんたちに頼んだら貸してくれるんだよ。ところがさ、小学生が読める本じゃないわけだよ。でも昔の本って全部ルビが振ってあるわけ。雑誌もそう。だからとりあえずは全部読めちゃう。そうしたら本に飢えて、読みたくてしょうがなくなった。

返せっていわれるまで何度も読んだりして。おじさんとお兄ちゃんがキャッチボールをよくやってるから、俺も仲間に入れてくれるわけさ。文武両方をその親子に教わったんだ。その影響は大きかったな。

小学校三年のときに読書感想文を書いてこいっていわれてさ。同級生たちは、ヒヨコさんがピヨピヨと山へ登りながら歩いていたらクマさんと出会いました。クマさんはとても強くて……そんなのを書いてるときに俺は何を書いたと思う。いまでも忘れないよ。菊池寛の『恩讐の彼方に』。これを読んで、書いていった。そしたら先生が、本当に俺が書いたのか聞いたよ。先生が感動して、学級新聞に載せてくれて、江藤はすごいみたいに周りがなって。そんなことで天狗になったよ。中学に入っても国語だけは自信満々だった。国語のテストで九十点以下を取ると先生に怒られたもん。音読で、つっかえたら止めるっていうのを父兄参観日にやったんだよ。たいてい、先生が勝つわな。そしたら俺が先生に勝っちゃったわけよ。父兄が拍手してくれたよ。国語だけはできたわけ。そういうのが原体験としてあるから、物書きになろうっていう気持ちがずっとあった。刑務所に入っても、丹羽文雄の小説作法とか谷崎潤一郎だとか三島由紀夫の文章作法の本、読んだよ、字の練習もしたよ」

歌舞伎町では持ち前の社交術で人脈を広げ、顔が知られるようになった。

「場面を読むのが得意なんだろうな。だから女を口説くなんて得意なもんだよ。ワハハハ。俺は好きになった男とはずっと付き合うから。いまも江藤グループっていうのがあって、みんな二十年三十年の付き合いだから。年に何度かはあちこちに遊びに行くんだ」

組織に入ることをよしとせず、江藤カズオはほとんど個人で活動した。

喧嘩騒ぎも起こし、なんでもやらかした。

路地裏に入れば赤い血だまりがあちこちにあった。

昨日、大手を振って歩いていた愚連隊が消えて、行方不明のままというケースもよくあった。

「俺はホストだけは嫌いでさ、ホストやるならヤクザやれといってる。ホストなんて、はじめから職業と思ってないから。どんなきれいごといったって、あいつら女を騙して飯食ってる。ホストはケツの毛まで抜いちゃうんだから。俺たちは女をだましても、困ったら守るっていう情があったよ。俺のホスト嫌いを知ってるやつらは、俺の顔を見たら横向いて歩いていったよ」

歌舞伎町は昔もいまも性欲を表看板に出して恥じない街である。

「あのころの歌舞伎町はパンマ全盛だよ」

パンマとは、按摩（あんま）（マッサージ）しながら客に性的サービスをする、パンパンと按摩が合体した隠語である。

パンパンは終戦後、主に米兵を相手にした街娼のことをさす。パンパンという呼称は、風俗産業の女性を招くときに手を叩くことからきているとも、東南アジアで女性を呼ぶときの名前からきているとも、諸説ある。

パンマという隠語は、江藤カズオが歌舞伎町で暴れていた六〇年代は使われていた。

「ホテルに一人で行くわけだよ。頼むとマッサージという名目で女を呼んでくれるんだよ。それがパンマ。一時期ハマった。安いからね」

「いまでいうデリヘルですね」

「そうそう。按摩といっても目は見えるし、性については自由に値段をつけられる。当時、俺がハタチくらいかな。五十くらいのオバサンがきたの。ちょっと色気あったんだよ。俺、ムラムラっとして勃っちゃった。そのオバサンは普通の按摩だった。パンマもいれば普通の按摩もいるわけだから。そのオバサンが『あらあら、あんた』なんていうから、〝ちょっと触ってよ〟っていったら喜んで触ってくれて、それで乗っかったんだよ。タダだよ。マッサージ代は別だけど。オバサン喜んじゃって。『うちの人とやってないから久しぶりだよ』って、俺に感謝してた」

歌舞伎町は性のベンチャービジネスの場だった。

「俺が歌舞伎町でのぞき部屋をつくったのは有名だよ。当たっちゃったからね。すごいときは一日五百人入る。西武新宿駅前通り。ちょっと歌舞伎町からはずれてたんだよ。それがよかったわけだ。近くの映画館のマネージャーが、『うちは深夜七人しか入ってませんよ。おたくはなんでこんなに並んでるの?』なんて驚いてたから。『ファイブドアーズ』ってのぞき部屋よりずっと前。円形に個室をつくって、客はなかからマジックミラー越しに真ん中のステージをのぞく。なかで女の子がオナニーショーをやるの。十五分間。当時は全部パンツの上からだよ、警察が怖いから。だけど俺は全部脱がした。しかも、個室ごとに鏡の前でモロに見せた。モデルが俺のこれ(女)だったんだよ。予定してたモデルがオープンの日にこなかったから、ホステスだった彼女にやれって素っ裸にして、その場で教えてさ」

「ホストよりひどいじゃないですか」

「だって、あの当時で時給四千円やったんだよ。彼女は渋々OKしてくれたけど、音楽鳴り出してから十五分のショーをやったら、自分が感じるっていい出したんだ。のぞきの女王と銘打って売り出したよ。本人もカネになったから。みんなに見られてるって想像しただけで、濡れてきちゃうっていうわけ。のぞき部屋の料金はポッキリ二千円。ショーやってる最中にお客がオナニーするわけだよ。それで、待てよと。出番のこない女に手コキやらせたらどうだろう？　プラス三千円でそれやったら、大当たり。手でやってもらいたい客は事前にランプをつけておくと、部屋に女が入っていって、しごいてあげる。面白いようにヒットしたよ」

常に私と同行している担当編集の勝浦基明が感きわまって言葉を漏らした。

「僕、行ったことあるかもしれない。風営法施行されたあたりですよね。なんか、ランプをつけるところありましたもん。二、三回行ってます。店の場所はえび通りとかに近かったですよね」

それを受けた江藤カズオ。

「間違いない！　お客さん、どうも当時はありがとうございます！」

話は勝浦が痛い目にあい、人生危うく踏み外すところだった歌舞伎町名物ポーカーゲームになった。

「みんな痛い目にあってるんだよ。あれは自分がやってるように見えるけど、機械がやってるんだからさ。俺、常に科学的思考で生きてるから、ものを信じないわけよ。裏が取れなかったら、すべて嘘と決め込んでる」

＊

江藤カズオがアンダーグラウンドの世界から足を洗い、堅気の世界で成功した端緒は意外なことに事務用品だった。

「歌舞伎町ダイアリーだよ。この街の店を全部宣伝して、ホステスの日記と売上帳まで載ってる手帳だよ。持ってない人は歌舞伎町人じゃないっていわれたぐらいだから。二十年はつづいたかな。店の名前と電話番号も無料で宣伝してあげて、俺は一銭のカネももらわないで、手帳を三千円で売ってたわけよ。手帳が三千円っていったら、みんなは、えー！　高いよ、いらないよって、一年、二年は売れなかったんだよ。俺の顔を見ると逃げてくわけ、手帳を買わされるって。ところが、三年目で火がついたよ。こんな便利なものあるかって気がついた。三年目からは、売ってくださいに変わった」

「売れるきっかけは？」

「きっかけというよりは、便利だってわかったんだよ。だから、ニュースにもなった。当時、そういうものはなかったし。携帯もない。で、携帯が出はじめたからやめたんだよ。その後、映画作ったりして俺は芸能界にかかわるんだよ。うち専属だった美波千秋は曽根中生監督から紹介されて、週刊プレイボーイのグラビアに載せたらすごい反響だった」

一九八五年、江藤カズオが歌舞伎町を舞台にした自伝的小説を書き下ろし、原作者となって、脚本も手がけた映画『ブレイクタウン物語』（監督・浅尾政行／日活）が製作・上映され評判となった。

風営法施行前の歌舞伎町は、二十四時間営業の店ばかりで、真夜中も街全体がネオンで浮きあがる、文字通り不夜城だった。

誘蛾灯に引き寄せられるかのように少年少女たちが、ドラッグとセックスに浸されていく。

江藤は身近で接したエピソードをもとに一九八五年の歌舞伎町を記録した。

主演女優を一般公募し、主役に佐藤浩市を据え、梅宮辰夫、川地民夫、芦川よしみ、本間優二といったベテラン、人気俳優で脇を固めた。ちなみに原作者の江藤役は梅宮辰夫だった。

歌舞伎町オールロケが実現できたのも、原作者の顔が利いた。

キャバクラもブームになる前に開業していた。

悪事も数々働いてきたが、面倒見もいいから、女にモテた。

昔もいまも熱く語る、歌舞伎町人の熱気がそうさせるのか。

人の気を逸らさないところは、昔とまったく変わらない。

いまだに女のほうも元気なのはなんだろう。

「鍛えてるからだよ、十四歳から。だってさ、俺が歌舞伎町に部屋を持ってた三十代から五十代までは、朝起きるじゃん、さぁ今日はだれとヤルかな？　なんていう毎日だったよ。ホテル代いらないから女も安心なわけ。変なホテルに連れ込まないで、すーっと部屋にこれるから。だれにも内緒のヤルための部屋だからね。いまだからいえるけどたまたま早い時間に女とヤルだろ。そのあと深夜のサパークラブに行くわけだよ。そこでまた女が引っかかる。嘘八百のこれ（口）だけで女を口説くんだから。ほかのやつはドリンク飲ますわ、物買ってやる、終わったあとはカネをやる話……俺はそれをしない。飲み代以外は全部タダ。昔からカネで女にモテるのは男じゃないって信念があるから。あくまでも素の自分で勝負っていうのが俺のポリシー。普通なら一軒行ってそれでヤレたら、満足じゃん。次同じ店に行ったら別の女を……ワハハハハ」

何度も歌舞伎町で女を連れたこの男を目撃したものだ。

「江藤さん、女を口説くコツは？」

「教えてどうするんだよ。俺ならではの術なんだよ。一ついうと、尊敬とユーモア。相手に尊敬の念を持たせるんだよ。自分を尊敬させるような言葉を使うんだ。自分から俺はすごいぞというのは禁句。向こうが思うのは勝手だから。文章と一緒。美しいと書くよりも、〝爽やかな風に髪がなびいていた〟で美しく感じるわけだから。それと一緒で相手がなるほどとなればいいわけ。男同士は別だよ。俺はつい〝俺は！〟って出ちゃうけど、女の前では絶対ダメ。一言でいうと勘違い。勘違いさせるの女に。いままで会ったことのない人種だと思わせるんだ。そうすると興味が湧いてくる」

この男はおそるべき博学で、機転が利き、相手の気を逸らさない。

歌舞伎町でよく見かける、強面で人たらしの部類に入る男である。

「あとでバッチリと素が出るんだから、最初が肝心。女だって百％猫かぶってるんだし」

*

「結果論としてわかったことは親父の遺伝なんだよ。色濃いんだよ。そっくりだもん。顔もそっくりだもん。頭もハゲたりとかね。人間ってさ、俺の経験だけでいうと、自由に生きる、それと自分のやったことに責任を持つ。それだけでも十分にやっていけるよ。俺がケツ持ってやるよっていえば、下の連中もやれるわけだから。やっぱり自分のやったことにケツを持てないとだめだよ。だから、常に自分を強く持つようにしている」

コロナ禍になる前は、歌舞伎町のキャバクラをハシゴした。

「一日五軒はキャバクラに行ってたから。昔、同業者ってことで、どこの店でも五千円。江藤料金なんていわれて、一時間でさっと帰ってきちゃう。その間に口説きを入れて、五軒行けば一人くらいはなんとかなるもんだよ。いまだに元気なのは、これはガキのころから鍛えてたから。人間の器官は使わないとダメ。使わないと衰えてくる。俺は女を裏切らない独身主義だとうそぶいているよ」

刑務所には二度入った。

そこは江藤カズオにとって第二の学校だった。

「二度目のときは、俺は雑居には不適当っていわれちゃったわけよ。みんなを洗脳したり、いろんなことをやるから。お前は独房だって、独房に入れられた。でも禁固刑だったから、仕事しなくてもしてもいいわけ。俺は仕事しないよって、国に奉仕はしないよって。それで読書三昧。それが俺の人生を変えたよ。二十代のはじめ、真剣に人生とは、死とは何かとか、宗教とは、愛とは……とか。自分と向き合う最良の学びの場になった。ちょうど風林会館が昭和四十二年にできたから、その二年後くらいのことかな。その前は何があった？　あまり覚えてないよ。ビルなんかあんまりなかった。豆腐屋があったろ、米屋があったろ。ブリキ屋があった。タイル屋があった。歌舞伎町のど真ん中にね。それが、いつしか銀座の真似して高級クラブができて。ダァーっと歌舞伎町は変わっていったんだよ」

生き証人は自身を取りあげた週刊誌、新聞のスクラップ記事を机に広げて、回顧する。

その後、江藤は、健康は良質な水から成り立つと、良質の水を求め、自身で浄水器まで制作販売している。

これも水商売だ。

現在もその多才ぶりで、様々な仕事に取り組んでいる。

「歌舞伎町はどんな街ですか？」

「まさに俺の原点だよね。十九歳から、この街の特性をいかしてなんでもやったな。なんでもやったな、この街では。年齢的にも、この街にかかわった年数にしても、ほとんどがみんな後輩みたいなもの。たまに親分連中と会っても挨拶してくれるよ。下の若い連中も俺の顔見ると、勘違いして『お疲れ様です』って。俺、堅気だからっていうと『えー』って。

でもさあ、俺はいろんなライター知ってるけど、本橋君が一番イケイケで失礼なこともバンバン俺にいうし。ワハハハハ。いまでも覚えてるよ、プロフィール写真でかっこつけてるのを。売れてないくせに。でも『全裸監督』見てびっくりしたよ。さ！　そろそろ取材に入ろうか！」

「さっきからずっと取材ですから」

第九章　様々な色恋

歌舞伎町を最大級の外圧が襲った。

二〇〇三年十二月八日夜。

再選を果たした東京都知事石原慎太郎は歌舞伎町浄化作戦と呼ばれる、かつてなかった大規模な取り締まりを先導した。

東京の不法滞在外国人の半減をめざし、法務大臣の野沢太三（のざわだいぞう）とともに歌舞伎町の東京入国管理局新宿出張所と周辺の繁華街を視察したのである。

同行した副知事の竹花豊（たけはなゆたか）は、警察キャリア官僚から広島県警本部長時代に暴走族・暴力団対策で成果をあげ、東京都の治安担当を任された人物だった。

大名行列さながら都知事を真ん中に役人たちが夜の歌舞伎町を視察する光景は、テレビ、新聞、ネットでたびたび報道された。

当時、不法滞在の外国人が激増し、歌舞伎町の飲食店や違法スカウトなどに従事していた。

浄化作戦はその前年発生したある殺人事件もきっかけの一つだった。

二〇〇二年九月二十七日、風林会館一階の喫茶店「パリジェンヌ」で起きた、中国人マフィアによる射殺事件だった。

パリジェンヌは、ヤクザとホステス、ホストがあちこちのソファに陣取り、会話を交わす昭和の匂いのするレトロな喫茶店だった。

対面で座る相手の頬をいきなり叩く、ワイルドな瞬間を目撃したことが何度かある。

八章にも書いたが、私もヤクザに、「話がある」と呼び出されて、詰め寄られた過去が数回ある。

この手の呼び出しではパリジェンヌが定番だった。

三時間近くにおよぶ圧力は居心地は悪かったが、ヤクザの行動原理を踏まえておけば恐怖は半減するものだ。

シマ（縄張り）と利権の浸食をこちらから仕掛けなければ、向こうから攻撃してくることはまずない。暴力は彼らにとって商売道具だから、無駄な行使はしない。

二〇〇二年九月、中国人マフィアによる射殺事件は、カラオケをめぐるトラブルが発端になった。

住吉会幸平一家大昇會と中国東北幇のメンバーが向かい合って座り、最初は穏やかなやり取りだったが次第に怒鳴り合いになり、中国人マフィアが拳銃をテーブルの上に置き「撃てるものなら撃ってみろ！」と挑発、ヤクザが拳銃に手を伸ばしたところ、中国人マフィアが隠し持っていた拳銃で発砲、一般客を装っていた四名の中国人マフィアも発砲、ヤクザ側は一名が死亡、一名が足を撃たれ重傷を負った。

事件は以前から中国人マフィアが都心に進出するきっかけを狙っていたことによるものとされた。ヤクザ側も反撃し、複数の組が大同団結して歌舞伎町から中国人マフィアを排撃した。事件とは無関係の中国人まで攻撃対象となるほどだった。

事件翌年には上層部同士が話し合いで手打ちにしたとされる。

その後も浄化作戦は続き、歌舞伎町におけるみかじめ料の摘発、悪質な客引き、不法滞在外国人、裏ＤＶＤ屋の摘発などがおこなわれていく。

歌舞伎町から客引き、ポン引きの姿が消え、派手な看板、ネオンの風俗店は事実上出店ができなくなり、歌舞伎町がおとなしくなった、ともいわれたものだ。

歌舞伎町の元ぼったくりの帝王・影野臣直が嘆いた。

「俺は都知事選で石原慎太郎に留置所から一票入れたんですから。昔はよく慎太郎の小説読んでましたからね。『太陽の季節』『処刑の部屋』『化石の森』……。でもあんなひどいやつだとは思わなかった。浄化作戦？　歌舞伎町は変わらない。一時はどうなるかと心配していたんですよ。派手にやるとやばいぞといわれていたけど、実際はなんとかなる。歌舞伎町はカネが落ちてる街ですよ。歌舞伎町に閑古鳥が鳴いたら新宿自体がダメになる。それは警察も知っているんですよ」

石原慎太郎の芥川賞受賞作『太陽の季節』は、恋人に声をかけて襖（ふすま）に勃起した男性器を刺すシーンが物議を醸し、『処刑の部屋』ではビールに睡眠薬を入れて眠らせ犯すシーンを模倣する事件が続発した。

石原慎太郎といえばデビュー当時、インモラルな小説を書く価値紊乱（びんらん）者だった。

慎太郎原作の映画とそれを模倣した映画は太陽族映画と呼ばれ、反道徳的とみなされ、映画団体の自主規制的機関、映倫の誕生をうながした。

のちの頑迷なタカ派政治家を思うと、時の流れを思わざるを得ない。

国会議員時代は環境庁長官、運輸大臣となったが、実績よりも舌禍で話題になった。

むしろ東京都知事になって自治行政に取り組んだときのほうが存在感を感じさせた。

不良債権処理という名目で税金を免れたメガバンクに対して外形標準課税という税をかける、アンチ資本側の政策（不発に終わったが）。

ディーゼル車の排ガス規制（たしかに街道沿いの空気がまともになった）。

審査に合格した大道芸人は上野公園や代々木公園、東京国際フォーラム、東京ドームなど自由にパフォーマンスが許可されるヘブンアーティスト制度。

東京マラソン開催。

米軍の許可がないと飛行できない横田空域の存在を問題視し、横田飛行場を民間航空機にも開放する軍民共用化を訴えた。

元赤軍派議長塩見孝也は、石原慎太郎の都知事選立候補のときの横田基地を米軍から取りもどす公約を評価して、一票を入れたほどだった。

枝野幸男が孤立無援のなか立憲民主党を立ちあげた際に、「その中で節を通した枝野は本物の男に見える」と評価したときもあった。

亡くなったあと、四男で画家の石原延啓が、父はリベラリストと回顧したのも、ある意味正しかった。

外交・防衛ではタカ派の鎧をまとい、片隅にデビュー当時の気質を留めていた価値紊乱者は、何故に歌舞伎町を目の敵にしたのか。

自身の美的感覚から歌舞伎町の混沌が許せなかったのか。

私の知人が慎太郎から、たまには食事でもしようと誘われ、創作料理を味わう際、店側が一品ずつ料理の説明をしだした。途中で元都知事は、「そんな説明はいらない。うまいものはうまいと自分の舌で判断するから」と蘊蓄(うんちく)を排除した。

自身の半生、なかでも後半期の性生活を赤裸々に綴った『私という男の生涯』(幻冬舎)は、元都知事の黒歴史を自身で暴いた、異色作だった。

好色を私の天性の一つ、と認め、都知事時代には四十五歳年下の若い女性にいい寄られて関係を持ち、その女性が処女だったことを記述している。

銀座ホステスの肉体に強い関心を示し、執拗に迫り、目的を遂げる。何度かの行為の末妊娠させ、相手に押し切られ産む選択を余儀なくされる。何も知らない石原夫人に外食のときに打ち明けると、夫人はショックのあまり外に出たところで嘔吐する。

長い間愛人関係にあった女性が別の男と結婚し、再び体を求めたが、抱いてみると過去とは違い、興味を失っていた話など、肉交に突き動かされる自分をここまで書くかというほど綴っている。

刊行の条件が自分の死後だけではなく夫人が亡くなってからというのも、必然だった。

文学のかけらもない、トイレの落書きのような直情的なインモラルな性体験を告白した芥川龍之介『VITA　SEXUALIS』を想起させたものだ。

元都知事には歌舞伎町なる猥雑な種火が、消えずに残っていたのだろう。

八〇年代歌舞伎町性風俗に詳しい山本晋也監督が、石原慎太郎の運輸大臣就任記念式典の席で「あんたにどうしても聞きたいことがあってね。昔、歌舞伎町に棺桶みたいな箱に女と一緒に入る店があったろう」と尋ねられた。

山本監督が「占いの館」だと答えると、新運輸大臣は胸のつかえが取れたように笑い、うなずいた。そのくだりが『風俗という病い』(幻冬舎新書)に綴られている。

この話は私も山本監督から聞いたことがあった。

性的嗜好は万人に息づく。

棺桶プレイに強く関心を示した石原慎太郎も、歌舞伎町に惹かれた人物だったのではないか。

歌舞伎町浄化作戦は派手な箱型ヘルス店を激減させた一方、直接個人とラブホテルでプレイするデリヘル店の爆発的増加につながった。

いまや土日の昼間、歌舞伎町のラブホテルはデリヘル特需に沸き、満室状態である。

浄化作戦といいつつ、自身の情欲を否定せず、秘めた世界は許容していたのだろう。

死期が近づき、テレビ番組でレポーターが「死後の世界は」と尋ねたとき、元都知事は「無だね。無、虚無」といい切った。

生前、霊的なエピソードを書いたり語ったりしてきた作家にしては意外な言葉だった。

フランスの哲学者ジャンケレヴィッチの著書『死』に感銘し、「虚無は実在する」という言葉を残して空に旅立った。

＊

影野臣直がこのところ、口数が少ない。

影野の憂いは、恋女房の容体にある。

私たちが歌舞伎町を流していると、コロナ対策だろうか、ドアを開けたままの事務所、店舗が増えてきた。

ヤクザの組事務所も同じことで、年配者の多い業界ゆえに、コロナ対策はより細やかにおこなわれている。

ドアの隙間からは、組事務所の内部がうかがえる。神棚の横には組員の名札が見え隠れする。

「最近、組事務所で（麻雀を）打ってることが減りましたね」

影野が感慨深げにいった。

ヤクザが麻雀を打つときは、雀荘も使うが、組事務所で卓を囲むこともある。

人の目を気にしなくてすむから、夏の暑い日は上半身裸になり、鯉や般若、天女、鬼、不動明王といった絵柄が咲き乱れる。

ヤクザと組事務所で打ったことがある影野が解説する。

「ヤクザが卓を囲むとき、面子の四人が『前出し』といって一万円ずつ出すんですよ」

四人で四万円、そのうち一万円は場代として組事務所に納める。

「半チャンが終わると、残金の三万円をトップが総取りです」

麻雀はずるずると長引くことも多いため、二十回なら二十回と決めて打つ。その場合、組事務所には二十万円の場代が入ることになる。

手伝いの若衆の小遣い、面子の食事や飲み物、酒、タバコ代は主催の事務所が持つ。

「場代が多いときは、ちょっとした事務所維持費にもなりますからね。レートはハコ点（点棒がなくなった時点で）一万五千円。負けたら最初に出した一万とトータルで二万五千円。一回打ったらかなり動きますよ」

いまの麻雀は全自動卓だが、昔は手で牌を積んだ。必然的にイカサマがやり放題になる。

影野は麻雀牌を使って、いくつものイカサマ技（わざ）を披露してくれた。

「これが元禄（げんろく）積み」

ほしい牌が上山か下山に規則的に積まれる裏技で、ほしい牌の並び方が元禄模様に似ていることからこの名がついた。

「元禄積みは小指が命です。一枚おきに……山を積むとき、自分がツモれるように積む。元禄積みより高度なイカサマが『ブッコ抜き』です」

ブッコ抜きとは、サイコロを振って、自分の望む目を出す。そして配牌時、四牌ずつ取るときに、あらかじめ仕込んである山から、目にもとまらぬ早技ですり替える大技中の大技だ。

河拾いは、牌をツモったり、捨てたりするときに河に捨ててある牌を素早く引きあげてしまうことだ。

「プロがやると、わからないんです。小島武夫（こじまたけお）さん、出したい目にして置いてあるサイコロをまるで振って出したかのように見せるのもうまかった。小島さん、雀荘で千チャン打ったんです。ものすごい修業して、勝ちっぱなしですから。それと小島さんといえば、『小手返し』が有名ですよね。ツモってきた牌を五牌ぐらいまで飛ばして手牌に入れちゃう。こうすると、相手に手牌がわからなくなるんです。カチャーン！　すげえな！　普通、二牌飛ばせたらすごいんですけど。小島さん、手先がほんとにきれいでした。まさに、マジシャンみたいな指先です」

小島武夫はプロ雀士で日本プロ麻雀連盟初代会長・最高顧問だった。

ニヒルな風貌と華麗な技、正攻法で戦う一方、雀荘で働いてきた経験から、賭け麻雀のイカサマにも応戦できる、無頼派として大いに人気を博し、阿佐田哲也・古川凱章らと麻雀新撰組を結成して活躍した。

「小島さん、笑顔を絶やさなかった。写真家の吉永マサユキさん、生者の遺影を撮る企画があって著名人が大勢出たんですよ。みんな、ポーズつけて被写体になる。小島さんも出たけど、ぽかーん、くつろいでる。なんもかっこつけない。自然体」

小島武夫は二〇一八年に亡くなったが、生前、彼から麻雀段位を与えられたことが影野の最大の自慢である。

「小島さんは魅せる麻雀でしたね。九蓮宝塔あがったり。イカサマ技もすごいし」

影野は歌舞伎町の雀荘で打ってきただけあって、イカサマ技を見抜く眼力がある。

「イカサマ師が麻雀牌を隠すとわからないんですよ。卓を囲む二人が組んで、ほしい牌を下からそっと手渡すんです。そういうイカサマ師は隣同士に座らせてはダメ。そいつら、わざと遅れてやってきて、『空いてる？』って知らないふりしてくるから」

卓を囲むギャラリーのなかにもイカサマ師の仲間がいたりする。

相手がどんな牌を持っているかを仲間に伝えるときは、右目をつぶったらマンズ、左目がピンズ、顔の向きで数を示すといった符丁がある。

「どんなことしてでも勝とうとするから。観客のふりして、暗号送ってますから」

元ぼったくりの帝王はこんなことも感じている。

「でもね、暗号送ってもらってイカサマやっても、勝てないときがあるんです。麻雀は運を試すゲームだから。場を支配するのは運です。運が強い人は麻雀も強い。私も強いほうです。麻雀大会は二回ダントツで優勝してますから。大きな大会で二連覇ってなかなかできないんですよ。運は強いです。愛読してた少年チャンピオンの読者アンケートに答えたら、ラジコンヘリ、カラオケマイク、ドローンなど五回も当たった。前からほしかったやつです。海外旅行（ニューカレドニア旅行）も、新宿サブナードの福引で当たった。ゴルフコンペは三回優勝したし。昔から麻雀は好きだったんですけどね、ぼったくりに忙しくてなかなか打てなかったんです。時間ができたから雀荘で打つんだけど、俺が入ると逃げちゃう。アンダーグラウンドの怖そうな男たちが」

影野が現役でぼったくっていたころ、店を開けるとき、新装開店前日から並んでいるパチンコ客に向かって「邪魔だから、どけ！　仕事の邪魔だ！」と怒鳴っていた。

開店を待つ列のなかにはパチンコで生計を立ててるパチプロもいる。

彼らは昼間、パチンコと麻雀で食い、午後三時からはサテライト喫茶に陣取り競馬で食う。

運をメシの種にする、ほとんどが四十代半ばの男たちだ。

「運の強い人間は、見てわかります。俺、こんな貧乏なのにカネ持ってるように見られるから。それも運ですよ。麻雀も全自動卓になってから、よけいに運の強い人が勝ちます。運は回り回っているので、どんな人でも勝つことがありますから」

影野臣直は恋女房の病状をもって、己の運を試しているかのようだ。

*

「家賃は高いけど、一日四十万くらい抜き（儲け）がありましたから。それも現金で。一カ月一千二百万ですよね」

歌舞伎町名物だった裏ＤＶＤ屋を経営してきた人物が証言する。

今回の取材で知り合ったある人物から紹介された男で、歌舞伎町におけるもっとも危険な商売を長年やってきた。

ＳＭクラブ、性感ヘルス、違法ポーカーゲーム店などを渡り歩き、のちに裏ＤＶＤ屋に転職した。現在は過去を一切捨て去り、堅気の仕事をしているので、プロフィールは詳しく書けない。ここでは裏の仕事をしてきたから、裏男と呼ぼう。

裏男は歌舞伎町で商売をしてきた。

この国には、「わいせつな文書、図画、電磁的記録に係る記録媒体その他の物を頒布し、又は公然と陳列した者は、二年以下の懲役若しくは二百五十万円以下の罰金若しくは科料に処し、又は懲役及び罰金を併科(へいか)する」という法律が存在する。

歌舞伎町名物裏ＤＶＤは、男女の無修正肉交動画を収録したもので、正規のＡＶ作品の原版が流出した無修正版だったり、裏として撮影された動画が密売されてきた。

ほかには、素人が趣味的に撮ったものを会員制で密売し、一部を歌舞伎町の個人卸業者・カバン屋に卸すものもある。カバン屋が一枚千円から二千円で卸したものを裏ＤＶＤ屋が買い取るのだ。

二昔前までは、通販で無修正裏ビデオと称して販売されていたものの多くがインチキで、いざそのシーンになると、なぜかテレビの女子アナの番組がダビングされているふざけたものがまかり通っていた。

その点、歌舞伎町裏ＤＶＤ屋は、店頭で中身がチェックできるので、まがい物をつかまされる危険性はない。

「昔、ポーカーゲーム屋が警察の捜査で軒並みやられて、その箱がすぐに裏ＤＶＤ屋に鞍替えしてました。当時は裏ＤＶＤ屋の新規っていうのは、物さえあればコピーするだけなんで。もう、すぐにはじめられましたね」

地方から上京し、無修正裏ビデオ、裏ＤＶＤをまとめ買いする客が連日、歌舞伎町に足を踏み入れた。

「裏ＤＶＤ屋はクチコミではないんです。店の看板を見て入ってくるんですよ。あとは金額。お客さんは金額を見て回ってるんで。金額表示がちゃんとしてれば、安かったら入ってくるし。二十数年前は裏ＤＶＤが五枚で一万円でしたね。買っていけば買っていくほどお得なんです。一枚買えば五千円。二枚三枚買うと七千円とか。五枚プラス一枚にして一万円とか」

裏ビデオも裏ＤＶＤも、秘密の工房でダビングされるのではなく、密売している店舗でおこなわれていた。

「ダビングするのはデッキの台数も必要で大変でした。倍速ではやらなかったですね、おかしくなるんで。ＶＨＳ（裏ビデオ）は十台同時にやるんです。デッキをつなげて。店の一角をパーテーションで区切ってそこでやってました」

「産地直送なんですか？」

「そういうのが主流でした。どうせパクられるなら、物が店のなかにあってもいいんじゃないかって。いまは違うところから物を運んできますよね。それって同じことじゃないですか。一カ所でつくろうが、売ろうが。警察にいわせれば同じことなんです。それだったら、最小限でやったほうがいい。要はコピーさえあれば、次もすぐできるんで。そういう考えですよ」

「つまり、余計な家賃を使わないですむと？」

「そうです」

「どうせ捕まるからと」

「そうです。絶対にパクられるんで。そういう考えの同業者は多かったです。ダビングしたばかりの作品をすぐお客さんに渡すのが、好評でしたね。ＤＶＤはあの当時、一枚十五分でダビングできたんで楽です。素人もの、援交系がヤバかったですね」

密売していると、必然的に捜査が入る。

「シキテンっていって見張りをさせられるんです。店のちょっと離れたところに、お巡りっぽいのきてないか。それで鍛えられてました。（警察が）きたらわかるんですよね。店内を一周ぐるっとして、すぐに出ていくから」

客がいない夕刻、突然、やってきた。

「立川署と警視庁の合同チームで店にきました。『はい、動かないで！』って。六、七人はいたと思います。私服ですね。あとから、知り合いに『ニュースに映ってたぞ』なんていわれましたから。報道も一緒についてきたんですね。

僕が捕まったら、弁護士寄越すっていう条件だったのにだれもこなくて、一週間くらい探されなかったんですよ。やっと弁護士がきて、『ずっと名前がわからなくて探してたんだよ』っていわれて。捕まったときに身分証を持ってなくて。自分で本名をいっても、証明できるものがないと〝自称〟になってしまうらしくて……。身元がわかってからあとは形式上のやり取りです。やりましたって自白して裁判、そして執行猶予って感じです。執行猶予三年。トータル四十日くらい入ってました。歌舞伎町浄化作戦のとき、いろんな警察署が応援でやってくるんですよ。頭が警視庁で。じゃあ、この店やるよって。今回の担当は〇〇署でお願いしますねって感じで動くんです」

グループの社長もたまたま店にいたため、ガサ入れが入ったときに逮捕された。

「保釈金も一人二百五十万、四人で一千万用意しないといけない。地獄でしたね」

店舗は三軒あったが、どれも捜査が入り、壊滅した。

＊

裏男は当時密売されていた裏本を見せてくれた。

本の背の色で、どこがつくったかを見分ける。

裏本が出はじめた一九八〇年代初頭のものはマニアの間で何十万ものプレミアがついている。

ここで興味深い値づけを知った。

「裏ＤＶＤはダビングできるけど、裏本は現物しかないので、マニアがプレミアをつけても買いたがります。そういう古いのは、お店の前に貼っておくんです〝本あります〟って。表紙のカラーコピーも貼っておくと、探している人が『いくらですか？』ってくるんです。買い取りとかもしてましたね。（初期の大ヒット作）『法隆寺』を持ってきたお客さんがいました。一万円で引き取りましたけど」

常に逮捕と背中合わせの仕事だったが、意外な労働環境だった。

「正直な話、いろいろやってきましたけど、裏ＤＶＤ屋は楽しかったですね。お客さんとのいざこざがないんです。ポーカーゲーム屋の場合、カネを賭けてるから、不良がくると喧嘩になります。それを見てたらたまらなかったです。ＤＶＤ屋の場合は、お客さんから『ありがとう』っていわれるんですよ。サービスも簡単にできるし」

人間、他人から感謝されることが何よりも励みになる。

メーカー発売のＤＶＤと同様に、ジャケットをフォトショップで制作して、裏ＤＶＤに仕あげる。

裏男が勤務していた裏ＤＶＤ屋には英語が堪能な従業員がいて、英語で接客ができるということで、香港、シンガポールからの客も来店した。

裏男が外国からの上客に、なぜうちを選んだのか尋ねると、『ガイドブックにお前の店が載ってるから』だという。海外版の裏観光本があるのだろう。

外国人にとって、歌舞伎町は東洋一のセックスゾーンだと思われている。

日本の上客は、スーツ姿の公務員、教師、銀行員といった堅い職業の男たちが大半である。

「四十代のお得意さんがいて、地方から月一回やってきてビデオを四十本、一気に買ってくれてたんです。ある日、真っ青な顔で店にもどってきて、『トイレにビデオ四十本、忘れてきて、探しにもどったんだけど、なくなってて。どうにかなりませんか⁉』っていうんです。どうにかならないかって……いや、ならないですけど、ハハハ。でも常連さんサービスで十本、無料進呈しました」

違法店でも人情はあった。

あの明星56ビル火災のとき、裏男のグループ店が火元のすぐ隣にあった。

「あの夜、消防車のサイレンが鳴り響いて、『規制線張られてるぞ!』みたいな大声が聞こえて、『どうなってるか見てこい!』って。近づいたけど煙でわからないです。近くの店のお兄ちゃんが見てたらしくて、『三階から人が飛んでましたよ』って。〝どこの?〟って聞いたら、雀ピューの『一休』でした。当時、雀ピューターが流行ってましたから」

当時、裏DVD屋の稼ぎは凄まじく、捕まっても罪が軽いので舞い戻るタフな連中が多くいた。

しかも先進諸国において、恥部・陰毛が見えただけで逮捕されるのは日本だけで、国が違えばまったく問題もない、この手の仕事をしている面々にとってみたら、絶対悪を犯しているわけではないので、罪の意識が希薄である。

わいせつ物販売目的所持、裏社会で〝ワイト〟と略される罪に問われると、執行猶予つき有罪判決で前科がついた。

裏男の場合、懲役一年・執行猶予三年、保釈金二百五十万円になった。

それでもこの仕事が面白かった。

「アンダーグラウンドの仕事は好きだった、ですね。パクられても補償してくれるっていう条件で働いてました。給料がいいだけではなくて、がんばれば成果が出たんですよ。それが楽しかったですね。DVD屋のときは、POP一つで売り上げが違うし。〝〇〇出ました！〟って店の前の看板にパッと出すんです。好きな人が見たらすぐわかるんで」

風俗店で働く女性は日払いである。それが魅力で飛び込む場合が多い。

裏男の仕事もいつ逮捕されるかわからないので、男子従業員も日払いだった。

「笑い話なんですけど。ポーカー屋の面接のとき、僕、角刈りで、警視庁のやつがきたと思われたみたいで。警察官だと疑われたんですよ」

真面目さを宿した彼は、そう見られてもおかしくない。

学生時代、剣道は三段の腕前だった。

角刈りはそのころの名残である。

「ゲーム屋でパクられて、その後キャバクラの店員をやって、そのあとは出会い系サイト。サイト運営もやってました。出会い系サイトは億単位でお金が動くんです。

十年〜十五年くらい前の話ですけど、〝当選しました詐欺〟ってわかります？〝あなたに高額が当選しました〟というメールを送りつける詐欺の考案者がつくった会社だったんです。振り込め詐欺ではなくて、僕らのときは、〝振り込みます詐欺〟だったんです。一サイトに一日で三百万くらいの入金がありました。ポイントを買わせて出会い系サイトのなかでやり取りをさせるんです。最初は、架空の応募サイトや懸賞サイトとかでカモを集めて、アドレスとかある程度の情報を入力させるんです。その情報をもとに、出会い系サイトがメールを送るんです。あなたに、〇〇で応募したときに何百万円当たりました！って。詳しくはこちら、みたいな。それで出会い系サイトに登録させて、そこから徐々にです。うちは女の子は全部サクラでした。出会い系サイトといってますけど、僕らのところでは絶対に出会えないです。世の中の出会い系サイトの九割くらいは、そうだと思います。ポイント制のやつは、だいたいそんな感じですよ。あの当時はすごかったです。こんなに儲かるのかと思いましたね」

裏男はいま、まっとうな仕事に就いている。

裏社会で働いている連中に共通するところは何ですかと、尋ねたところ、自虐的に「クズはクズですからね」と返ってきた。

「この人はまともですよ」

彼を紹介してくれた女性がつけ足した。

裏男には、休日を利用して遠方から歌舞伎町の喫茶店まできてもらった。

「交通費です」

裏男に薄い封筒を渡そうとしたら、意外な反応があった。

「受け取れません」

交通費を受け取らない人物ははじめてだった。

だが感心している場合ではない。

何度か交通費をめぐり、受け取る、受け取らないのやり取りがあった。

なかば強引に封筒を押しつけると、やっとのことで元アウトローは受け取った。

＊

少女たちが地べたに座り込み、何をするでもなく、暇を持て余している。

新宿コマ劇場の跡地に、新たに建った新宿東宝ビルが完成した二〇一八年ころから、この周辺に少年少女たちが湧きだした。

彼ら彼女たちはいつしか「トー横キッズ」と呼ばれはじめた。

トー横は、歌舞伎町のシネコン、TOHOシネマズ新宿周辺に溜まる若者たちのコミュニティである。時間を持て余し、青春を消費している若者たちは昔から一定数、存在していた。

トー横キッズはその流れの一つである。

二〇二一年五月、交際していた専門学校の十八歳少年と、十四歳女子中学生が、近くのホテルから飛び降り自殺した。

仲間内の暴力事件、ドラッグ、援助交際が日常化し、歌舞伎町の新たな光景としてメディアに登場するようになった。

路上に腰をおろす姿がトー横キッズなら、歌舞伎町ラブホテル街の一画に位置するハイジアと大久保公園周辺にいる若い女たちは、いつ行っても立っていた。

この本の取材・執筆を開始した三年前、大久保公園の周囲には夕方から深夜にかけて〝立ちんぼ〟と呼ばれるフリーランスの娼婦たちが並び立ち、客を待っていた。

すぐ近くのハイジア周辺にも、立ちんぼが並び、エリアごとにアジア系、中南米系といったグループが存在していた。

韓国、タイといったアジア系ゲイの立ちんぼも客を引いていた。

自転車に乗った地回りのヤクザがみかじめ料として立ちんぼから数千円のカネを徴収していた。

そんな光景が二〇二三年になると、まるで異なるようになった。

薄暗がりにたたずむ立ちんぼ、といったイメージは払拭され、公園と病院の明るいライトの下、若い立ちんぼがスマホを見ながら立っている。

みんな驚くほど若い。

二十歳前後か。

なかには高校、中学生も混じっているという。

いくら?

いくつ?

男たちが声をかけ、話がまとまると、目の前のラブホテルに吸い込まれていく。

この場に立つと、ほぼ確実に現金が手に入るからと、カネに困った少女たちが立つ。

相場は一万五千円前後。

昔は、客の取れなくなった年輩の風俗嬢が立ちんぼに流れたものだが、二〇二三年現在、若さが第一の特徴になった。

そしてもう一つ、不思議な光景が現出した。

夕刻、公園付近に二十代から四十代の男たちが、横一列に立っているのだ。

男の立ちんぼが現れたのかと、観察していると、彼らのもとに、若い女性が近づいていく。

二言三言、話すと、ラブホテルへ消えていく。

横一列に並んでいたのは、立ちんぼを買う客だった。

立ちんぼが出勤する前に、男たちが路上で彼女たちの登場を待つ。

立ちんぼと遊ぶには、早く声をかけた者からという暗黙のルールがある。

彼女たちも、それほど多く客を取ろうとせず、二、三人を相手にすれば十分という。

ホストクラブに通うために、立ちんぼになった女性も多い。

夜が更けたころ、何人かに声をかけてみると、推定二十歳前後がやはり多かった。

なかには十代半ばとおぼしき少女も混じっている。

学校が息苦しくて、友だちと一緒に夜中、家を抜け出してやってくるという。

ここにいるときは、私服（刑事）に気をつけながら、実年齢を一つか二つ上に設定して立っている。

それだけ聞き出したところで、すっと移動していく。

すかさず客が寄ってくる。

半透明のゴミ袋を片手に、路上のゴミを拾いながら、未成年と思える立ちんぼに声をかける若者が数名。いわゆる迷惑系ユーチューバーである。

ＹｏｕＴｕｂｅの再生回数を増やすために、あえて渦中に飛び込み、顰蹙を買ってみるのだ。

立ちんぼと客は商談が成立すると、目の前のラブホテルに消えていこうとする。

二〇二三年、明らかに公園の様子が変わった。

＊

「テルマ湯に行ってからここにきました。ほかの銭湯に比べて、コテとかアメニティがいっぱいあって。そのままメイクしてこれるなぁと思って。テルマってどういう意味なんだろうね」

新宿区役所隣の喫茶室ルノアール会議室にやってきたのは、温泉帰りの美しい女性だった。

テルマ湯、正式名称「新宿天然温泉テルマー湯」。

二〇一五年八月に開業した新宿区歌舞伎町にある大型温浴施設で、地下二階、地上四階建て、館内はローマ調デザインを採用。ナトリウム硫酸塩泉の天然温泉、岩盤浴、エステ、サウナなどの施設のほか、ラウンジやレストランも併設されている。

場所柄もあるのか、ホストやキャバ嬢、風俗店勤務の女性たちもよく利用している。

先の女性は、大学時代から麗と呼ばれているから、ここでもそう呼んでおこう。

大学を出たばかりの麗は、学生時代から読者モデルをしてきたこともあって、現在はモデル業と実家で父が経営する複数の飲食店経営をサポートしている。

難易度トップの大学ではフランス文学系学科に在籍し、成績もトップクラスだった。

私はある取材で彼女と知り合ったのだが、偏差値に比例するかのような好奇心も持ち合わせ、危険でダークな世界にも興味を持ち、私が取材するところに時折、顔を出すのである。

さっきまで温泉に浸かっていたせいで、すっぴんに近い顔は火照り、ほのかにいい香りがする。

いつも男たちがいい寄り、交際相手は途切れたことがない。麗にとっては男もいいけど、最近では同世代のかわいい女の子か、年上の宝塚男役のようなお姉さんと付き合ってみたいという。

いい女ほど同性に対する関心が強く、付き合ってみたいと漏らす。同性愛とも異なる、かわいいもの、美しいものに対する率直な評価、とでもいおうか。

歌舞伎町キャバクラ店の人気上位キャバ嬢も、異性との付き合いと同時に同性と付き合っていたりする。抱き合ったりキスしたり、レズビアン風の接触であるが、それ以上踏み込むわけではない（踏み込むケースもあるが）。

男にとって、もっとも見たくないものは女同士の諍いである。一方、女同士互いを慈しみ、ギリギリの性的接触で満足する彼女たちの立ち居振る舞いは、官能的である。

「あれは二年前の秋のこと……。レズ風俗というのが流行りだして、気になったわたしはあるお店に電話をしました。お酒の勢いで。さくら通りの雑居ビル二階にきてくださいとのことだったので、怖いと思いながらも行きました。すると、非常階段にパイプ椅子が二脚並べてあって。スーツ姿の若い男性がきて、入会の手続きをして。わたしは初回なので四万円払いました。『どんな子を呼びますか？』

と聞かれたので、〝カッコイイ感じの子で〟と。場所は、レンタルルーム、ラブホ、普通のホテルから選べるんですけど、レンタルルームに行ってみたかったので選択しました。レンタルルームはそこから三分くらいのところにあります。

緊張しながら待ってると、コンコンってノックされて、どんなカッコイイ女の子がくるんだろうと扉を開けたら、え⁉　二十歳かな？みたいなぜんぜん違うタイプの子がきたんですよ。すごく疲れてそうな。夜中の二時くらいだったんですけど。わたしより年下の子にそんなことできなくて。結論からいうと、その日は何もせず。その子が持ってきたおもちゃで遊んでプレイ時間の九十分が終わったんです。そのおもちゃは、遠隔操作であそこを刺激する、いわゆる『飛びっこ』というやつ。そんなのはじめてだったので、触ってみたんですけど、それ以上できなくて。彼女の悩み相談をして終わったというのが一回目です」

その店は、レズ風俗と謳っているが、入店のときに男性相手の風俗とも契約を結ばなければならず、レズ風俗の指名が入らないときは、男性相手の風俗でも働かなければならないという。

「なんか……悪質だなぁと思いました。でも、ちょっと悔しかったです。四万円も払ったのにぃと思って。そういう遊び、はじめてだったので」

ここで挫(くじ)ける麗ではなかった。

「次、二回目リベンジ。前とは違うお店に連絡して。どうしても宝塚の男役風に出会いたいという思いで、待ち合わせしたのがＴＯＨＯシネマズの前。そこ、入会までは電話ですみました。料金もこの前の半額です。ドキドキしながら待ってたら、きたんです！　ほんとに宝塚の男役みたいで、身長も百七十センチくらいで優しそうな人。わぁ……と思ってたら、『じゃ、行こうか！』っていわれて。はい、みたいな。ラブホの目星はつけていたので、〝じゃあここでいいですか？〟って聞いたら、『いいよ』って。水が滝のように流れているホテルで『どの部屋にする？』って聞いてくれるから、ほんとのカップルみたい！って、ちょっと浮かれてたんです」

恋人気分で盛りあがりかけたが、プレイ時間を計るタイマーをピッと押されて、これは風俗なんだと現実にもどされた。

それでも宝塚男役風とはやるべきことをやろうとした。

「年齢は三十歳っていってました。素敵で優しくて、一緒にお風呂に入って、キャッキャッして。『どういうのされたらいいや？』とかカウンセリングみたいのを受けて。チュっからはじまり、されるがまま。わたしは何したらいいかわからなかったけど、最後の十分くらいで、〝おっぱい触っていいですか？〟って聞いてから触って。Dくらいあったかな。しっかり堪能しました。わたしにとってレズ体験はそのときが初です。新宿二丁目に飲みに行くことはあったんですけど、実際にそういうのはなかったから」

「どうでした、やってみて」

「えー……良き！　優しさと気持ちよさと心強さと。ヘタな男性よりも良き」

振動する小道具を互いに使い、昇り詰めた。

麗ははじめてのレズ体験だったこともあり、宝塚男役風にいろいろと尋ねてみた。

「利用客は既婚者の女性が多いそうです。バレたときに、相手が女の子だから許してくれるとかで、罪悪感も少ないみたい」

麗

そこの店の客には、クラブ、キャバクラで働く女性たちも多い。

麗の分析によると、ふだん男性客を相手にしているとプライベートでも金銭がからんでくるので、いくら好みの男性がいても無償でやることに抵抗があり、プライベートならむしろ同性のほうが好ましくなるという。

「ちなみに、レズ風俗で働くと、(新宿)二丁目に行っちゃいけないらしいです。お客さんとバッタリ会ったり、お酒の勢いでやってしまったら、商売が成り立たないから」

「その後、宝塚男役風を指名したんですか?」

「おかわりはしなかったです」

「なんで?」

「おカネ払わなくてもやれることに気づいたんです。そのあとに、(新宿)二丁目のレズバーでハンターハンターの気持ちで行ったら、かっこいい人を見つけて、おカネ払わなくてもできたから。でも、おカネ払ったほうがいいのかも。割り切ってできるから。興奮を求めるならば男性。身体的な気持ちよさを求めるならば女性だと思います。女性はすごくうまい。ツボを知っているし。女同士は(プレイが)なかなか終わらなくて。なんとなくの一呼吸で〝ふぅ〟ってなって、イチャイチャしだしたら、またはじまる。阿吽(あうん)の呼吸みたいな。どっちかがイったら小休止。あなたがイったから今度わたしをイかせてって。フィニッシュがないセックスだから、無限。〝ちょっと待って〟……って。セックスのあとは、疲れ果てて、筋肉痛になります」

「なんで筋肉痛になるの?」

「力むから！　いっぱい力むから、力が入っちゃうじゃないですか。頂点に達する直前、女性は力むんですけど。何回もプレイしてると筋トレ効果抜群、腰振ったりしてないのに。インナーマッスル、めっちゃ鍛えられますよ。これじゃたしかに終わらないなぁ」

歌舞伎町では黒をベースにした少女趣味風衣装をまとった女子をよく見かける。

この街で見かける彼女たちをいつしか地雷系またはぴえん系と呼ぶようになった。

「地雷系もぴえん系もみんなレズ風俗に行ったらいいんですよ。男に振り回されてるんだから」

麗がそういった。

〝ぴえん〟とは少女漫画で悲しさを表現する言葉で、ぴえん系とは、精神的に不安定だったり、哀しさ痛々しさを表現するときに用いられる。

転じて、悲しげに見えるメイクやファッションをしている女性たち、いわゆるメンヘラをさす。

メンヘラとは、メンタルヘルス（心の健康）の略で、心に問題を抱えている人を意味する。

ぴえん系の危うい状態は少女趣味的で、リボンやフリルなどがついたデザインの服を好んで着る。

地雷系はぴえん系同様に、病み系を強調するファッションで、フリルを使用した少女趣味なものである。

麗がいったように、ぴえん系も地雷系も、男に極端に依存していくタイプだ。

歌舞伎町ホストクラブの常連客の多くがこのぴえん系、地雷系であり、売り掛け金が払えず、建物の屋上から飛び降り自殺する事件がしばしば起きている。

いま、麗はこんなことを思っている。

「歌舞伎町っていうのは全部の人種がいる場所。ＬＧＢＴＱも怖い人も。エリートサラリーマンもいるし、外国人もいるし、若い大学生もいるし、人生どん底の人もいる。勝ち組もいる。全部の人種がいると思う」

「色でいうとなんだろう？」

「おピンク。どの欲望でも解消される。特にエッチ系ならお任せあれって感じ」

＊

久方ぶりに元ヤクザの居酒屋に立ち寄ると、坊主頭に無精髭をたくわえた中年男が店の外に立っていた。

おそらくその筋の者だろう。

黙礼して店内に入ると、すでに担当編集の勝浦基明が到着していた。

「紹介します。梁丞佑（ヤンスンウー）さんです」

さっきの強面は写真家だった。

しかも写真界の最高の栄誉でもある土門拳賞初の外国人受賞者である。

受賞作品の『新宿迷子』は梁が約八年間かけて、歌舞伎町のヤクザやホームレス、子どもたちをモノクロフィルムで撮った写真集であり、記念碑的作品である。

歌舞伎町で梁丞佑が接してきた人間の喜怒哀楽が写し撮られている。

ホームレス、ヤクザ、風俗嬢、子ども、酔客。

見てはいけないものをすっと目の前に置かれたかのような衝撃を受ける。

韓国は成人男子に徴兵制が敷かれ、約二年間は軍隊で鍛えられる。韓国男子の体型がいいのもこの期間が大きい。

「(韓国は)軍隊で格闘術みたいなのはあります。基本、テコンドーはみんなやりますよ。僕は高校生までテコンドーの選手だったんです」

顔だけでテコンドー三段の実力はありそうだ。

梁丞佑は祭りを仕切るテキ屋たちを撮っているうちに、彼らに溶け込み、みずから屋台で焼きそばを焼くようにもなった。

梁丞佑が焼く係になると、売り上げが跳ねあがるのだった。

「テキ屋の人たちは、若いころからずっとその世界に入って、夏祭りのときには運転して、すぐ次の日には移動しなきゃいけないから一日数時間しか寝れないんです。これ(注射する真似)やったりして、歯が全部溶けちゃってるんです。前歯がない怖い顔で『いらっしゃい!』っていうよりは、まだ僕みたいにいくらかちゃんとした人が立ってると、同じ場所で同じ物を売っても売り上げが違うんですよ。アハハハ。二週間前もテキ屋のなんたらって組の食事会で親分と会ったんですけど、僕を勝手に構成員みたいに扱ってましたけど。アハハハ。僕はただの写真撮るだけの男です」

「でもなじんでますよ」

歌舞伎町は居場所のない人間の最後に駆け込む場所として機能してきた。

梁丞佑も居場所のない若者だった。

梁丞佑は一九六六年、韓国光州で生まれた。

梁少年は友だちと遊んでばかりいて、就職もせず、酒びたりの日々だった。

喧嘩ばかりやって高校は二回退学した。

三つめの高校でやっと卒業するが、不良たちと喧嘩に明け暮れた。肩に残る傷跡はこのころナイフで刺されたものだ。

梁の世代に課されていた三年間の兵役を終えたあとも、仲間たちと遊んで過ごしていた。

ある日、ソウルからドライブに行こうとだれかがいい出して、車を飛ばした。

釜山（プサン）まで三時間で着いてしまった。

それ以上行きたくても道がなかった。

海に囲まれた自国はなんて狭い国なのだろうと感じながら、海を眺めていたら、友だちが「この先は日本だ」といった。

そうだ、だったらこの先の日本に行ってみるか。

小学生のころ、反日感情と反共感情がいまよりはるかに強く、教師が「日本人と共産党（北朝鮮）は頭に角（つの）が生えてるんだ」と教えていた。

家に走って帰ってその話をすると、母親が「国民学校に通ってたときは、先生たちはみんな日本人だったんだよ。貧しかったからお弁当を持ってこれる生徒はほとんどいなくて、日本人の担任の先生がじゃがいもとかを毎日のように買ってきてみんなに配ってくれたんだ。角が生えてる悪魔はそんな

写真家・梁丞佑

ことしないでしょう」と教えてくれた。

梁が東京に立ったのは二十九歳のときだった。

「最初はちょっとがっかりしましたね、韓国とあまり変わらなかったから。でも生活してみるとカルチャーショックがだんだんきました。例えば、白髪のおじいちゃんが革ジャン着てハーレーに乗ってたり、新宿ゴールデン街の狭い店で肩がぶつかり合いながら飲んでも喧嘩にならないとか。吉野家に一人できて、黙々と食べて帰っていくとか、そういうのがショックでした。韓国ではみんなで食べるから」

最初は日本語学校に入った。

卒業すると、次にどこかに進学しないとビザの更新ができないので、写真にはまったく興味はなかったが、どこでもいいからと、写真学校に入った。

カメラすら持っていなかった梁は、学校から借りて撮影した。

美術の先生が、「いまからクラシック音楽を聴いて五分たったら感じたものを外に出て撮ってきなさい」と指示を与えた。

梁が撮ったのは、道端の草だった。

「そういう教育を受けたことないから。そこからハマりました」

いままで勉強などしたこともなかったが、生まれてはじめて勉強をする気になった。

韓国にいるときよく一緒にいた仲間の一人が自殺した。その友だちの顔が見たくなり、写真を探してみたのだが一枚もなかった。

それからだった。自分の周りを夢中で撮りはじめたのは。

好きなものをやっと見つけた。もっと勉強したいと東京工芸大学に入学し、写真を本格的に学んだ。

日本語学校時代、先生からは「歌舞伎町だけは決して行かないように」と釘をさされていた。

だがその言葉がかえって梁を刺激して、歌舞伎町に何度も足を運んだ。

好きになっていた歌舞伎町を撮りはじめたのは一九九八年からだった。

三十二歳。生徒としては遅咲きだったが、情熱だけは負けていない。

大学一年の冬。

歌舞伎町の人混みで賑わう道を歩いていたら、向こうからヤクザが五人、歩いてきた。

スーツ姿で整髪料で髪を固めた、いかにものスタイルだ。

どうしよう。写真を撮らせてくださいといってみようか。

日本のヤクザは韓国はもとより、世界中にジャパニーズマフィアとして有名である。

シャッターチャンスだ。

だが、撮らせてください、の一言が発せられなかった。

「怖くて声をかけられなくて。家にもどったら、なんで撮れなかったんだろうと悔しくて眠れなくて。次の週に歌舞伎町に行って、ここは一発殴られてもいいから声をかけてみようと……」

この前のヤクザたちを見つけて、話しかけてみた。

「写真の勉強してる学生なんですけど、撮らせてください！」

ヤクザは不思議そうな顔をしたが、「いいよ」と受けてくれた。

次の日、現像した写真を渡したら、「お前気に入った。事務所に遊びにこいよ、いろんな人を紹介するから」と喜ばれ、以後、その組ではフリーパスで撮影ができるようになった。

梁の撮るアウトローたちの姿に迫力があるのは、対象に踏み込んだ結果だった。

「撮られた人は文句いいたいんだろうけど、僕の顔見たらいわないですね。この顔で得してますね。アハハハ。そっちの人かもしれないって思われて」

被写体にギリギリまで迫る梁の撮影手法について、本人が意外な言葉を口にした。

「僕は隠し撮りが好きではないんです。トラウマがあって」

＊

梁が通う小学校は自宅から一時間以上かかり、山を越えたところにあった。

冬は雪が積もり、集団下校になった。

ある冬の午後、梁少年が遊びに熱中していると、友だちはみんな帰宅してしまった。

校門のところで途方に暮れていると、偶然にも仕事中の父親と会い、タクシー代を渡してくれた。

めったにタクシーなどこないのだが、たまたま一台、通りかかった。

座席に座り、幸運を喜んでいたら、十分ほど走ったところでタクシーがスリップして五メートルほど下の田んぼに落ちてしまった。

目の前の視界が激しく変わり、大きな音とともに窓ガラスが割れた。

気を失いかけた。

気づくと血だらけの運転手が倒れていた。彼の顔のところに五十ウォン硬貨が落ちている。

光り輝いて見えた。

どうしよう。

早くここから脱出しないと。

迷いに迷った末、硬貨を拾い、逃げた。

走って走って、家のある村の近くまでくると、その硬貨でガムを買って全部口のなかに入れた。

甘くて、幸せな味が口一杯に広がった。

噛みすぎて顎が痛くなるほどだった。

当時、ガムは貴重なお菓子だった。

しばらくしても口中のガムはまだかすかに甘く、捨てるには忍びないので、自宅の門の横に貼りつけておいた。

村中がざわついていた。

タクシー事故の話をしているのがわかった。

運転手は救急車で運ばれたが、同乗していた子どもがいなくなったと騒いでいた。

「僕は、硬貨を盗んだのがバレるのが怖くて。一週間は地獄でした。甘いガムの味と硬貨を盗んだ苦味があまりにショックで。それから盗みだけは絶対にしないと誓いました。隠し撮りをするとそれを思い出すんですよ」

＊

梁の写真集『新宿迷子』（禅フォトギャラリー）を広げてみた。

デジタル写真ではなくフィルム現像だ。

梁は写真を自分の妄想と称した。すぐにわかるデジタル時代とは異なって、暗室で焼きあがるそのときまでどんなものなのかわからないことは、神秘的でときめきすら感じさせる。

梁の口から写真に写るヤクザたちのプロフィールが語られる。

山口組もいれば、住吉会、極東会もいる。

行方不明になったヤクザもいれば、抗争で命を落としたヤクザもいる。

「割腹して亡くなった人も写ってます。なんで腹切ったのか理由はわからない。この人のお兄さん、まだ現役でやってるんですけど」

ここまで入り込んで撮影できる梁の撮影手法とは——

「僕三カ月くらい、カメラを出さないで付き合います。それから撮影対象に本性を出すんです。『お前、なんだよ。若いのにいっつも酒ばっかり飲んで。仕事もせずに』っていわれて、いや実は、写真撮りたくてって。そこからカメラを出して撮り始めてるんです。テキ屋には一年以上かかりましたね、カメラを出すまで」

それまでずっと焼きそばを焼いていたという梁には、組への勧誘もあった。

「テキ屋が撮りたくて、ぱぱっと撮って帰るのは簡単ですけど、そういうのは自分のやり方に合わないから。そうだ！　テキ屋のバイトをやろうと思ってはじめたんです。いま八年になるんですけど、あまりにもお好み焼きや焼きそばの焼き方がうまいから、親方が『お前、店を二、三軒やるからさ、本業にしろよ！』って誘ってくるんです」

テキ屋に混じり生きてきた梁によれば――

「テキ屋の場所取りにはランクがあって、ランクが上なのは、昔は綿あめやってる人が一番えらい人だった。いまはお好み焼きとか。僕は平塚七夕祭りとか行くと、一人で一日百食売れちゃうんです。成田山でもやってるし、正月には門仲でやってるし、花園神社でもやってるし。歌舞伎町ではいま、ホスト撮ってるんです。やっぱり体験しないと撮れないタイプですから僕は。その人たちと一緒に。ホストでナンバー1になってから撮れよっていわれるんですけど、それは無理ですって。ワハハハハ」

＊

「以前、歌舞伎町にボビーっていう大きな黒人がいたんです。コマ劇場のところだけ仕切ってたんです。若い子が立ちんぼするのを。その子たちは冬寒いと、暖かいところにいたいから、三千円や四千円で体を売って。知らないやつがくると、お前なんでここで商売してんだ！って追い出したりするんです。ボビーのみかじめ料は千円。おカネを払わないお客さんがいたら、彼にいえば取り立ててくれる」

ボビーはベトナム戦争のさなか、ベトナム帰還兵と日本の女性の間に生まれた。のちに極道の道に入ったものの、山口組から破門されて流れ流れて歌舞伎町に漂着した。

「コマ劇場あたりでホームレスとか酔っ払いがいつも喧嘩するんだけど、ボビーは大きいし喧嘩が強いから、とりあえずこの辺だけは彼に任せようということになったんです。彼は、めんどくさいことが起きるとすぐに動いてくれるから」

ヤクザが軒を連ねる歌舞伎町にしては、個人で仕切っているのはきわめて珍しい。

梁が苦笑しながら語る。

「国籍も日本だし、日本名もあるんだけど、みんなボビーって呼んでるんです。何が一番困るのかというと、外国人が歌舞伎町で迷って、道を聞いてくるのが一番困ると。英語話せないから。アハハハハ」

歌舞伎町でナンパされて立川市まで連れていかれて弄（もてあそ）ばれ、車から放り出された立ちんぼがタクシーに乗って歌舞伎町交番までたどり着くと、警察官にボビーを呼んでもらった。

無賃乗車だったので、ボビーに払ってもらうためだ。

ボビーは梁の写真集『新宿迷子』にも載っている。

「彼は面白かったです。前科七、八犯。最後は人まで殺しちゃったんですから。手が大きいから酔っ払って、お前殺すぞって殴ったらほんとに死んじゃったらしくて。傷害致死で八年で出てきましたよ。すごくモテるんですよ女性に」

「いま、どうしてるんですか？」

「これがまた不思議で。歌舞伎町で知り合った女性と突然消えましたね。歌舞伎町で三十年くらい飲んでるえっちゃんって人がいて。その人にボビーどうしてるの？って聞いたら、知り合った女性がたまたま茨城県の人で、彼女の親が亡くなってちょっとした遺産があるみたいで。籍を入れるとその遺産をもらえるということで、茨城に行ってるって。そのうちもどってくるんじゃないですか」

えっちゃんはその後、いつもいっていたように、好きな緑茶割りを飲んでタバコを一服して、そのまま静かに倒れて亡くなった。

写真集には人生が激変したヤクザも少なからず含まれている。

「女がらみなんですけど、男と揉めて殺してしまって。証拠隠滅しなければって、皮を剥いで捨てれば自分の指紋なんか出ないと思ってどこかに捨てたんです」

結局、捕まってしまったが、親分はそのヤクザをすごくかわいがっていたという。

歌舞伎町からそのヤクザの姿が消えて久しい。

梁はこのところ撮りつづけている、歌舞伎町のホームレスのもとに歩いていった。

我々もあとを追う。

西口大ガード下に数人いた。

どっかと腰を下ろし、梁が挨拶もそこそこに語り出した。

年齢不詳のホームレスが、いつものように梁と近ごろの景気について話しだす。

梁によると——

「歌舞伎町のホームレスで生活保護を受けてる人って、けっこういますよ。（新宿駅）西口は、もらってない人が多いです。西口のホームレスは完全に社会と壁をつくっちゃってる人が多いんですけど、歌舞伎町あたりの人は割とコミュニケーションを楽しむタイプですね。西口の人は写真もダメダメって。歌舞伎町の人たちは年金も入ってくるから、飲みながら楽しんでるんです」

『新宿迷子』梁丞佑　より

写真家・梁が歌舞伎町で新宿迷子を撮るきっかけとなった男たち。

愛車の助手席に愛犬を乗せる愛田武。

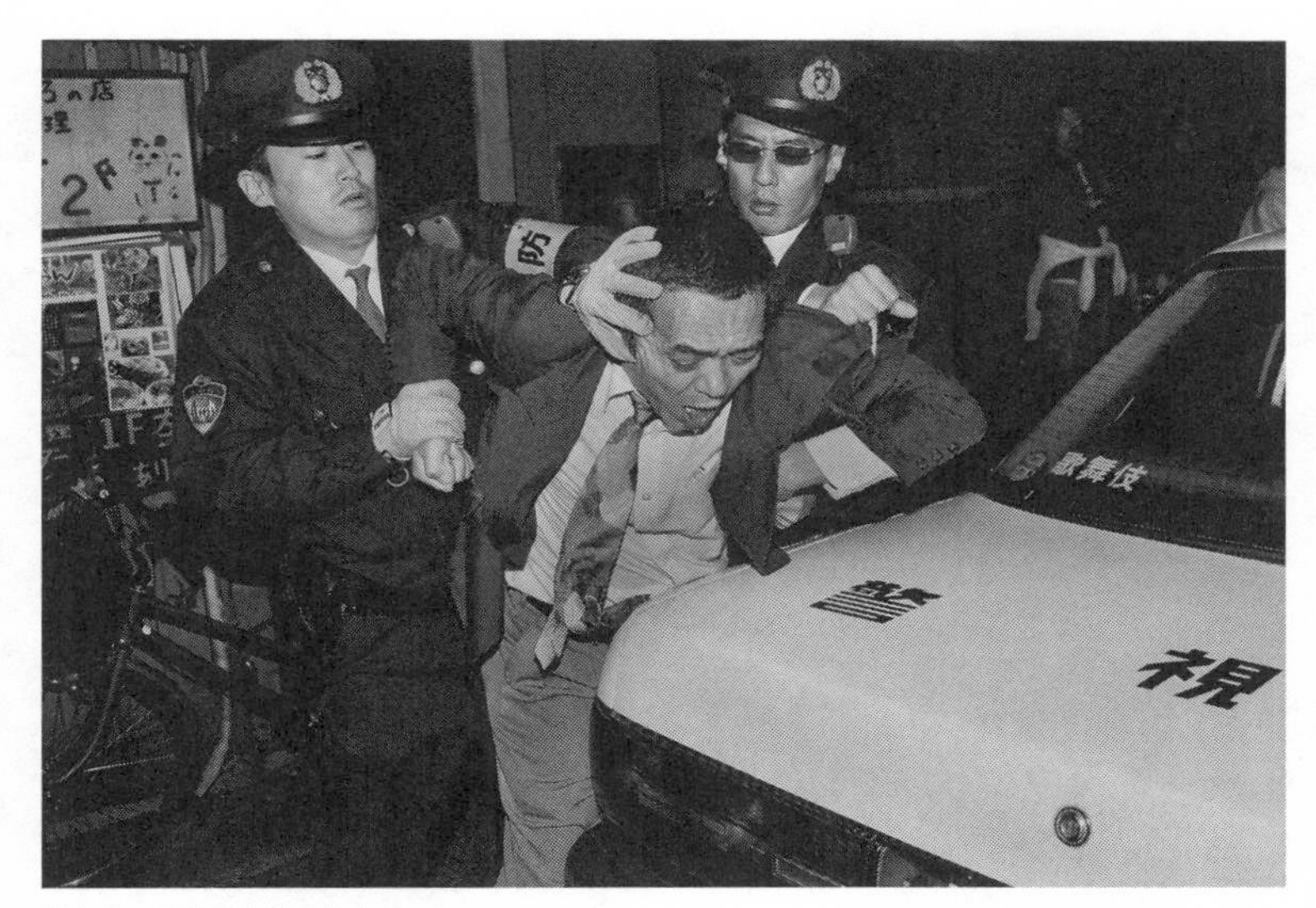

警察官の風貌も当時は自由だった。

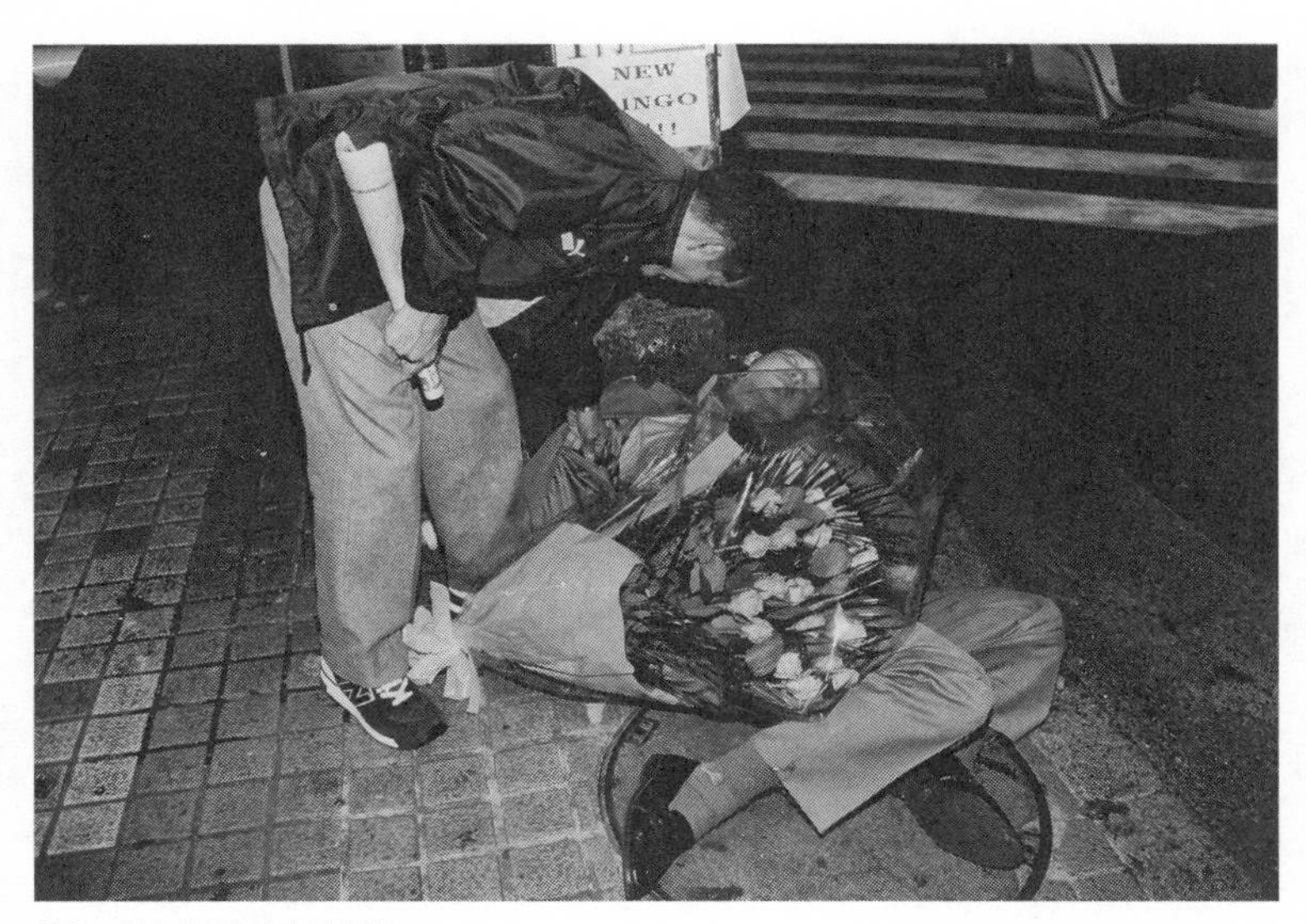

酔客の財布を狙う決定的瞬間。

在りし日の新宿コマ劇場。

入れ墨を背に歌舞伎町を見下ろす。

梁はホームレスと会話するまでに半年以上、カメラを出さずに路上に座り、話し込んでいたという。交わり方は年季が入っている。

＊

居酒屋で梁と話していると、取材で知り合った女や男も立ち寄り、飲んでいく。

店からはみ出した客たちをうまく整理するのは、梁である。

この男、仕切るのも上手だ。

すると中年の男性と若い女性が入ってきた。

新宿区内で暮らす父と娘だった。

娘は透明感のある女性である。

「この近くのコンカフェで働いています」

「コンカフェ？」

「はい、コンセプトカフェです」

「ガールズバーとどう違うんですか」

「ガールズバーは女の子が私服だったり、ラフな格好だったりするんです。コンカフェはコンセプトが決まってて、和風だったら和風のメイドさんのカッコをしたり」

「どういうコンセプトが多いんですか？」

「大正ロマンです」

「鬼滅の刃じゃないですか」

「そうなんです」

「ファッションもそれっぽく?」

「そうですね。コンカフェはいま、けっこう増えてると思います」

この近くのホテル白川郷の近くにあるビルに入っている「ハイカラトーキョー（現在は閉店）」が彼女が働くコンカフェだという。

「お店では、りおって呼ばれてます」

いま、歌舞伎町のコンカフェでは地雷系というファッションが女の子たちに流行っているという。

りおは二十二歳、素肌に張りがあって輝いている。

以前、秋葉原のメイドカフェに行ったとき、メイドの女の子たちのリストカットの多さに衝撃を受けたものだった。

「そういう子、すごく多いです。コンカフェにもたくさんいますよ。わたしはないですけど。痕がある子ばっかり。正直、病んでる精神面も含めてかわいいみたいなのが流行ってると思います。流行りのファッションをしてる子はリスカ（リストカット）してる子が多くて。精神を病んで、かわいそうまでが流行になってるんです」

りおは、大正期の女学生が着たような衣装がよく似合う。

「ホストクラブは行ったことありますか?」

りお

「お付き合いで行ったことありますけど、自分から行ったことは一回もないです。でも歌舞伎町なので、周りに行ってる子は多いです。バーとかボーイズバーとかに、ホストクラブに行かなくても。最近、メンズコンカフェって、男の子のコンカフェも増えてるんで、そっちにハマってる子も多いですね。コンカフェで働いてる女の子のほとんどは、何かにハマってるので」

「歌舞伎町でコンカフェは盲点でした。もっとストレートな風俗店ができたのかなと思ってたから」

「これはイメージですけど、クラブやキャバクラと違って、ふだん飲みに行かない方がコンカフェは多いかなと思いますね。アイドルみたいに〝推し〟という文化が浸透してきたのもあって、逆に（メイドに）よくしてくれる」

「そういうお客さんって、歌舞伎町が怖くないんですか？」

「最初は怖かったんでしょうけど、歌舞伎町のハードルがＳＮＳの影響でかなり下がってると思います。前は怖いって人は多かったんですけど。ふだん歌舞伎町にこないって人に聞くと、怖いけどコンカフェ増えてるし行ってみようかなって人がけっこう多いので。怖くないってイメージになってるのかなと思いますね」

料金は、女の子のドリンク等も込みで約七千円から八千円。

キャバクラよりは安い。

「歌舞伎町から離れる気はいまのところないです。どこの街よりも楽チンなんです。住まいも近くです。帰り道、誘惑だらけですよ。歌舞伎町抜けても（新宿）二丁目とかあるし。飲みに行けちゃうなとか。ま、飲みに行っちゃうんですけど、仕事終わってても」

「将来の夢はなんですか」

「やりたくないことはしなくていい、毎日楽しく生きていきたいです。それだけをメインに生きてるのでストレスフリーに生きていきたいです。毎日楽しいんです、お酒飲んで」

音楽関係の仕事をしている父と一年半前に一緒に住みはじめた。

夜十一時過ぎ、父同伴で飲み屋にくるのは、安心というか仲がいいというか。

「りおさんにとって歌舞伎町はどんな街ですか」

「だれでも受け入れてもらえるし。よくも悪くもなんでもあり。〝来る者拒まず去る者追わず〟で。かかわり方にもよりますけど。ほっといてほしいときはほっといてくれるっていう都合のよい距離感が、わたしには楽チンです」

*

「十七歳でキャッチをやりはじめて、もう六十年近く。(新宿)区役所の前で捕まったこともあったわ」

歌舞伎町の超ベテランキャッチの女性だ。

仲間うちからは、ケイちゃんと呼ばれている。

失礼とは知りながら取材ゆえに実年齢を問うた。

「もうすぐ七十五(歳)です」

「肌、すごくきれいですね」

私は本音で褒めた。

「そんなことないですよ」

「昭和二十三年？　一九四八年ですか。団塊世代？」

「そうですね。姉がゴールデン街で店をやってたの。その関係でね。そこに出入りしてたから、こんな職業になっちゃった。中学三年で広島から新宿に転校してきて。わたし、中学生のとき、悪かったから補導されちゃった。岡山にいる親戚と新宿にいる姉のところ、（転校は）どっちにしますか？っていうから新宿を選んだの」

「どう悪かったんですか？」

「やっぱり、夜遊びだね」

「夜遊び、そんなに悪くないのでは？」

「悪い先生がいたのよ。その先生に嫌われてたのね。先生のいうことを聞かないから。悪い女だから。ウフフフ。悪い少女だから。

昔は警察もうるさくって、大久保公園で遊んでいたら、お巡りに追いかけられちゃって。『何してんだ！』って。夜遊びはするし、よその中学校の生徒と付き合ってるということでも睨まれて。公立の中学校だったんだけど、どこかほかに転校してくれっていってくるのよ」

「えー？　義務教育じゃないですか。そんなことが昔はあったんですか」

「そう。ひどい先生ですよ。ゴールデン街で店をやってた姉が、『こっちにきなさいよ』って面倒見てくれたんで。姉の店には、十七のころから出入りするようになったの。あるとき、変な人がいる！

と思ってゴールデン街に逃げたの。それで、ある店に三十分くらい隠れてから、出てきたら捕まっちゃった。私服のお巡りが見張ってたわけね、わたしのことを」

十七歳からキャッチをはじめたケイが、当時補導されると、警察署に二泊三日勾留されたものの罰金はゼロだった。

十七歳のケイはゴールデン街で人気があった。

「当時のゴールデン街はいまより人通りはあった。いまは外国人が多くて、千円二千円で何時間もいるらしいけどね。昔は、一万か二万くらい使ってさっと帰るって感じ。『前田』とかによく作家や映画監督がきてたらしいね。わたしがいたのは『広島』って店。いまは『深夜プラスワン（＋1）』って店になってる」

深夜プラスワンはコメディアン・書評家の内藤陳が日本冒険小説協会公認酒場として開いた店で、作家デビュー前の直木賞作家・馳星周(はせせいしゅう)も働いていた。

「姉は、あまり店には関知しないで女の子に任せて、二階で麻雀やって遊んでて。だから、女の子がおカネを盗もうが何しようが、姉は無関心。あるとき、ぼったくりで何十万も被害にあった客がいて、姉が捕まっちゃったのね。トヨちゃんって悪いホステスが店にいたの。みんな薬を飲ませてるんじゃないかっていうけど、ウォッカなんだよね。それで酔わせて、ぼったくったらしいの。

わたしは姉の店で五年くらい働いてたかな。それで結婚して、また五年くらいでもどってきた。亭主の仕事がうまくいかなくて。砂利販売業だったんだけど、オイルショックで不渡りかなんかくっちゃって。離婚したのは亭主がギャンブル狂だったから。麻雀とボート」

二十歳のときに女児を産んだが、幼いころ事故で命を落とした。

生きていたら五十五歳になっていた。

「わたしの仕事はキャッチ。十七歳からずっと。やっぱり手っ取り早いよね。一時はクラブにも勤めたんだけど、一週間ももたなかった」

「キャッチというと、店と契約するんですか？」

「契約とかそういうのじゃなくて、そういう店が昔は何軒かあって、キャッチは歌舞伎町にはほんの十数人しかいなかったのね。みんなヤクザが経営してる店に客を連れていくの。店に客を入れるとわたしと店で儲けを折半」

「そこのお店はだいたいぼったくり系？」

「そうです」

ここで元ぼったくりの帝王・影野臣直が解説する。

「あのころは、客を入れてからも（キャッチが）少しは客を店で接待したんですよね」

ケイが答える。

「そうです」

影野が応じる。

「だから、ガールキャッチと一緒なんですよ。男のキャッチは店にそのまま客を放り込んで、お願いしますって帰っちゃうんです。女のキャッチはある程度その席について、客に飲ませて。それで、客が潰れたら帰っちゃう。だからテクニックがいるんだよね。キヌさんとかは、うちによく客を入れてくれたんだけど、覚えてますか？」

「わたしが最初にコンビ組んだのはキヌさんだから」

「キャッチとして客を放り込んで、後日その客とバッタリ会うことはないんですか？」

私が質問した。

「一回だけあった。その客は百万持ってたの。百万全部もらっちゃったら、次の日に探しにきてた。交差点歩いてるのを見つけてすぐに隠れたよ。喫茶店に逃げて。その人はうろうろ探してたよね。わたしはしばらくヒヤヒヤしてた。わたしには（ぼったくりを）やる気がなくても、店の人がやっちゃうから。店のママが」

影野が「店に放り込んだら、キャッチはそこまでですよ。客を料理するのは店」と解説する。

「上手なマスターとママがいたの。酔わせて、ポケットにあるおカネを見てて抜いちゃうの」

影野がつけ加える。

「客はケイさんとヤリたくてしょうがないから。いまもきれいだけど、当時もきれいだったから」

「客を気に入ったり、ぼったくられてかわいそうだなと同情したときとかありますか？」と私。

「ないかな。ただね、酔わせすぎちゃうと、路地を歩くと客が脱ぎだすのよ。ホテルに行ったって勘違いするんでしょうね。路地で真っ裸になっちゃって。寒いときに裸になっちゃったから」

「ぼったくりで捕まったときはない？」

「ないね」

「歌舞伎町だったら、いい収入になったでしょう？」

「昔はね」

ケイはギャンブル狂の元夫と別れたあと、鉄工所経営者と再婚した。

「一緒になる人みんな社長だけど、必ず経営がおかしくなって。こっちが稼いでも全部なくしちゃう」

「その再婚した相手は、ケイさんがキャッチをしてることは知ってたんですか？」

「知ってた」

「最初の旦那さんは？」

「途中から知ってたね」

「それについて何かおっしゃってました？」

「わたしが稼いだ分を出すから何もいわない」

「女の鑑（かがみ）！」

元ぼったくりの帝王が合いの手を入れた。

「やっぱり事業やってるとおカネかかるのね。だから、ついつい出してあげちゃうの」

「ヒモみたいのにつかれたときあります？」

「ない。うちの姉がヤクザに詳しかったから、ヤクザとは一切口も利かないです」

「ショバ代は？」

「払ってますよ。月三万円」

「三万というのは安いんですか？」

「安いです」と影野が答える。

ケイが内情を打ち明ける。

「でも三万払うの大変よ、稼げないから。客も子どもばっかりだから。孫に声をかけてるみたいで、声をかけられない。サラリーマンはほとんどこないしね」

「お客さんはどういう人が多いですか？」

「私が狙うのは、やっぱりサラリーマン。四十代から五十代の。そういう人はクレジットカード持ってるから。若い子はカード持ってないし。カード持ってれば、飲み屋に二、三軒回せるから。昔は金曜日が最高だったんだけど、いまはダメなんだよね。なんでかね」

影野が肝心なことを尋ねた。

「お姉さんが、こいつはカモになるなぁっていうポイントはありますか？　カモになる特徴」

「身なりがきちっとした人はダメね。だらしない人が割とおカネを使う」

「客に声かけてて、客に惚れちゃったようなことはありますか？」

「ないよ。おカネだけ」

「客はおカネにしか見えないですか？」

「そう。いくら使わせようかってね」

「好きなタイプは？」

「わたしはSさん（実際の会話では実名）みたいな人、好きだったの」

するとと影野が「S！」と大声を発した。

「ガタイが大きくてね。男前ですよ、あいつは。昔、俺の部下だった。女にモテてね。いまは心臓やられちゃって。生活保護受けてます」

ケイの再婚相手は五年前、心筋梗塞で亡くなった。

「風林会館の前を通ったとき、パンパーン！って音がしたの。そうしたら、ヤクザが倒れるように転がったのね。ピストルの音ってオモチャみたいね。あれはびっくりした」

本日もケイは街頭に立つ。

「いまは一人暮らしですか？」

「そうです」

「寂しくないですか？」

「歌舞伎町にくるから、気が紛れるのね」

キャッチ歴半世紀の女は、不夜城のネオンに紛れて消えた。

第十章　旅の終わりに

短い旅だった。

私と担当編集者・勝浦基明は東京駅から東海道新幹線に乗り、静岡県静岡駅に降り立った。

コロナ禍のもと、短い旅とはいえ、関東圏から出るのは何年ぶりだろう。

目ざすのは、小長井良浩弁護士事務所。

歌舞伎町明星56ビルのオーナーを弁護した弁護士である。

駅からタクシーに乗り、茶町通りにある事務所へ。

降りたら鼻腔をお茶の薫りが刺激する。

すぐ目の前にあったお茶の仲介所が薫りの元だった。

小長井良浩は一九三四年生まれ、八十八歳。この地で生まれ育つ。

「家は呉服屋だったから、衣料品統制組合の組合長をやってたんです。昭和二十四年、インフレが盛りあがってるときに見込課税という最後の課税があって、この業界はいくら払えということを税務当局が決める。そのときに押されて組合長をやったもんだから、うちが最後に税金を背負い込んじゃって、大変な思いをしたわけです。それで私はすっかり反体制になったわけ」

小長井青年は山登りに熱中しながら、東大法学部に合格する。

一九六二年、二十七歳で弁護士活動開始。

「公権力に対峙することを主眼にしてやってきて、若いときに激しく活動してました。東京八重洲の国鉄労働会館で(弁護士を)はじめました」

労働組合を中心に弁護活動をおこない、破防法(破壊活動防止法)裁判では事務局長を務める。

資料が大量に収納されている事務所二階にあがると、広々とした机に歌舞伎町明星56ビル火災にかんする当時の新聞報道が各紙揃えられていた。

資料をめくっているうちに、歌舞伎町ビル火災の弁護活動をして、被告を窮地から救った弁護士のプロフィールが浮きあがった。

私の記憶のどこかに刻まれていた名前だった。小長井良浩といえば、新左翼系の裁判闘争でよく名前を見かける弁護士だった。

破防法裁判では中核派(ちゅうかくは)書記長本多延嘉(ほんだのぶよし)の弁護活動もおこなっている。

一九六七年、機動隊と佐藤栄作(えいさく)首相訪米阻止闘争のデモ隊が羽田空港近くの弁天橋で激突したとき、京大生山﨑博昭が死亡した。警察発表では、学生が奪った装甲車両が京大生を轢いて死亡させたというものだったが、いち早く現地に駆けつけた小長井が監察医の死体検案書によって、脳挫滅という轢死とは異なる他者からの暴力を疑わせる死因をつかみ、警察発表を否定することになった。

「弁護士というのは、弁護士法第一条で基本的人権の擁護と社会正義の実現というのが使命だとあります。また、山﨑君の事件までは、新左翼の事件に携わったことはまったくなかったのです」

「歌舞伎町ビル火災と接点を持ったのはどのようなことからですか」

「(明星56ビルのオーナー)瀬川さんはあのままだったら、必ず実刑になってしまうから、いろいろと弁護士を探した結果、この静岡の小長井という弁護士を知ったのでしょう。縁ができたわけですよね」

「もともとお知り合いだったわけではなくて?」

「そういうことはなかったんです。紹介者があって、事件の弁護に入るわけです。直接知ってる人の弁護をやるってことも、なかにはありますけど、ほとんどないですね。紹介者があって、それで瀬川さんを弁護することになったわけです」

「先生は歌舞伎町は行かれましたか?」

「ええ。弁護士だから、事件が起きればまず現場を踏みます」

「どんな街に映りました?」

「特に印象は思い起こせないですね」

小長井が用意した重要書類のなかには、検証許可状請求書という書面で、検察官が〝現住建造物等放火被疑事件〟被疑者氏名不詳のまま請求しているものがあった。

また、『歌舞伎町火災件　放火可能性について』という火災発生直後からの関係官庁、メディアの動きを逐一追った小長井作成の直近資料集もある。

「これは、どっちか（放火か失火）しかないからね。失火でないのは明白だから、放火に決まってますわね。法律の実務からしても常識からしても、そうなります。失火じゃなければ放火だと」

話は示談交渉人X氏に移った。

「X氏もよく引き受けましたよね、九件の御遺族への交渉を」

私が率直な感想をいった。

すると法曹界の先達が微笑みながら応えた。

「ほんとに全部を示談にしたからね。たいしたもんですよ。すごいね、Xさんの交渉力というのは」

*

ビルオーナーの瀬川重雄を含む被告五名に執行猶予判決が下り、一名が無罪となった。

検察も控訴することなく、あらためて放火事件として動き出した。

判決が下った直後、明星56ビル関係者たちが集った席で、『感謝のことば』という弁護士小長井良浩名義の書面が配布された。

実刑阻止という大きな成果を得たことに安堵し、なかでも〈X氏による示談完成は、終局の快事でした。〉と、示談交渉人X氏の活躍を絶賛している。

被告側の圧勝だった。

無罪請負人として時の権力と対峙してきた弁護士としては本望だっただろう。

事件関係書類を机の上でより分けていると、関係書類の脇に、私にとっては予想外の、そして懐かしい本が置かれていた。

一九八五年春、二十九歳になったばかりの私が、青年書館という神保町にあった版元から書き下ろした一冊だった。

『全学連研究』

私は大学時代、堀江忠男が教授を務める「マルクス経済学の根本的再検討」のゼミ生だった。

堀江は戦前、ベルリンオリンピックにサッカー日本代表選手として出場、戦後は早稲田大学サッカー部（ア式蹴球部）監督として岡田武史元サッカー日本代表監督をはじめ多くの逸材を指導してきた。

ゼミ生だった私は、東アジアの一小国がいかに発展し、軍事国家になり、自壊していったのか、マルクス経済学の講座派労農派とは異なる分析で、日本の資本主義に迫ろうという目論みがあった。

世になじんだ「全学連」という呼称を書名にしたのは、そのほうが書籍化しやすいからだった。

この書き下ろしでは、マルクス主義を実践する革共同両派へのトップにインタビューを申し込もうとした。

革共同という同じセクトで戦いながら、路線の違いで中核派・革マル派に別れ、のちに非和解的な対立となり、内ゲバに発展、両派で百名近くの死者を出した。

アパートで暮らす無名の若者たちが、かつての仲間によって道半ばで相次ぎ命を失う。なんと無慈悲な青春なのか。

両派の内ゲバに反対し、停戦を仲介しようとした知識人・文化人がいたが、書記長を殺害された中核派が猛烈に反発し、以後、両派の停戦を進言する仲介者はいなくなった。

書記長の本多延嘉は一九七五年、中核派と対立する革マル派によって殺害される。

復讐の全面戦争を呼号した中核派は以後、一方的といっていいほど革マル派を攻撃、犠牲者の九割は革マル派になった。

当時、大学生だった私は、まるで戦争中のような両派の対立に胸を痛めた。

『全学連研究』では革共同両派の幹部にインタビューを申し込んだが、革マル派からは断られ、中核派からは全学連委員長が登場した。

当時、中核派はゲリラ事件などを起こし、武装闘争に重心を置いていたために、最高幹部が出てきたのは意外だった。私がどこの党派にも属さず、影響も受けず、まったくのノンポリだったことが幸いしたのだろう。

中核派本部前進社で、インタビューしながら内ゲバ停止の話を切り出すのは、それなりの覚悟をしたものだ。

インタビューは四時間におよんだ。

内ゲバ停戦の話は結果的には徒労に終わったが、それでも聞きたいこと、いいたいことはすべて出し尽くした。

話を聞いた数カ月後、国鉄分割民営化反対の国電同時多発ゲリラ事件が起きた。中核派の非公然部隊人民革命軍によるものだった。逮捕者のなかにはあのときのインタビューに登場した委員長もいた。

結果的に自著は、戦後最大級のゲリラ事件を起こした最高幹部が発した貴重な証言になった。

本棚の奥にしまったまま忘れかけていた二十代最後の著作をいま、茶の薫る街で見る。

「本橋さんが関心を持ちそうな人、紹介しますよ。だいぶたつけど、歌舞伎町のビル火災があったでしょう。四十四人が亡くなった。あのビルのオーナーと知り合いで、遺族との示談交渉をしてきた男性がいるんですよ」

二〇一九年秋、私の事務所の事務処理で世話になっているある女性がもたらした情報からはじまった旅だった。

X氏と出会ったのが二〇一九年十一月八日。

X氏の事務所で明星56ビル火災の重要書類を閲覧できる機会に恵まれ、この未解決事件を探ってみることにした。

このときはまだ歌舞伎町をテーマに書き下ろしをやろうと思ったわけではなかったが、コロナ禍に巻き込まれながら、途中経過として『【歌舞伎町ビル火災】和解交渉人「20年後の告白」』というタイトルで『文藝春秋』二〇二一年六月号に寄稿したことは一章で触れた。

X氏と出会い、歌舞伎町を舞台にした物語が書けないか、おぼろげながら思って三年五カ月が過ぎていた。

*

「レズを卒業して男性慣れするため、ホストクラブに行ってみました」

美貌と難易度トップの大学でフランス文学系学科に在籍し、成績もトップクラスだったあの麗から、求められて大久保公園に行ってみることにした。

麗は大学を卒業して世界的規模のコンサルティング会社に勤めだした。

担当編集の勝浦とともに日曜日の夜、三人で足を踏み入れた。

ぴえん系と地雷系を教えてもらったのも麗からだった。

彼女はつい最近まで、かわいい女の子と同棲していたという。

「本橋さんお元気ですか。わたしはあの子と二カ月前に別れました。もう付き合うのは男性にします。最後、すごい揉めました。揉めて揉めて。いやぁ、小説まで送られてきて。アイフォンのスクショ四枚分。わたしの生き方を暴露本風に綴った小説です。何これ？　女の子にはちょっと懲りました。あ、ここですね、公園。人多いですね」

歌舞伎町の賑わいは完全にコロナ前にもどった。

夜になると公園が閉鎖され、相変わらず周囲には若い男女が集い、まるで大学キャンパスのようだ。

昔の立ちんぼの主流だった六十代女性は今日見る限り一人だった。

私たちが麗を真ん中にして公園周囲を歩くと、男たちの熱視線が麗に集中する。

声をかけてこないのは私と勝浦が両脇にいるからだろう。

スタイルのいい二十歳前後の女がスマホを操作しながら立っている。時折、男が近づき、話しかける。

三人目で、やっとペアを組み、夜陰(やいん)にまぎれてラブホテルに吸い込まれた。

「脚を出したほうがいいんだ。みんなミニスカで脚を出している」

麗がつぶやいた。

たしかに立ちんぼはミニスカートである。

麗もいつもはミニスカートなのだが、本日はパンツスタイルだ。

夜陰の美脚は男たちを惹きつける。

まだ春弥生の肌寒さなので、胸の谷間はほとんど見られない。

公園を訪れた女子グループが、興奮を押し殺しながら話している。立ちんぼの意味とシステムを知らない女友だちに説明していた。

道の向こう側では、男女グループが酒の勢いもあって、よく通る声で話している。

「この辺には女芸人が立つんだよ」

本業で食っていけないので、副業としてここに立っているのだろうか。

「十五分間だけ、立ちんぼ体験してもいいですか」

麗が大胆な提案をしてきた。

「わたしはいくらで売れるのか、試してみたい。やるのはそこまで」

職場での共通言語は英語だという麗が、大久保公園で泥臭い商いをしようという。

「わたし、どれくらいするんだろう。三万くらい？」

ここの相場が一万五千円だと教えると、麗はショックを受けた様子だった。

本人は控え目な口調で「希望は十万」といいながら、現実の厳しさを味わったようだ。

九〇年代、援助交際が問題になったとき、なぜ金銭で関係を持つのがいけないのかが議論になった。

援交は病気や犯罪のリスクが高まるから、という意見のほかに、魂が汚れるから、という精神的な意見もあった。

現実には、男が思う以上に金銭で関係を結ぶことに女は抵抗感を感じていない。

終戦直後、娼婦となった女性のなかには、日常英会話ができる良家の子女が珍しくなかった。

女性は、自分がいくらの価値があるのか、金銭で計れることに抵抗感が希薄である。

「自分に値段がつくのは、自己肯定感を与えてくれた」と打ち明ける女性もいた。

「もし友だちも家族もいなかったら、ここで声かけてもらうだけで嬉しくなっちゃうかも。ホストクラブに行ってお金払うのもいいけど、お金払ってくれて自分を求めてくれるって、嬉しいときもあるんだろうな」

麗が小声で語る。

そして公園の周辺を行き交う女と男を眺めてこんなことをいった。

「ビジネスチャンスがあるかも。これだけの人数が集まってるんだから。女性にとっては究極の自由出勤。それにその日にすぐおカネになる」

麗によれば、自分の周りの二十歳前後の女性は、「めっちゃオープン」だという。

「開放的だし、SNSで発信するからより開放的に見えるんです。超オープンだから。気が強くて仕事がんばって、時間とお金に余裕がある女性ほど開放的です。女も性欲あるし。やりたいんですよ」

大久保公園のすぐ近くには、一九八一年、歌舞伎町ラブホテル連続殺人事件のホテルが残っていた。

あれから四十数年、ここにいる立ちんぼたちは事件を知るよしもない。

「わたしが立ちんぼだったら？　怖いかしら、でも、やらないからトラブルになるんでしょ。割り切りで、やればいいんですよ」

*

大久保公園を引き揚げて、私たち三人は人混みをくぐり抜け、かつての噴水広場に出た。

さっきまで目撃した感想を麗に求めると「Interest!」と勤務先で英会話を駆使する彼女らしく本格的な発音で答えた。

四十数年前、神宮球場で早慶戦を観戦したあと、ここにあった噴水に飛び込み、足の裏を切った苦い思い出が甦る。

担当編集勝浦基明の奥さんが闘病を経て、最近退院したことも話題にのぼった。

妻を介護しながらも浮気をしなかったことを別に自慢するでもなく語った。

結婚するとき、「そう決めたことだし」と自分にいい聞かせている。

麗は感激の面持ちで「わたし、そういう人と結婚したい」といった。

女で身を持ち崩さなかったが、ギャンブルで危うく身を持ち崩すところだったと愛妻家が打ち明けると、麗は「そっちか」と笑った。

「三十年くらい前、どれくらい借りたかわからないくらい。あとから過払い請求できれいにしましたけど」

麗が尋ねてきた。

「怖くなかったですか？」

「怖い思いより不安と戦いつつ、借金返しながら……またポーカーゲームを」

「勝つ人っているんですか？」

「勝った人、絶対いない。貯金、すべて溶かしたし」

「何が魅力だったんですか？」

「勝つとその場で現金になるということ。でもギャンブルで家建てた話は聞きませんから。二年間、ハマったけど、いったいいくら溶かしたかわからないです。でもやってるときは楽しかった気がします」

「じゃあ、よくない？」

麗が慰めるのだが、勝浦は「当時は酒も飲む気にもならなかった」といった。

シリーズの一冊、『上野アンダーグラウンド』（二〇一六年刊）のラストで、K編集長こと勝浦基明が実父のエピソードを漏らす衝撃的なくだりがある。

勝浦の父の母、要するに父方の祖母は大正から昭和にかけて朝鮮半島から仕事を求めて渡ってきた。祖母は在日がたくさん住んでいる神戸で暮らし、日本人男性と恋仲になり生まれたのが勝浦の父だった。昭和三年生まれ、というからうちの父と同年だ。

本来なら結婚するはずなのだが、日本人男性は消えてしまい、祖母が困り果てているときに出会った在日コリアンと結婚する。

二人の間に男児と女児が生まれる。

ここで問題が起きた。

祖母が結婚した在日コリアンは、国籍こそ日本だったが、血筋としてコリアンを重んじ、祖母の連れ子（日本人とのハーフ）を戸籍に入れることを拒んだ。

祖母は強くいえない。

幸福な家庭を築きあげたかに見えたが、勝浦の父は自分の居場所がなくなったと思い込み、神戸を脱出、東京都江東区の森下に移住した。

時が過ぎ、父は戸籍がないまま実社会で生きてきた。

神戸では縫製の腕を見込まれ仕事があったが、東京では現場作業系に従事した。

「父は戸籍を持とうとして、自分で法律を勉強していました。そういえば、家に古い六法全書があったのを覚えていいます」

その後、神戸にもどり、日本人女性と結婚。愛らしい男児が誕生した。男児は今回私とともに歌舞伎町に潜入してきた勝浦基明である。

勝浦の父は六十歳のとき、肝臓がんで死去。

葬儀の段になって、トラブルが発生した。

戸籍がない者に役所は火葬許可証を出してくれない。

勝浦の父が無戸籍だったことが最後の最後で深刻な事態を呼び起こした。

棺が葬儀場に安置されたまま、前代未聞の事態がつづいた。

戸籍はないものの、住民票は存在していたので、役所は住民票を抹消することで急場をしのぎ、火葬許可を出した。

亡くなった父は、戸籍がないことで起きるトラブルを避けるためか、生前はできる限りひっそりと生きてきた。

遺品整理をしたところ、机の引き出しから大量の無免許運転の違反切符が出てきた。

いずれも坂本という苗字で、名前には竜、龍、という文字が入っていた。

歴史好きの父は坂本龍馬のファンだった。

昔は交通違反を取り締まる警察もかなりいい加減だったのだろう。

「お父ちゃん、運転はとても上手だったよ」

母が懐かしそうにいった。

*

勝浦基明と私は麗を新宿駅まで送っていくと、歌舞伎町に引き返した。

若い男女が雑踏に繰り出し、笑い、歌い、怒声を発している。

本来の歌舞伎町がもどってきた。

そぞろ歩きながら、とりとめのない話をしあう。

「いい年齢になってきたせいか、すでにいない両親のことをよく考えます」

珍しく勝浦がプライベートなことを語りはじめた。

「父は昭和のガンコ親父みたいなタイプで、父と子の会話というのは、少なかったと思います。それでも、小学校低学年のころ、ビニール紐の緩まない縛り方やもやい結びとか、ほかの紐の結び方、糸を編んでの網の作り方などを教わった記憶があります。父が仕事で学んだ技術なんでしょうね。段ボールや新聞・雑誌を捨てるとき、僕が縛るとビニール紐がゆるまないのを妻に感心されます。

小学生のころ、我が家に野球のグローブは二つあったのですが、一つを僕が土手に忘れてきてなくしてしまって。でも、我が家には新しいグローブを買う余裕などない。手先の器用な父は、仕事で使った余りの皮でグローブをつくっちゃうんですよ。その後、父とのキャッチボールはそのグローブを使ってましたね。競馬でけっこう儲かったとき、僕に何かほしい本はあるか？と聞いてきて。なぜかそのころ松尾芭蕉にハマっていた僕は、『奥の細道』をリクエストしたんです。父は近所の本屋さんに注文して、立派な装丁の『奥の細道』を買ってくれました。この本は、いまでも持っています」

基明には三つ上の兄がいたが、肺炎をこじらせ二歳を迎えることなく亡くなった。兄が死んだあと、両親は喪失感で半年間は何もできずにいた。

「後楽園球場に巨人戦を見に行ったときのことです。外野の自由席だったかな。トイレに行った僕が席にもどっていくと、席近くのカップルが僕の席があるほうを見てヒソヒソ話しているんです。見ると、父が謝りながら、前に座っている男性の背中をタオルで拭いていて。父に聞くと、コーラの蓋を開けたところ、中身が吹き出したといいます。無戸籍のトラブルを避けるために、何事にも細心の注意を払っていた父にしては珍しいミスでした。そのあとすぐに座席は移動しました。

僕が二十二歳のときに父は死んでしまいましたけど、ときどき僕の行動や考え方に父の影響を感じるとき、まだ父に二度目の死は訪れていないなと感じられますね」

勝浦の父の仕事は、縫製業だった。

婦人靴の靴底以外の作業を下請けとしてやっていた。

自宅で父と母の二人、ほぼ休みなしで働いていた。父は日曜だけは早くに仕事を終えて、趣味である将棋を指しに近所の将棋屋へ行った。アマ初段の実力はあると自身で吹いていた。

競馬も好きだった。少ない小遣いを少しでも増やそうとしたのか。

「うちの墓は、僕と母でつくったのですが、千葉県の船橋にあります。僕には、子どもがいないので、この墓も僕で終わりです。神戸に母方の墓があるので、最後はそこに移そうと考えています。でも、いつか墓守がいなくなることは確実ですが、まぁ、両親や僕の生まれた神戸で将来的にみんなで無縁仏になるのもいいですよね。

父は、入院して三週間ほどで亡くなるのですが、入院するぎりぎりまで働いていました。入院した日、医師からは肝臓がんの末期で、もって三カ月という余命宣告まで受けたことは大きなショックでしたね。父にがんの告知をしないことは母と決めていました。父が、病気で死期が近くなったら自ら命を断つと宣言していたのを母が信じていたからです。

入院して何日かして、母と病室を出て帰ろうとしたとき、父に呼び止められました。

『家の本棚にじいさん（自分の育ての父親）の写真がある。それを燃やしてくれ』

父の母親の再婚相手、在日コリアンの人です。父が怖がっていた人でもあります。父がなぜ写真を燃やせといったかはわかりません。帰って本棚を探すと、たしかに写真があったので、家の前で母と一緒に燃やしました。

母は燃えていく写真を見て、『おじいさん、お父ちゃんを連れていかんといてね』と泣いていました。

後日、母から聞いたのですが、父は亡くなる数日前、『あいつ（基明の兄）には、かわいそうなことをしたなぁ』とつぶやいていたそうです。

兄の遺骨はありません。子どものころ、母に聞いたら『親より先に死ぬ子どもは親不孝だから』という答えでした。墓をつくることはなく、大阪の天王寺かどこかに遺骨を収めたといっていた気がします。今思えば、母は兄の死には触れてほしくなかったのでしょうね。

父が死ぬ日のことです。

苦しみはじめる直前に僕を呼んで、『基明。父ちゃん、もうあかんかもしれん』といってきました。それまで、父の前では涙を見せないでいたのですが、その言葉を聞いてから涙は止まりません。直後に苦しみはじめました。

二十二歳の僕は父の手を握って、がんばれといいつづけるしかできません。

父が死んで何年もたって、そのときのことを反省しました。がんばれ、なんていうべきではなかったと。あのときの父の状態では、がんばるほど苦しむ時間が長引いたのではないかと思ったんです。

昭和三年の二月生まれ。昭和六十三年七月二十五日に亡くなりました。

父の死後、偽名を語った交通違反の切符が出てきたことはいいましたよね。それだけでなく、ある日、母が台所から僕を呼ぶんです。行くと母が泣いています。見ると、家にあるすべての包丁が、きれいに研がれていました。

『お父ちゃんは、自分が長くないことわかってて、包丁を研いでおいてくれたんやなあ』

そういえば、仕事で使う刃物を父は自分で研いでいました。家の包丁が切れなくなったときも研ぐのは父です。刃物の研ぎ方も教わった気がします。でも、うまく研ぐことはできません」

亡くなると棺桶に競馬新聞を入れてあげた。

歌舞伎町のゴジラが不夜城を睥睨（へいげい）している。

*

歌舞伎町一丁目の路地裏にある「上海小吃（しゃんはいしゃおつー）」で、久しぶりに元ぼったくりの帝王・影野臣直と会った。

何カ月、いや一年以上か。

この店は、豆腐の細切り、蛤（ハマグリ）の甘辛炒め、上海蟹といった定番メニューに加え、サソリの特製揚げ、豚の脳みそ炒め、あひるの血固まり、中国産の赤蝉、といったゲテモノ料理も揃い、路地裏という立地も相まって歌舞伎町の名物店になっている。馳星周原作『不夜城』の映画にも登場する。影野臣直にとって、もっともふさわしい店といえる。

「上海小吃」の女主人は本日も威勢よく切り盛りする。

壁に貼られている美しい中国人女性のポスターは、ここの女主人の女優時代のものだ。

「俺が出所してからはずっと女房と家庭内別居でした。うちでドーベルマン飼ってたんですよ。最初、女房がいやがってね。大型犬だし。ところが飼っているうちにすごくかわいがりだして、俺や子どもたちよりかわいがるんだから。アハハハ。俺が懲役に行ったときもずっとかわいがってくれたんです。写真撮って、送ってくれたりしてね」

ドーベルマンが家にきて早々、白血病になった。

動物病院で治療をおこない、助かったが、九年で再発、十歳で亡くなった。

刑務所から出てきて三年後だった。

今度は女房に異変が起きた。

「女房の咳が止まらないんです。おかしいなと思って、検査したら肺癌のステージ4でした。若いころからセブンスター一日二箱吸いつづけてきた。俺、吸わないんだけど。あんな馬鹿らしい、体によくないもの吸わないですよ。娑婆にもどって歌舞伎町に出入りするようになったら、女房が怒り出してね。真面目に働いている姿を子どもたちに見せてやれなんていうわけです」

恋女房は太地喜和子に似て、目が大きくて、顔立ちが派手。派手な女が好みの影野臣直が理想とする七歳年上の女だった。

同棲して結婚して子ども二人生まれた。

その間、歌舞伎町最大のぼったくりKグループ・リーダーとして暗躍してきた。

出所してからは文筆業に転じ、獄中の囚人たちの更生に手を貸している。

女房としたら歌舞伎町とはきっぱり縁を切ってもらいたかったのだろう。妻との関係が悪化していく。

そんな矢先の闘病だった。

体が衰弱していく女房に、体にいいものはなんでも飲ませ、食べさせた。

死期を悟った恋女房は夫に頼み事をいった。

「わたしを看取ってくれる?」

「バカ野郎。死ぬなんて考えるな」

妻の余命宣告を受けた夫は漢方のカバノアナタケ茶を煎じて飲ませた。

妻は素直に飲んだ。

お互い意地を張ることは消えていた。

歌舞伎町に雨が降ってきた。

この本のために、歌舞伎町のあちこちに潜入したり、人と出会ってきた。

ときには闇の結界に足を踏み入れてしまい、緊張状態になりかけたときもあった。

そんなとき、影野臣直がいたおかげで大事にならずにすんだものだ。

「上海小吃」を出ると、雨滴が不規則にトタンを打つ。

「影野さん、奥さんの容体は……」

「亡くなりました」

名ばかりの天井から冷たい雨が降りかかる。

私たちが一緒に街を動き回っていたときには、すでに。

ポケットを探った。

昼間、カードの使えない店で支払いをすませたから、現金が残っているか心許ない。
ポケットの中に紙幣が一、二枚。
無造作につかむと、香典として影野に渡そうとした。
こういうのはあと回しではなく、すぐに動いたほうがいい。
私が紙幣を渡そうとしたら、男はけっして受け取ろうとしなかった。
「裸のままで申し訳ないけど」
「いや、いいんですよ。気を使わないで」
元ぼったくりの帝王に無理矢理紙幣を握らせようとする。
強引に渡すと、私は外に飛び出した。
雑踏を歩きながら、この街で出会った人々を思う。
みんなうまくやってるか。
闇は少しは晴れただろうか。

あとがき

三年半の間に登場人物たちにも変化があった。

歌舞伎町某有名店のホスト神崎晃氏は惜しまれつつ引退した。

「マジェスティ」で二年連続年間売上グループナンバー１になった人気ホスト、Ｈｉｋａｒｕ氏も引退。

上役の石川鋼牙代表は健在である。

ホストは消耗も激しいのだろうか。

新宿ゴールデン街「中村酒店」は二〇二二年暮れ、失火で全焼。中村京子ママは健在だ。東京マラソンにも出場した。

スナック「女無ＢＡＲ（メンバー）」オーナー、ひょうきん懺悔室のブッチー武者さん。公演『生きる』を通じて、認知症についての理解を広めようと奮闘している。コロナも収束しつつあり、客足も上向いてきている。

元ヒットマン、現在東京拘置所に収監されている火野氏は、ここ最近の裏社会における犯罪の変化について、興味深い見解を持っている。

明星56ビル火災はいまのところ捜査も膠着状態のようだ。

異色の役者、山口仁氏がこんなことをいっていた。

「『全裸監督』、出たい！と思ったんですよ。出たかった。後輩の土平（つちひら）ドンペイが出てるんですよ（Ｓｅａｓｏｎ１／２・３話、北海道警察 刑事部長役）。あいつとは三十代後半から四十代終わりまで事務所が一緒だったんですよ」

歌舞伎町の男女の間では『全裸監督』の威光は絶大で、Netflix配信の視聴率ほぼ百パーセントだった。

「華灯（はなび）」のカリスマキャバクラ嬢黒宮ちはやさんは、ますます高嶺の花になった。

「キングダムクイーン」のキャバクラ嬢、もえパラさんは、エントランスに大型ポートレートが飾られるほどの人気ぶりである。

今回、登場するはずだった男女が、直前になって降板する事態が数件あった。

内容が要注意案件だったため、やむを得なかった。

取材・執筆中に危うくなった人物も複数人いた。さすがは歌舞伎町である。

数十年ぶりの再会だった江藤カズオ氏の人たらしは相変わらずだった。

「本橋君と勝浦君はもう友だちだからね、今度飲みに行こう。昭和歌謡でも歌いに歌舞伎町に行こう。それもいいけど、俺にも本を書かせろよ」

一番元気だった。

登場人物たちの多くが「歌舞伎町は敗者復活戦ができる街」と証言していた。

私もそう思う。

本書に登場した方々、事情があって名前を出せない方々に感謝したい。

ジャーナリスト野島茂朗氏には今回もユニークな人物紹介で世話になった。彼の顔の広さは想像を絶するものがある。

本シリーズ担当だった杉山茂勲氏はゆえあって、飛鳥新社に移った。

しばらくなりをひそめていたが、担当した『変な家』『私が見た未来』の二冊が百十万部というベストセラーになった。

願わくば勝浦氏にも運が移るように。

本書と同タイトルで二〇〇三年、柏原蔵書氏による書き下ろし本がＫＫベストセラーズより刊行されている。あわせてこちらも読まれんことを。

カメラマン・田村浩章氏、担当編集者勝浦基明氏、本書に携わった関係者の方々に感謝したい。

著者近影は写真家・山岸伸氏の写真展「ＫＡＯ」から拝借した。ありがとうございます。

本橋信宏

二〇二三年四月

参考文献

『歌舞伎町コロナ戦記』羽田翔　飛鳥新社

『歌舞伎町の60年 歌舞伎町商店街振興組合の歩み』歌舞伎町商店街振興組合 編集・発行

『歌舞伎町の住人たち』李小牧　河出書房新社

『韓国女子刑務所ギャル日記』あき　辰巳出版

『新宿・歌舞伎町 人はなぜ〈夜の街〉を求めるのか』手塚マキ　幻冬舎新書

『新宿区の民俗（6）淀橋地区篇』新宿区歴史博物館発行

『新宿の迷宮を歩く300年の歴史探検』橋口敏男　平凡社新書

『新宿文化絵図　重ね地図付き新宿まち歩きガイド』新宿区地域文化部文化国際課発行

『台湾人の歌舞伎町——新宿、もうひとつの戦後史——』稲葉佳子・青池憲司　紀伊國屋書店

『地形を楽しむ 東京「暗渠」散歩』本田創　洋泉社

『地図で見る 新宿区の移り変わり 淀橋・大久保編』東京都新宿区教育委員会発行

『発掘写真で訪ねる 新宿区古地図散歩～明治・大正・昭和の街角～』坂上正一　株式会社メディアパル

『夜回り組長のどん底から這い上がる13の掟』石原伸司　静山社文庫

取材協力

ＬＥＯＮ：東京都新宿区歌舞伎町２-13-６ メトロプラザワンビル４階

青葉：東京都新宿区歌舞伎町１-12-６ 歌舞伎町ビルＢ１

新宿歌舞伎町キックボクシングジム：東京都新宿区歌舞伎町２-２-10地下

女無ＢＡＲ：東京都新宿区歌舞伎町２-35-５ リゾンビルＢ２Ｆ

華灯（はなび）：東京都新宿区歌舞伎町２-10-７ ダイヤモンドビル１Ｆ

キングダムクイーン：東京都新宿区歌舞伎町２-26-３ 互福ビル２Ｆ

マジェスティ：東京都新宿区歌舞伎町１-２-６　三経ビル５階

著者
本橋信宏（もとはし・のぶひろ）
1956 年埼玉県所沢市生まれ。早稲田大学政治経済学部卒。集合写真で､「一人おいて」と、おかれてしまった人物、忘れられた英雄を追いつづける。執筆内容はノンフィクション・小説・エッセイ・評論。
主な著書に『裏本時代』『ＡＶ時代』（以上、幻冬舎アウトロー文庫）、『新・AV 時代 悩ましき人々の群れ』（文藝春秋）、『心を開かせる技術』（幻冬舎新書）、『< 風俗体験ルポ > やってみたらこうだった』『東京最後の異界 鶯谷』『戦後重大事件プロファイリング』（以上、宝島 SUGOI 文庫）、『東京の異界 渋谷円山町』（新潮文庫）、『上野アンダーグラウンド』『新橋アンダーグラウンド』『高田馬場アンダーグラウンド』（以上、駒草出版）、『エロ本黄金時代』（東良美季共著／河出書房新社）、『全裸監督 村西とおる伝』（新潮文庫）、『出禁の男　テリー伊藤伝』（イースト・プレス）等。
フェイスブック https://www.facebook.com/motohashinobuhiro

歌舞伎町アンダーグラウンド

2023年4月29日 第1刷発行

著　者　本橋信宏

発行者　井上弘治
発行所　**駒草出版** 株式会社ダンク出版事業部
〒110-0016　東京都台東区台東1-7-1 邦洋秋葉原ビル2階
TEL：03-3834-9087
URL：https://www.komakusa-pub.jp
印刷・製本　中央精版印刷株式会社

デザイン／大橋義一（GAD Inc.）
地図制作／ワークスプレス株式会社 前川達史
カバー・トビラ・本文人物撮影／田村浩章
協力／野島茂朗　渡邉清貴
編集／勝浦基明（駒草出版）

ISBN 978-4-909646-66-8